D1082538

LA LNH, UN RÊVE POSSIBLE

Tome 2

DU MÊME AUTEUR

La LNH, un rêve possible – Tome 1 : Les premiers pas de huit hockeyeurs professionnels québécois, Montréal, Hurtubise, 2008.

Luc Gélinas

LA LNH, UN RÊVE POSSIBLE

Tome 2

Rêves d'ici et d'ailleurs

Hurtubise

Catalogage avant publication de Bibliothèque et Archives nationales du Québec et Bibliothèque et Archives Canada

Gélinas, Luc

La LNH, un rêve possible

Sommaire : t. 1. Les premiers pas de huit hockeyeurs professionnels québécois - t. 2. Rêves d'ici et d'ailleurs.

ISBN 978-2-89428-984-6 (v. 1)
ISBN 978-2-89647-268-0 (v. 2)

1. Joueurs de hockey - Québec (Province) - Biographies. 2. Ligue nationale de hockey. 3. Joueurs de hockey - Biographies. I. Titre.

GV848.5.A1G44 2008 796.962092'2714 C2008-941314-8

Les Éditions Hurtubise bénéficient du soutien financier des institutions suivantes pour leurs activités d'édition :

- Conseil des Arts du Canada
- Gouvernement du Canada par l'entremise du Programme d'aide au développement de l'industrie de l'édition (PADIÉ)
- Société de développement des entreprises culturelles au Québec (SODEC)
- Gouvernement du Québec par l'entremise du programme de crédit d'impôt pour l'édition de livres.

Édition : André Gagnon
Révision : Michel Rudel-Tessier
Conception graphique de la couverture : René St-Amand
Photographie de la couverture : Joey Boylan
Maquette intérieure et mise en pages : Folio infographie

ISBN version imprimée : 978-2-89647-268-0
ISBN version numérique (PDF) : 978-2-89647-543-8

Dépôt légal : 1er trimestre 2011
Bibliothèque et Archives nationales du Québec
Bibliothèque et Archives du Canada

Diffusion-distribution au Canada :
Distribution HMH
1815, avenue De Lorimier
Montréal (Québec) H2K 3W6
Téléphone : (514) 523-1523
Télécopieur : (514) 523-9969
www.distributionhmh.com

Diffusion-distribution en Europe :
Librairie du Québec/DNM
30, rue Gay-Lussac
75005 Paris FRANCE
www.librairieduquebec.fr

Imprimé au Canada
www.editionshurtubise.com

PRÉFACE

D'abord et avant tout, laissez-moi vous dire que j'ai véritablement dévoré le premier tome de *La LNH, un rêve possible*, même si je dois avouer que je ne suis pas ce qu'on peut appeler un grand lecteur. J'étais donc emballé quand j'ai appris que Luc revenait à la charge avec un deuxième volume, car *La LNH, un rêve possible*, c'est beaucoup plus que de simples histoires de hockey. Ce sont des tranches de vie, des témoignages qui peuvent servir de miroir à beaucoup de personnes, et pas seulement aux jeunes. Les parents et tous ceux et celles qui sont impliqués dans le hockey mineur y trouveront leur profit. Ces récits sont inspirants et motivants, car ils démontrent, page après page, que peu importe ce que les gens te diront, ou essaieront de te faire croire, tu demeures le seul maître de ta destinée.

Avec ce deuxième livre, Luc nous prouve cette fois que quels que soient tes racines, la couleur de ta peau, l'endroit où tu vis ou même ton sexe, *rien n'est impossible*. Quelles étaient les chances d'un jeune Russe de faire la LNH à l'époque du communisme ? Celles d'un petit Mexicain de l'Alaska, d'un jeune Noir de Sorel ou d'un minuscule attaquant de la banlieue de Rochester ? Comment un jeune banni du hockey mineur en Estrie et qui n'a même pas eu la chance de jouer au niveau midget a-t-il pu réussir à être repêché par les Blues de Saint Louis ? Et que dire de ce petit bonhomme de Toronto qui se débat dans la jungle de la plus grande association de hockey mineur au monde ? J'ai particulièrement adoré l'histoire de Kim Saint-Pierre, qui m'a fait découvrir le hockey d'un œil complètement différent. J'estime que Luc a eu une merveilleuse idée d'intégrer le parcours d'une jeune fille dans ce tome 2.

Tous ces récits démontrent que lorsqu'une grande et véritable passion brûle en toi et que tu es prêt à faire les sacrifices qu'il faut et que tu es résolu à surmonter les embûches qui se dresseront sur ta route, tu as la possibilité de réaliser ton rêve. C'est la grande leçon de ce livre et c'est ce qui en fait la valeur et la beauté.

Bravo et merci à ceux qui ont accepté de raconter leur histoire, et bravo aussi à Luc Gélinas pour avoir su si bien mettre en scène ces témoignages inspirés et inspirants.

Bob HARTLEY

BRIAN GIONTA

En Brian Gionta, le Canadien de Montréal s'est déniché un capitaine comme toutes les équipes rêvent d'en avoir. Véritable modèle par son attitude et sa façon de se comporter sur la glace, c'est aussi un homme exemplaire et inspirant en dehors de la patinoire.

Combatif, tenace et travaillant, il a été obligé de se surpasser dès ses débuts dans le monde du hockey pour que ses détracteurs ne se servent pas de sa petite taille comme prétexte pour l'écarter. Malgré ses 5 pieds 7 pouces, il est devenu une vedette de la Ligue nationale parce qu'il n'a jamais baissé les bras devant l'adversité, se moquant des préjugés entretenus à l'endroit des joueurs de petit gabarit. Mieux, depuis sa tendre enfance, pour être certain de clouer le bec de ses dénigreurs, il a toujours joué comme s'il était un colosse en se positionnant dans la circulation lourde et en se colletaillant avec n'importe quel adversaire le long des rampes. En s'impliquant de cette façon, Brian Gionta s'est assuré d'être le meilleur joueur de son équipe, année après année, depuis ses débuts dans le hockey organisé jusqu'à son ascension dans la LNH.

Brian et ses parents se sont imposé plusieurs sacrifices pendant ce long parcours... Un parcours qui vaut la peine d'être raconté et qui inspirera bien des gens.

* * *

Brian Gionta est né le 18 janvier 1979 et il a grandi au bord du lac Ontario, dans une petite ville appelée Greece, située à quelques kilomètres seulement de Rochester, dans l'État de New York, aux États-Unis. Propriétaire d'une quincaillerie, son père Sam y avait acheté une maison dans un coin tout aussi paisible qu'enchanteur. Pendant toute son enfance, Brian et ses frères Joe et Stephen se sont réveillés chaque matin en admirant cette gigantesque mer intérieure qui servait de frontière à leur cour arrière. Mais quand on est enfant, ces paysages pittoresques ne possèdent assurément pas le même cachet que pour les plus vieux.

Pour les trois frères Gionta, l'attrait principal, c'est surtout le petit canal situé devant la maison familiale. L'été, c'est là que les bateaux des riverains accostent, à l'abri des fortes vagues. Et l'hiver, une fois gelé, cet espace devient un formidable terrain de jeu.

À la fin de l'automne 1984, Penny Gionta décide que ses deux plus vieux garçons devraient bouger un peu plus. Sam et elle sont les seuls jeunes parents de la rue, de sorte qu'il n'y a pas d'autres enfants dans le voisinage pour inciter ses fistons à s'amuser dehors. Elle-même plutôt bonne patineuse, Penny achète donc des patins à Joe et Brian. L'aîné a alors huit ans tandis que Brian n'en a que cinq. Né à l'automne précédent, le petit Stephen est encore aux couches. Penny n'aura pas à aller bien loin avec sa marmaille lorsque sera venu le temps de donner les premiers coups de lames. La maman et ses fils n'auront qu'à marcher quelques mètres pour aller patiner sur l'eau gelée du canal, de l'autre côté de la rue. Mais pour le moment, ils sont encore loin de pouvoir se débrouiller seuls sur des lames. Même que, pour être honnête, il faut avouer que Joe n'a rien d'un patineur naturel. Question de faciliter son apprentissage, sa mère l'inscrit à des cours de patinage pour débutants à l'aréna Lakeshore de Rochester, à moins de sept kilomètres de la maison. Là, les jeunes Gionta auront la chance d'apprendre auprès d'une sommité : Melissa McGraine, une spécialiste du *power skating* qui habite justement à Greece.

« C'est Joe qui avait besoin de cours de patinage, mais ça ne coûtait pas plus cher d'amener Brian et, bien entendu, il ne demandait pas mieux que de suivre. Melissa travaillait avec eux deux fois par semaine et il y avait aussi d'autres enfants du même âge, dont la petite Kim Insalco qui se retrouvera plus tard dans l'équipe américaine de hockey féminin, aux Jeux olympiques de Turin. Je ne sais pas pourquoi, mais Brian absorbait très rapidement tout ce que Melissa expliquait à Joe. Je ne pensais même pas qu'il écoutait ce qu'elle enseignait à son frère – il était alors si jeune ! Nous avons été chanceux, car Melissa s'arrangeait pour que ça ne nous coûte presque rien. Pendant les séances de patinage libre, elle prenait nos deux gars et les Insalco à part et elle travaillait avec eux dans un coin de la patinoire », se remémorent Sam et Penny.

Au bout de quelques mois, Brian patine avec un style et une technique que la grande majorité des joueurs de hockey ne parviendront jamais à atteindre au cours de leur carrière. Ses départs explosifs, sa capacité à changer rapidement de direction et sa stabilité sur patins deviendront éventuellement sa marque de commerce. L'association entre Brian et son entraîneuse de *power skating* se prolongera pendant une douzaine d'autres années encore.

Puisque Brian se débrouille bien sur des lames, l'hiver suivant, il se retrouve dans la même équipe que Joe, aux côtés de garçons de deux et trois ans plus vieux que lui. C'est au sein du Crush de Greece que les frères Gionta effectuent leurs débuts au hockey. Le plaisir est au rendez-vous à chaque rencontre, même si l'équipe connaît une saison misérable en subissant la défaite à chacune de ses sorties. Au tout dernier match de la saison, les joueurs du Crush goûteront finalement aux joies de la victoire.

« Mon premier souvenir relatif au hockey remonte à cette saison-là. C'était le dernier match de l'année et je n'avais toujours pas réussi à compter un seul but. Vers la fin de la partie, Joe et moi nous sommes échappés ensemble alors que l'entraîneur adverse avait retiré son gardien au profit d'un attaquant supplémentaire car son équipe tirait de l'arrière. Mon frère a patiné avec la rondelle puis il me l'a refilée pour que j'enregistre mon premier but ! », raconte Brian, dont les yeux brillent encore. Difficile de ne pas se souvenir de son tout premier but à vie, surtout quand son frère aîné fait preuve d'autant de générosité.

Quand on provient d'une famille unie où les liens sont tissés serrés, ces petits fragments de vie signifient énormément. Malgré les innombrables souvenirs rattachés à la belle carrière de Brian, ce tout premier but est demeuré pour lui figé dans le temps. Sam et Penny, qui assistaient à la scène du haut des gradins, n'en ont pas perdu le moindre détail. Assis à la table de la maison familiale où ils ont élevé leurs trois fils, ils évoquent le même événement avec précision et complicité pendant que les grosses vagues du lac Ontario se fracassent lourdement contre le rivage, quelques mètres derrière.

AVEC LES PLUS VIEUX... DANS LA « GROSSE » ÉQUIPE

Aux États-Unis, le programme de hockey mineur diffère légèrement de celui en application au Canada. Chez nos voisins du sud, les catégories de jeu sont divisées en deux niveaux : les joueurs de première année se font compétition entre eux tandis que les deuxième année se retrouvent également regroupés ensemble.

Même s'il semble beaucoup plus jeune que les autres en raison de sa petite taille, Brian devient rapidement bien meilleur que les garçons de son âge.

C'est ainsi qu'à l'automne 1989, à son arrivée chez les *mites*, l'équivalent du niveau novice, Brian est promu dans la ligue des joueurs de deuxième année.

Encore là, le système américain fonctionne différemment : on commence déjà à développer l'élite à ce niveau en regroupant les meilleurs joueurs de la région dans une formation AAA. Alors que la plupart de ses amis se retrouvent dans la *house league* de Greece, Brian se taille facilement un poste au sein de l'équipe de Rochester, la *travel team* du comté de Monroe. Et plutôt que de se retrouver dans la classe *mites*-mineurs, il joue dans le circuit des *mites*-majeurs.

Le même scénario se répétera pour Brian lors de son passage au niveau *squirt*, l'équivalent de la catégorie atome. Même s'il concède un an à tout le monde et qu'il est de très petite taille, le jeune Gionta s'avère année après année l'un des meilleurs joueurs de son équipe. À la même époque, il se joint aussi à une équipe élite qui participe à des tournois qui s'échelonnent de la fin de la saison jusqu'à la mi-juin. Puisque Brian est également considéré comme l'un des meilleurs joueurs de soccer de la région, parents et enfants n'ont pas plus de répit l'été puisqu'ils passent le plus clair de leurs week-ends loin de la maison pour des compétitions.

« Nous avons toujours essayé de garder ça familial, même si c'était difficile et qu'il fallait souvent se partager les activités de fin de semaine en raison des horaires différents de nos trois fils. Quand c'était possible, nous partions tous ensemble en bateau et les gars adoraient ça. Beaucoup de tournois se déroulaient en Ontario, alors plutôt que de conduire pendant des heures, nous préférions embarquer l'équipement de hockey ou de soccer dans le bateau et naviguer tous ensemble jusqu'à destination. Quand le lac est calme, c'est une ballade très agréable d'environ deux heures trente. On rejoignait les autres parents à Belleville, Cobourg, Toronto ou Kingston et des amis venaient nous chercher à la marina où on était accosté pour le week-end. À la fin de la journée, on retournait dormir sur le bateau, ce qui nous permettait aussi d'économiser les frais d'hôtel. Mais traverser le lac Ontario peut devenir une aventure périlleuse par mauvais temps. Il nous est arrivé, à l'occasion, de revenir à la maison une journée plus tard que prévu ! Mais quand même, c'était le meilleur moyen de se retrouver tous ensemble en famille. C'était agréable pour nous, car nous adorons faire du bateau et les enfants étaient heureux puisque toute la famille participait à leurs activités. Nos vacances familiales se résumaient aux sports des enfants ! Chaque année, on leur expliquait qu'on pouvait choisir de faire autre chose, comme par exemple aller à Disneyland, qu'il fallait faire un choix, car nous n'avions pas les moyens de faire à la fois un voyage et de payer pour les nombreux tournois des gars. C'était un ou l'autre et ils choisissaient toujours le sport », racontent Sam et Penny en ressassant leurs souvenirs.

TROP FRÊLE POUR LES PEE-WEE

Autre différence dans la structure du hockey mineur américain, chez nos voisins, les jeunes intègrent dans leur jeu la mise en échec dès les rangs pee-wee plutôt qu'au bantam, comme c'est le cas chez nous. À l'automne 1991, Brian vivra la première grande frustration de sa vie. À douze ans et demi, il est persuadé que le processus de sélection habituel va se poursuivre comme c'est le cas depuis maintenant trois saisons. Il se présente au camp de sélection de l'équipe pee-wee mineur AAA, où se retrouvent aussi tous ses coéquipiers du dernier printemps. Même si le jeu est beaucoup plus robuste, tout se déroule à merveille pour Brian qui n'hésite jamais à aller dans les coins de patinoire pour essayer de récupérer la rondelle. Il est peut-être le plus petit joueur sur la patinoire mais il est aussi le plus hargneux et le plus combatif, de sorte que son petit gabarit ne s'avère aucunement un handicap.

À la fin du camp, le jeune Gionta est donc convaincu qu'il sera du groupe, comme c'est l'habitude depuis qu'il joue dans la *travel team*. Lors de la toute dernière journée, l'entraîneur rencontre les joueurs individuellement pour leur annoncer ses décisions et Brian est confiant. Mais l'homme devant lequel il se retrouve lui explique qu'il n'a aucune chance de percer la formation en raison de sa délicate stature. Même s'il a prouvé qu'il avait sa place avec ce groupe de joueurs, les accomplissements du passé ne pèsent aucunement dans la balance. Le coach avait déjà pris sa décision avant le début du camp et il considère que même si Brian possède des qualités indéniables, il est beaucoup trop petit pour se mesurer à des adversaires plus vieux d'un an. Pour lui, il est clair qu'avec le jeu qui deviendra beaucoup plus physique, le minuscule attaquant ne pourra plus tenir son bout quand il se fera frapper.

« Brian avait été le tout dernier joueur à rencontrer le coach, dit Penny. Nous avions quitté l'aréna un peu après vingt-trois heures et il avait pleuré pendant toute la durée du trajet. Nous étions arrivés à la maison vers minuit et il avait continué à pleurer à chaudes larmes dans sa chambre jusqu'à cinq heures trente du matin. Il était inconsolable. »

« Il avait été le meilleur joueur du camp d'entraînement et il avait prouvé à tous que l'aspect physique du jeu n'était pas un obstacle pour lui. C'était la première fois de sa vie qu'un entraîneur ne voulait pas de lui et il ne comprenait pas qu'on l'écarte de l'équipe quand il était le meilleur joueur du groupe », ajoute le paternel.

« J'étais vraiment fâché et je dirais même que j'étais blessé, poursuit Brian. J'étais peut-être le plus jeune et le moins costaud, mais j'avais toujours été l'un des bons joueurs de mon équipe, et en plus, j'étais parmi les plus fougueux du groupe. »

Mais Brian refuse de s'apitoyer sur son sort. Plutôt que de crier à l'injustice, il entend démontrer à tout le monde que son talent et sa combativité peuvent largement compenser son physique.

« Je me suis dit qu'on ne se servirait plus jamais de ce prétexte comme excuse pour me retrancher. Moi je savais que je pouvais amplement jouer à ce niveau-là et être un très bon joueur. Je rêvais déjà à une carrière dans la Ligue nationale et ce n'était certainement pas ce coach avec ses préjugés qui allait détruire mes ambitions. »

Quand même, cette histoire ébranle sérieusement le jeune homme. Même s'il ne sait pas patiner, Sam commence à bien connaître le hockey et il sait que son fils vient de subir une grande injustice. Propriétaire d'une petite quincaillerie, il ramène les choses dans sa propre perspective et il s'assoit quelques instants pour discuter avec Brian afin de dédramatiser la situation.

« Si le coach ne t'a pas pris dans son club, ça ne veut pas dire que tu es un mauvais joueur de hockey. Un coach, ce n'est pas différent d'un patron. Il recherche parfois des qualités spécifiques pour compléter son groupe. Ce qui ne faisait pas l'affaire de cet entraîneur-ci n'est pas nécessairement un élément important pour un autre. Être assez bon pour faire une équipe ne garantit pas que tu seras sélectionné. Ce n'est pas toujours par rapport à ce que toi tu peux faire sur la glace, mais parfois c'est plutôt ce dont le coach a besoin. »

Mais quoi qu'en pense son père et quoi qu'il en pense lui-même, Brian n'a pas le choix. Pour la première fois de sa carrière, il passera la saison avec des enfants de son âge, avec l'équipe de Rochester AAA, chez les *squirts* majeurs. Sans aucune surprise, le petit Gionta est beaucoup trop fort pour ce groupe.

« C'était frustrant, car j'avais toujours été habitué de me défoncer avec les gars plus vieux, et là, c'était soudainement trop facile. »

Une autre chose le désole : il ne grandit pas. Dans sa chambre, il trace un trait sur le mur de son placard en se mesurant presque à chaque mois. Mais la mine de son crayon noircit pratiquement toujours la même marque. Brian n'est pas dupe : son père mesure 5 pieds 4 pouces tandis que sa mère fait 5 pieds 1 pouce, alors comment pourrait-il espérer devenir un géant ? Il devra compenser par son ardeur et sa ténacité.

Sam sent que cette question tracasse de plus en plus son fiston. Si le coup de patin ou le lancer peuvent s'améliorer par le travail et l'entraînement, il n'y a rien à faire pour grandir un peu plus, ne serait-ce que d'un seul petit centimètre. Sam s'assure que Brian comprend bien qu'il devra composer toute sa vie avec cette situation et qu'il ne doit en aucun temps considérer que sa petite stature sera un handicap majeur.

« Peu importe le groupe où tu te retrouveras, il y a toujours un plus grand et un plus petit. Une chose est réglée, dans ton cas, tu seras toujours le plus petit. C'est tout. Prends exemple sur Theoren Fleury. Il ne mesure que 5 pieds 6 pouces et ça ne l'empêche pas d'être un des meilleurs joueurs de la Ligue nationale même si c'est lui le plus petit joueur du circuit. Peu importe le calibre où tu vas jouer, tu seras probablement le plus petit à chaque année et si ça te dérange, toi, comment veux-tu que ça ne dérange pas les autres ? Il faut que tu t'en foutes. »

La philosophie adoptée à la maison aura indubitablement un impact positif sur le développement et l'estime de soi des jeunes Gionta, mais ça ne change en rien la perception des autres et c'est ce qui devient l'élément le plus agaçant au fil des ans.

« La taille de nos trois fils a toujours été un facteur important auprès des entraîneurs et au début on laissait aller les choses en acceptant leurs décisions. De toute façon, malgré quelques injustices, ça n'a jamais empêché Joe et Brian de gravir les échelons dans le monde du hockey et de connaître beaucoup de succès. Mais la troisième fois qu'on m'a servi cet argument pour justifier le renvoi de Stephen, là, je me suis fâchée ! », avoue Penny en riant de bon cœur et en ajoutant qu'aujourd'hui Sam et elle ont passé l'éponge sur les iniquités du passé.

Mais revenons à Brian, qui a rongé son frein toute l'année avec les *squirts* majeurs. Après avoir dominé aisément le circuit, il entend prouver à ses détracteurs qu'il pourra maintenant tenir son bout dans la circulation lourde. Brian se retrouve encore en compagnie de coéquipiers de son âge au sein du club pee-wee AAA-mineur de Rochester. Le petit attaquant navigue très bien à travers les mises en échec ; cette facette du jeu ne change absolument rien pour lui. Brian s'illustre avec éclat chaque fois qu'il chausse les patins et c'est toute son équipe qui en profite.

En janvier 1993, son équipe vient d'ailleurs d'effectuer un bref séjour au Tournoi international pee-wee de Québec en tant que représentants des North Stars du Minnesota. Une expérience inoubliable pour les Gionta qui sont très surpris de constater que le hockey pee-wee se joue sans contact physique au Québec.

« Nous n'avions pas fait long feu au tournoi de Québec, mais ça demeure un de mes plus beaux souvenirs, car c'était une grande compétition internationale. Il y avait des équipes de partout et on se retrouvait loin de la maison. Mais à part ce tournoi, ce fut une longue et très démoralisante saison. Nous n'avions pas une très bonne équipe et j'ai été frustré pendant toute l'année de ne pas avoir pu jouer avec mon ancienne gang. En plus, j'avais clairement démontré que le jeu robuste ne représentait absolument pas un obstacle pour moi… Alors je savais encore plus que jamais que ma place était avec la formation du pee-wee majeur », raconte l'attaquant vedette du Canadien de Montréal, à qui l'on demande encore à l'occasion d'autographier l'une de ses cartes du tournoi pee-wee de Québec.

BRIAN SE TOURNE VERS UN CLUB INDÉPENDANT

Comme les dirigeants de Rochester n'ont pas l'intention de revenir sur leur décision en vue de la saison suivante, Brian et ses parents se tournent vers une équipe indépendante de calibre bantam-mineur AAA : les Stars de Syracuse. Il n'est pas souhaitable que Brian perde une année complète en revenant jouer avec son club pee-wee-majeur.

En prenant cette décision, les Gionta acceptent cependant d'ajouter énormément de kilomètres au compteur de leur camionnette puisqu'il leur faut conduire pendant 90 minutes pour relier Greece et Syracuse et faire ensuite le trajet de retour après l'entraînement. Ce sera aussi un sacrifice important pour Brian, qui passera l'hiver à étudier sur la banquette de l'auto pendant les balades entre l'école, l'aréna et la maison. Les journées seront donc plutôt longues, autant pour Sam et Penny que pour leur fils.

Les Stars, qui n'évoluent pas dans un circuit régulier, regroupent des espoirs venant d'un peu partout à la ronde et il n'y a pas que les Gionta qui se tapent trois heures d'auto pour chaque entraînement. Les joueurs de cette équipe d'étoiles s'entraînent ensemble trois ou quatre fois par semaine et ils disputent uniquement des tournois ou des parties hors-concours.

« Malgré tout, c'était quand même la meilleure option. J'étais encore frustré de ma saison précédente et j'adorais Don Kernan, le coach des Stars, pour qui j'avais joué quelques mois auparavant dans une ligue d'été. En plus, nous avions toute une équipe ! Tim Connolly, des Sabres de Buffalo, jouait notamment avec nous », précise Brian.

« On savait très bien dans quoi on s'embarquait en prenant cette décision. Brian n'avait pas été traité de façon équitable les deux années précédentes. On connaissait bien le coach Kernan et on savait que ça serait profitable pour notre fils de passer l'hiver sous ses ordres. Il l'avait dirigé dans des gros tournois à Boston, Toronto et Ottawa, et il savait que Brian n'était pas intimidé par les joueurs plus costauds », renchérit Sam.

« Mais il y a aussi le fait qu'on en avait marre d'entendre la même rengaine, ici à Rochester. Tout ce que les gens répétaient, c'était que ça ne marcherait pas pour Brian parce qu'il était trop petit », ajoute Penny.

L'expérience des ligues d'été avait débuté deux ans plus tôt pour Brian. À la fin de sa saison régulière, il pouvait ainsi continuer à assouvir sa passion pour le hockey… mais de façon bien différente, car il agissait alors comme gardien de but.

« J'avais essayé ça quand j'étais tout jeune et qu'on expérimentait tous la position de gardien, à tour de rôle. Mon aventure devant le filet n'avait pas été très concluante et j'avais alloué une dizaine de buts. Mais j'avais adoré ça quand même ! À partir des rangs *squirts*, l'été venu, je faisais des camps de perfectionnement pour gardien et j'occupais ce poste dans nos ligues de printemps ou d'été. Mon père n'avait pas eu d'autre choix que de m'équiper des pieds à la tête et je me débrouillais plutôt bien à la fin. Nous n'avions qu'un seul gardien à Rochester au sein de notre *travel team* et j'apportais toujours mon équipement avec moi à chacune de nos parties… juste au cas où ! »

« Brian aimait davantage la position de gardien, mais il était tellement bon patineur que ses entraîneurs préféraient de loin l'utiliser dans un rôle d'attaquant. La première fois que Brian a participé à une école de hockey, c'était pendant l'été de 1984. Le camp était organisé par les Sabres et ça se déroulait ici, à l'aréna de Rochester. Tom Barrasso, qui venait d'être nommé recrue de l'année dans la LNH, lui avait remis son bâton à la fin de la semaine et Brian était immédiatement "tombé en amour" avec lui. Après ça, il a toujours souhaité devenir gardien de but, mais aucun n'entraîneur n'a jamais acquiescé à ses demandes ! Je lui ai quand même acheté un équipement et, par la suite, chaque fois qu'il prenait part à des cliniques de hockey, c'était toujours en tant que gardien. Je me souviens que pendant un tournoi à Toronto, nous avions déniché un superbe équipement de gardien en flânant entre deux parties. C'était des jambières, un bloqueur et un gant fabriqués par la compagnie Brian, alors ai-je besoin de préciser que fiston était tout excité… Avec le taux de change largement favorable à l'époque, c'était toute une aubaine, mais la boutique ne tenait pas le modèle qui convenait à la taille de Brian. J'ai quand même commandé l'équipement, mais il fallait le faire livrer chez nous, ce qui en théorie devait prendre une dizaine de jours. Bien sûr, Brian était incapable d'attendre aussi longtemps et il passait chaque minute libre assis sur le balcon, attendant impatiemment le facteur et son gros colis », raconte Sam en riant aux éclats.

Mais retournons à la saison de 1993-1994, avec les Stars de Syracuse. Menés par Gionta, ils accomplissent tout un exploit en enlevant les honneurs du championnat de l'État de New York, ce qui leur permet de prendre part aux championnats nationaux, qu'ils perdront malheureusement en finale.

« Au point de vue hockey, ce fut un hiver très important pour moi. La qualité de l'enseignement à Syracuse n'avait rien de comparable avec celle dispensée à Rochester, et le calibre de jeu était très relevé », résume-t-il.

« Jouer avec les Stars a été une décision primordiale, car Brian s'est bien développé mais il a aussi retrouvé toute sa confiance et son estime de soi », récapitule Sam.

AVEC DEUX ÉQUIPES À LA FOIS

Comme si l'expérience avec les Stars n'était pas suffisante, pendant la même période, Brian espère également endosser l'uniforme du High School Aquinas de Rochester, où il étudie depuis septembre.

Le hockey scolaire signifie beaucoup pour les Américains, et c'est tout un exploit pour un *freshman* que de percer la formation de son *high school*. Animé par sa motivation personnelle mais aussi par le désir de prouver aux autres qu'il peut réussir contre des joueurs plus vieux et plus gros, Brian connaît un camp du tonnerre et il est retenu sans surprise. Il est d'ailleurs le seul joueur de première année à être sélectionné.

Il a la chance de se retrouver au sein de la même équipe que son frère Joe, un *senior* qui graduera à la fin de l'année.

« On disputait une trentaine de matchs par saison, mais on s'entraînait chaque jour, après les classes. À la fin des cours, je sautais sur la glace avec l'équipe d'Aquinas et mon père ou ma mère me cueillait tout de suite après l'exercice pour m'amener m'entraîner avec mon autre club à Syracuse, en début de soirée. Je profitais de ce moment pour faire mes devoirs dans la voiture et si je manquais de temps, je terminais sur le chemin du retour ! Chaque soir de la semaine, nous ne revenions à Greece qu'aux environs de 22 h ou 23 h. Et ce n'était pas plus reposant les week-ends, car je pouvais jouer une partie le samedi matin pour mon *high school* et l'après-midi, j'étais en uniforme pour les Stars... et le dimanche, c'était pareil ! »

« J'ai souvenir d'un week-end où Brian jouait dans un tournoi, à Cornwall, en Ontario, avec les Stars, raconte Sam. Après le match du samedi matin, nous étions revenus à Batavia, une petite localité située entre Rochester et Buffalo. Il a joué avec son club du High School Aquinas puis nous sommes repartis pour Cornwall, où les Stars disputaient une autre partie en début de soirée. Ça prend un peu plus de cinq heures pour couvrir la distance entre les deux villes et je l'ai fait deux fois dans la journée pour que Brian ne rate pas une seule minute de jeu avec chacun de ses clubs ! Pendant ce temps, Penny se trouvait de son côté dans un autre tournoi avec Joe ou Stephen ! »

Les fins de semaine se succédaient et ce genre de scénario devenait de plus en plus fréquent chez les Gionta. Si Sam se souvient plus précisément de ce samedi infernal, c'est qu'en milieu d'après-midi, sur la route de Cornwall, il sent le besoin de discuter de la situation avec son jeune hockeyeur.

— C'est toute une journée, ça... Dis-moi, Brian, est-ce que tu commences à trouver ça difficile de jouer pour deux équipes tout en étudiant ?

— Non, ça va, p'pa. Me reposer à l'hôtel ou dans la voiture, c'est pas mal pareil. Merci.

— Moi non plus, ça ne me dérange pas et je trouve même ça agréable. Mais jure-moi que dès que ça ne t'amusera plus ou que tu te sentiras fatigué, tu vas me le dire. N'oublie jamais qu'on peut arrêter tout ça à n'importe quel moment.

À travers ce calendrier si éprouvant, Brian doit aussi se débrouiller pour obtenir des résultats académiques qui satisfont ses parents. S'il ne peut maintenir la cadence sans conserver de bonnes notes à l'école, il devra abandonner une de ses deux équipes de hockey. C'est l'entente qu'il a conclue avec ses parents et il sait qu'ils la lui rappelleront s'il ne conserve pas de bonnes notes.

Aux États-Unis, les associations de hockey mineur et les ligues scolaires fonctionnent conjointement. S'il avait décidé de demeurer avec le *travel team* de Rochester, Brian aurait eu la vie beaucoup moins compliquée puisque le circuit civil fait relâche en décembre, janvier et février, période coïncidant avec l'horaire des matchs disputés au sein des ligues étudiantes, dont le calendrier ne compte qu'un vingtaine de parties. Malgré cet horaire de fou, Brian domine le classement des marqueurs des Stars et il se distingue aussi au *high school*, même s'il joue en compagnie de joueurs parfois plus vieux de quatre ans. Non seulement est-il le plus jeune joueur de l'équipe du High School Aquinas, mais il passe aussi pour un lilliputien parmi ses coéquipiers. Bien des rivaux qui ont l'air de géants à côté de lui tentent de le malmener physiquement, mais Brian esquive toujours les coups grâce à son agilité et à ses réflexes. Il est le plus jeune et, bien sûr, le plus petit, mais il est aussi le plus efficace, le plus productif et aussi le plus spectaculaire des joueurs de son équipe.

Déjà bien connu dans la région, le nom de Brian Gionta commence alors à circuler dans tous les arénas de l'État de New York ainsi que dans les environs de Toronto, où il s'est fait voir avec les Stars au cours de quelques tournois d'envergure pendant l'hiver. Et il va sans dire que sa petite taille ajoute à sa légende.

* * *

Si Brian a réussi à maintenir la cadence au hockey et à l'école, il n'en demeure pas moins que Sam et Penny ont vécu un hiver de fou ! Joe, qui avait célébré son dix-huitième anniversaire de naissance en mai, venait de compléter sa dernière année au High School Aquinas, où il avait porté les couleurs de l'institution avec Brian. Stephen, le cadet alors âgé de onze ans, venait pour sa part de terminer une saison avec le *travel team* de Rochester au sein de la ligue *squirt* AAA. Mais rien de tout cela n'était comparable ni aussi accaparant que les exigences reliées au hockey de Brian.

« Comme nous ne jouions pas dans une ligue, nous n'avions presque jamais de matchs à domicile et mes parents devaient me reconduire un peu partout. On ne couchait jamais à l'hôtel, c'était trop cher pour ma famille. Après le match du samedi, on revenait dormir à la maison, quitte à devoir conduire deux ou trois heures. Et puis le dimanche matin, on retournait rejoindre le reste de l'équipe pour la finale du tournoi. Mes parents se partageaient les tâches puisqu'ils devaient aussi accompagner

Stephen », explique Brian, encore très reconnaissant aujourd'hui à l'endroit de ses parents.

« Avec trois garçons qui jouaient un peu partout, nous avons "passé" quatre véhicules ! On roulait avec jusqu'à ce qu'ils rendent l'âme et c'était carrément impossible de les revendre, car ils avaient beaucoup trop de kilomètres au compteur. Ils dépassaient toujours les 450 000 kilomètres au compteur ! » raconte Sam en précisant qu'il connaît maintenant toutes les petites routes de l'est des États-Unis et du sud de l'Ontario !

Et quand la famille ne se retrouvait par sur la route pour le hockey, c'était pour le soccer, un autre sport pour lequel Brian était aussi extrêmement doué. Année après année, il figurait parmi les plus beaux espoirs du pays dans son groupe d'âge, ce qui lui procurait chaque été une invitation au camp de développement de l'équipe nationale américaine.

« Jouer au soccer a certainement fait de moi un bien meilleur joueur de hockey – et vice versa. Le soccer a entre autres développé mon jeu de pieds et ma vitesse d'exécution », ajoute Brian, qui a aussi joué au baseball et à la crosse dans son enfance.

LE SAUT DANS LES RANGS JUNIOR

Trop dominant pour le *high school*, Brian n'a déjà plus rien à prouver après une saison complète au sein de l'équipe d'Aquinas. Il décide d'abandonner son club scolaire mais aussi la formation indépendante des Stars de Syracuse afin de concentrer tous ses efforts du côté de la formation junior B de Rochester, les Americans. Lorsqu'il annonce à son entraîneur d'Aquinas ses intentions, ce dernier se moque pratiquement de l'adolescent de quinze ans et il lui déconseille fortement de mettre son projet à exécution.

— Brian, oublie ça tout de suite. Premièrement, tu ne feras même pas le club. Mais même si jamais tu réussis, tu vas te faire démolir. Tu es bien trop petit. Tu vas te faire blesser et tu vas le regretter. Tu ferais une erreur de quitter ton équipe du *high school*. Et si jamais ils te gardent au junior B, tu ne pourras pas jouer dans mon club de toute façon. Tu ne pourrais pas faire partie de deux équipes cette année.

Gionta a déjà entendu ce genre de remarques à maintes reprises. La marche est haute pour un garçon de quinze ans, mais il a confiance en lui et il est persuadé qu'il peut relever ce défi et se tailler un poste avec les Americans de Rochester.

Finalement, c'est encore plus facile que Brian l'avait lui-même anticipé. Au terme de la saison 1994-1995, le petit attaquant termine au premier rang des buteurs et des pointeurs de la ligue grâce à une prodigieuse récolte de 52 buts et 37 mentions d'aide pour 89 points en seulement 28 rencontres ! Tous les doutes sont dissipés : il est sans conteste le meilleur joueur des Americans.

« J'allais dans le trafic et je me postais devant le filet. J'étais intense et je saisissais mes chances. J'avais de la facilité à marquer des buts, mais je m'impliquais aussi beaucoup en échec-avant et je créais des revirements. J'étais très rapide et ça me servait aussi pas mal. À ce niveau, les bagarres sont permises et comme les commentaires deviennent très mesquins à cet âge-là... Chaque fois qu'un rival essayait de me rabaisser en passant des remarques sur ma taille, je devenais plus motivé et plus belliqueux et je lui faisais ravaler ses paroles », raconte le vaillant capitaine du Canadien.

Avec de telles statistiques, le jeune Gionta n'a plus rien à gagner en demeurant dans ce circuit. La prochaine étape sera cette fois de se tailler un poste avec le Scenic de Niagara, une formation junior A qui fait partie de la réputée Metropolitan Toronto Junior Hockey League, la MTJHL. Au terme de la saison, quand il annonce la nouvelle à son entraîneur des Americans, il entend la même rengaine que douze mois auparavant, presque mot pour mot...

— Brian, oublie ça... Premièrement, tu ne feras même pas le club. Mais même si jamais tu réussis, tu vas te faire démolir dans la MTJHL. Tu es bien trop petit. Dans cette ligue-là, tu vas voir que les gars sont plus gros et plus costauds, mais aussi plus rapides et plus talentueux. Tu vas te faire blesser et tu vas le regretter. Tu ferais une erreur en quittant les Americans.

Cette fois, les parents de Brian n'ont pas le choix d'être d'accord avec le coach. Au cours de l'hiver, Sam a assisté à quelques rencontres de la Ligue junior A et il est clair que Brian est minuscule comparé aux matamores de ce circuit.

« Je trouvais que c'était déjà assez brutal dans le junior B et je pensais que mon fils se ferait tout simplement mettre en pièces au niveau A. Mais il insistait pour au moins aller au camp de sélection, alors j'ai plié en me disant qu'il finirait bien par constater que son père avait raison ! », ironise Sam en y repensant.

Cet été-là, le jeune Gionta devient admissible au repêchage de la Ligue junior de l'Ontario, mais il ne se fait aucune illusion en raison de sa taille. Il sera effectivement ignoré malgré les statistiques qu'il a accumulées dans le circuit junior B. En plus, même s'il n'a que seize ans, il clame depuis des mois qu'il lorgnera du côté des collèges américains, ce qui n'est pas sans effrayer les quelques formations qui auraient pu être tentées de lui donner une chance.

De toute façon, la marche se veut déjà suffisamment haute : le circuit junior A est de loin supérieur à tout ce qu'il a vécu auparavant dans sa carrière. De toute façon, rien n'est garanti pour Brian puisqu'il se présentera au camp d'entraînement des Scenics de Niagara seulement pour un essai.

Ayant en tête des objectifs diamétralement opposés, le père et le fils partent donc ensemble, en cette fin d'été de 1995, pour un week-end à Buffalo. La crème de la crème s'y retrouve et les joueurs ne disposeront que de deux journées pour impressionner l'entraîneur-chef Kris Hicks et éviter les premières coupures.

Les appréhensions de Sam sont fondées. Tous les autres joueurs ont l'air de véritables colosses à côté de son fils qui, en plus d'être le plus petit du groupe, est aussi, à seize ans, le plus jeune. Quoi qu'il en soit, Brian, lui, est très fier de la façon dont il s'est comporté sur la patinoire, et quand le week-end de sélection se termine, il considère plutôt qu'il a très bien paru comparé au reste du groupe.

Le dimanche, en fin de journée, avant de rentrer à Greece, les Gionta s'arrêtent quelques secondes au bureau du coach Hicks pour le remercier.

— Merci, monsieur Hicks, d'avoir invité mon fils à votre camp. Brian a adoré l'expérience qu'il a vécue ici, ce week-end.

— De rien, monsieur Gionta. Tu as vraiment beaucoup de talent, Brian.

— Merci, monsieur. Au revoir.

— Mais dites-moi, vous deux, où allez-vous comme ça ?

— Ben, je le ramène à la maison... Chez nous, à Greece !

— Hé, attendez un instant ! Vous n'allez nulle part ! J'ai l'intention de garder Brian dans mon équipe.

Dans son esprit, Brian savait qu'il avait sa place dans cette formation, mais il n'était pas convaincu d'avoir impressionné à ce point.

Il fera donc partie du Scenic de Niagara... Et ça, c'est tout un exploit !

LE JUNIOR A, UNE ÉTAPE CRUCIALE

Contrairement à ses coéquipiers du Scenic, Brian ne se retrouvera pas en pension au sein d'une famille d'accueil de Buffalo. Ses parents considèrent qu'il est encore trop jeune pour quitter la maison et vivre avec des étrangers. Maintenant habitué de conduire presque autant qu'un routier, Sam s'engage à ce que son fils ne rate pas une seule séance d'entraînement, et Brian continuera à vivre à la maison avec le reste de la famille.

« On s'en faisait peut-être un peu trop pour rien. Il y aussi le fait qu'on désirait qu'il poursuive ses études dans le même *high school*. Je le ramassais donc à l'école, il étudiait dans l'auto pendant le trajet, mangeait un sandwich puis dormait une quinzaine de minutes et on arrivait à Buffalo juste comme l'entraînement commençait », explique Sam.

À la fin des années 1980, quand Brian et Joe commencent à gruger de plus en plus de temps sur son horaire, Sam a une décision importante à prendre. Associé avec des membres de sa famille dans une quincaillerie, il pense à quitter son emploi.

« Mon oncle, le propriétaire principal de l'entreprise, ne comprenait pas que je préfère m'occuper de mes enfants plutôt que de m'investir activement dans le commerce. Ça commençait à devenir un irritant et je ne voulais pas que les frictions entre nous empirent, alors je suis parti. Je me suis dit que la meilleure alternative était sans doute de posséder mon propre commerce et j'ai acheté une petite quincaillerie à Rochester avec mon frère Joe.

C'est un maniaque de golf, alors je le couvrais pendant l'été et lui en faisait davantage pendant l'hiver. C'était une combinaison parfaite, mais je travaillais quand même beaucoup l'hiver aussi, car je devais rentrer tard le soir pour compenser mes absences puisque mon frère ne pouvait tout faire seul. On a finalement vendu la quincaillerie en 2008 et je suis retourné en affaires avec mon oncle », raconte Sam.

L'été venu, à la fin des classes, les trois garçons donnent un coup de main à la quincaillerie de leur père. Dès qu'ils sont en âge d'aider, ils accompagnent chaque matin Sam au travail. Ils placent de la marchandise, répondent à la clientèle ou s'occupent de la caisse enregistreuse. En besognant ainsi avec leur père et leur oncle Joe, ils prennent conscience de l'importance de la discipline, de l'engagement et du travail bien fait ; des valeurs qui se reflètent aussi dans leur façon de s'impliquer dans leurs équipes de hockey respectives.

Retournons justement au hockey et au Scenic, car l'entraîneur Kris Hicks ne s'était pas trompé quand il avait évalué le potentiel du diminutif attaquant.

Brian dissipe très rapidement les doutes et les craintes que ses parents pouvaient entretenir. Aussi flamboyant qu'efficace, il termine la saison avec une prodigieuse récolte de 47 buts et 44 mentions d'aide pour 91 points en 51 joutes, ce qui lui permet d'être élu la recrue de l'année dans la MTJHL. L'adolescent de seize ans impressionne aussi par sa grande maturité, sa discipline, son engagement et son opiniâtreté. Sur la patinoire, des rivaux frustrés essaient souvent de le déconcentrer en lui proférant des insultes. Quand les Scenics quittent la glace après une victoire, des spectateurs vont jusqu'à lui lancer des objets !

« Il y avait même des entraîneurs qui, de leur banc, tentaient de provoquer Brian en l'invitant à se battre. Il faisait toujours preuve de sang-froid et ça ne le perturbait pas du tout. Même qu'il regardait ceux qui le narguaient ou qui l'insultaient avec un petit sourire en coin, ce qui était encore plus frustrant pour eux ! », poursuit Sam en précisant qu'à cette époque, il sentait le besoin d'assister à chacune des rencontres, au cas où la situation aurait mal tourné.

« Pour plusieurs, un dur, c'est le gars qui aime se battre et qui jette les gants régulièrement. Selon moi, ce n'est pas du tout la définition d'un *tough*. C'est plutôt la définition d'un macho et ça n'a pas sa place au hockey. Ces gars-là devraient faire de la boxe. Pour moi, un vrai *tough*, c'est quelqu'un qui ne se laisse pas intimider. Je disais toujours la même chose à Brian. Si tu te fais frapper solidement, tu tombes, tu te relèves et tu retournes jouer avec intensité. Ne pleure pas pour ça, ne sois pas frustré et n'en fais pas toute une histoire. Et surtout, ne commence pas à blâmer les arbitres », ajoute le chef du clan Gionta.

« Parfois, j'étais derrière le banc et j'arrêtais de "coacher" pour quelques secondes tellement j'étais ébahi par ce que Brian faisait sur la patinoire. Sérieusement, il y a des matchs où j'aurais vraiment souhaité être spectateur pour mieux apprécier son talent, confesse Kris Hicks, son entraîneur avec le Scenic. Au-delà de son talent, ce gars-là était un guerrier hors du commun. Rien ne l'intimidait, même quand ça devenait très salaud sur la patinoire. Il se faisait frapper et il regardait ses rivaux sans répliquer, mais sans se sauver non plus. Il encaissait et il encaissait sans rien dire et ses adversaires devenaient fous de rage ! Je me souviens d'un match particulièrement intense alors que Brian s'était fait "slasher" toute la soirée, et soudainement il s'était retrouvé dans une mêlée devant le banc de l'autre équipe. Tous les joueurs de l'autre club se sont mis à lui crier pleins de grossièretés. Brian s'est tout simplement dressé devant eux et il a crié pour que tout le monde l'entende : "Comment ça se fait que vous connaissez tous mon nom et que moi je ne suis pas capable de nommer un seul d'entre vous ?" Il savait comment prendre toute cette pression et ça ne semblait jamais l'affecter. C'était aussi un leader et les joueurs dans l'équipe n'avaient pas le choix de le suivre. Brian ne prenait jamais de soirée de congé, il donnait toujours son plein rendement et il faisait toujours passer les intérêts du Scenic avant les siens. »

Des équipes de la Ligue junior de l'Ontario (OHL) se manifestent, mais Brian ne se montre pas très intéressé à tenter sa chance dans ce circuit qui offre pourtant un calibre de compétition très relevé et qui chaque été voit plusieurs de ses joueurs être repêchés par la LNH. C'est qu'en risquant l'aventure, il perdrait du coup son admissibilité auprès des universités américaines qui commencent aussi à frapper à la porte. Brian rêve à une carrière dans la Ligue nationale, mais ses parents ne voient pas plus loin que la prochaine étape et, pour eux, une bourse d'étude dans une prestigieuse maison d'enseignement sera beaucoup plus profitable pour leur fils.

Déjà, à travers les branches, on chuchote que certains établissements renommés seraient prêts à défrayer la totalité des coûts reliés aux études de Brian, ce qu'on appelle dans le jargon un *full scholarship.*

Si tout se déroule comme prévu, le deuxième fils des Gionta va bientôt se retrouver devant quelque chose que ses parents n'auraient jamais été capables de lui offrir.

LES HORIZONS S'ÉLARGISSENT

Grâce à cette première saison où il s'impose avec le Scenic, Brian attire l'attention et on commence à voir en lui l'un des beaux jeunes espoirs de l'État de New York. De plus en plus de dépisteurs assistent aux matchs qu'il dispute pour évaluer ses performances.

« Au milieu de sa première saison avec nous, déjà plusieurs dépisteurs venaient me voir pour me questionner au sujet du jeune Gionta, se souvient Kris Hicks. En constatant que ça ne dérougissait pas, j'avais dit à ses parents que des dépisteurs de certaines universités et de collèges allaient bientôt les rencontrer et que leur fils allait pouvoir profiter d'un *full scholarship* dans une très bonne école. Ils n'en revenaient tout simplement pas ! »

La saison 1996-1997 n'est vieille que de quelques semaines et déjà les prouesses de Brian impressionnent aussi les dirigeants au niveau national. Lorsque les entraîneurs de Team New York bâtissent l'équipe qui se rendra au Minnesota pour le tournoi national des moins de dix-sept ans, on n'oublie pas d'inviter le petit joueur du Scenic. L'événement se déroule à Saint Clouds, au Minnesota, et il regroupe sept formations qui représentent des États (ou des regroupements d'États) où le hockey est suffisamment compétitif.

Cet important tournoi s'avère la première étape dans le processus de sélection qui servira à former le contingent qui représentera le pays au championnat du monde des moins de dix-sept ans qui se tiendra pendant les fêtes, à Moncton, au Nouveau-Brunswick.

Sam, Penny et Brian quittent Greece ensemble pour cette aventure de plus d'une semaine qui pourrait être déterminante dans le cheminement de carrière de l'adolescent. Et comme les Gionta sont habitués à rouler pendant des heures, ce long voyage de 3500 kilomètres s'effectue en voiture !

Ni les parents ni le fils ne savent à quoi s'attendre. Brian a déjà été impliqué dans des tournois où le niveau de compétition était très relevé, mais il ne sait pas du tout comment il pourra se débrouiller face aux meilleurs joueurs du pays. À la conclusion du stage, il a la réponse à ses interrogations puisqu'on l'invite pour l'étape suivante : le camp de sélection final qui se tiendra dans quelques semaines, à Colorado Spring.

Là encore, on embarque l'équipement et les valises à bord de la camionnette familiale, puis Sam et Brian partent pour un autre long trajet de 2700 kilomètres.

Cette fois, aucun détail n'est négligé. La soixantaine de joueurs présents sont évalués sur la glace et en gymnase, en entraînement comme en situation de match.

« Le camp s'est merveilleusement bien déroulé pour moi, mais je ne tenais plus rien pour acquis depuis que j'avais été retranché des pee-wee pour la seule et unique raison que j'étais petit. Je me défonçais toujours en me disant constamment que malgré tout, je serais peut-être ignoré, même si, à la fin, j'étais le meilleur du groupe. Ça me revenait inlassablement à l'esprit. Il y a aussi le fait que la région de Buffalo-Rochester n'était pas un grand marché de hockey comparativement au Minnesota ou au Massachusetts, et je me disais que j'étais moins connu que les gars de ces États. J'avais donc une semaine pour me démarquer et me faire un nom », raconte Brian.

« Chaque étape était une nouvelle aventure pour nous et on découvrait tout ça en même temps que Brian, relate le paternel. Chaque fois qu'il devait rencontrer les coachs pour savoir ce qui arrivait avec lui, je repensais toujours à la fois où il avait été injustement retranché du *travel team* chez les pee-wee. À la fin du camp, après deux semaines intensives, les responsables ont rendu leurs décisions et les parents devaient attendre à l'extérieur du complexe. Des jeunes ont commencé à sortir en pleurant, et pendant que je les voyais défiler, je cherchais à trouver ce que j'allais dire à Brian quand il arriverait à son tour, les larmes aux yeux. Même si j'étais certain qu'il serait choisi en raison de son talent, de son instinct et de sa détermination, j'entretenais toujours un doute en raison de ce que l'on avait vécu auparavant, et à cette époque, fiston ne faisait que 5 pieds 5 pouces et il faisait osciller la balance à environ 145 livres. Mais Brian est sorti avec un sourire éblouissant ! »

Non seulement Brian est-il sélectionné au sein de l'équipe américaine, mais il a en plus l'honneur d'être nommé capitaine de Team USA et il jouera en compagnie d'un jeune espoir originaire de l'Alaska, un certain Scott Gomez avec qui il tissera un lien d'amitié qui ne s'estompera pas de sitôt.

« Je n'avais pas vraiment remarqué Brian en arrivant au camp. C'était tellement impressionnant, car il y avait des gars de partout et certains arrivaient là avec des réputations démesurées. On parlait beaucoup des joueurs du Minnesota et de la région de Boston. J'étais dans l'Ouest et lui dans l'Est, alors je n'avais jamais entendu parler de Brian. À l'époque, les programmes de développement de Hockey USA n'étaient pas aussi bien structurés que maintenant et il y avait parfois de la politique dans les décisions. La première fois que j'ai pris conscience de son talent, c'est quand l'équipe a finalement été composée. Dès notre première séance d'entraînement ensemble, je me suis dit : "Wow, ce gars-là est vraiment très doué !" Et je ne sais pas trop pourquoi, mais mon bon ami Ty Jones (un futur choix de première ronde dans la LNH) détestait Brian. Ty mesurait 6 pieds 3 pouces et il pesait au-delà de 200 livres. Il était toujours en train de challenger ce Gionta de Rochester qui ne reculait jamais, se relevait et encaissait ses coups ! Tout le monde était impressionné, sauf que ce qu'on disait c'est qu'il allait sûrement devenir un excellent joueur de *college* mais qu'il n'irait pas plus loin en raison de sa taille. Il ne faut pas oublier qu'à ce moment-là, Eric Lindros était la grosse vedette montante de la LNH. Il mesurait 6 pieds 4 pouces et pesait 230 livres, et la mode était aux gros joueurs », raconte Gomez.

Le championnat du monde des moins de dix-sept ans regroupe dix formations, dont cinq proviennent du Canada. À Moncton, Brian et ses coéquipiers vont se frotter aux meilleurs joueurs de la Finlande, de la République tchèque, de la Russie, de la Suède et aussi du Québec, de l'Ontario, des Maritimes, de l'Ouest et des Prairies.

Face aux espoirs les plus prometteurs de la planète, le petit capitaine américain conclut la compétition avec 6 buts et 7 mentions d'aide pour 13 points en seulement 5 parties.

« Après ce tournoi, je me suis dit que j'avais maintenant un pied dans la porte. Sans prendre les choses à la légère, je me disais que dorénavant, on savait qui j'étais et qu'on me jugerait beaucoup plus favorablement... et sans préjugés », dit Brian.

« Les gens rigolent toujours quand je dis ça, mais j'ai toujours comparé Brian à John LeClair, car il se retrouve toujours dans le trafic et il marque beaucoup de buts en faisant dévier des rondelles ou en saisissant des retours. Le poids et la grandeur n'ont pas d'importance, car il travaille à proximité du filet. Il était déjà comme ça à ce moment-là », poursuit Scott Gomez.

De leur côté, pour la première fois depuis que leur fils joue au hockey, Sam et Penny réalisent que Brian n'entretient peut-être pas une chimère quand il parle de la LNH. Mais, tout de même, il est si petit comparé aux autres joueurs de son groupe d'âge...

Fort de cette expérience enrichissante, Brian s'illustre à nouveau avec le Scenic l'année suivante. Nommé capitaine, il conclut la saison 1996-1997 avec une récolte ahurissante de 57 buts et 70 aides pour un total de 127 points en seulement 50 parties, ce qui lui vaut de remporter le titre de joueur par excellence du circuit. Intimidé par personne, il passe aussi 101 minutes au banc des punitions lors de cette deuxième saison avec le Scenic.

Ce circuit sert de tremplin à plusieurs joueurs qui désirent décrocher une bourse dans une université et Brian ne fait pas exception en attisant la convoitise de plusieurs institutions de renom. Jerry York, l'entraîneur-chef de Boston College, est un de ceux qui sont émerveillés par le petit attaquant de Greece.

« On surveillait le Scenic de près, car un de leurs attaquants nous intéressait grandement – mais c'était Jeff Farkas, pour être honnête ! Cependant, il y avait cette petite recrue que l'on voyait partout sur la patinoire et je me demandais bien qui était ce gars-là. Je ne pouvais pas m'empêcher de le surveiller à chacune de ses présences sur la patinoire… C'était Brian Gionta. Je suis allé le voir jouer dans un gros tournoi à Nelson, en Colombie-Britannique, et il passait son temps à défier Joe Thornton. Il était fort, il allait dans les coins et il ressortait toujours avec la rondelle. C'était un très bon patineur, il était très stable et on pouvait difficilement lui faire perdre l'équilibre, mais en plus sa petite taille semblait être un atout pour lui. Je me suis informé à son sujet et on m'a dit qu'il avait toujours marqué des buts à la tonne, autant chez les pee-wees, les bantams que les midgets », se souvient Jerry York, qui souhaitait vivement réussir à convaincre Brian de joindre les rangs de son équipe.

Il n'est toutefois pas le seul à le solliciter. Une douzaine d'établissements courtisent la famille Gionta et, en bout de ligne, Brian étudie les propositions de Michigan State, Boston University, Boston College, Denver University et Vermont University.

« À cette époque, Michigan offrait le meilleur programme en ce qui concerne le hockey, explique Brian. Boston University, qui avait remporté les championnats nationaux quelques années auparavant, n'était pas très loin derrière. Toutefois, j'adorais Boston College en raison du campus mais surtout de l'entraîneur-chef Jerry York. Je connaissais aussi des gars qui étaient là, comme Marty Reasoner, qui a deux ans de plus que moi et qui vient d'une petite ville près de Greece. Jeff Farkas, avec qui j'avais joué lors de ma première saison avec le Scenic, était aussi à Boston College. Ils n'avaient que de bons mots pour cette école et j'aimais aussi le fait que ça ne soit quand même pas trop loin de la maison… Moins de six heures de route pour nous, c'est presque rien ! »

Il arrête donc son choix sur Boston College, où il étudiera en communications, une décision qu'il n'a jamais regrettée.

« Nos journées commençaient tôt le matin alors qu'on prenait le chemin du gymnase. On se rendait ensuite en classe jusqu'à l'heure du dîner pour finalement passer l'après-midi sur la patinoire. La saison de hockey commence en novembre et le calendrier n'est pas très chargé, car nous ne jouons qu'une quarantaine de parties. C'est vrai que les gars qui optent pour le junior disputent le double de matchs mais, d'un autre côté, nous on se retrouve avec deux fois plus de séances d'entraînement », dit Brian, qui découvrait du même coup l'entraînement musculaire en gymnase pour la première fois de sa carrière, à l'âge de dix-huit ans.

DANS LA MIRE DES DEVILS

À sa première année avec les Eagles de Boston College, Brian est nommé sur l'équipe d'étoiles des recrues de la Nouvelle-Angleterre grâce à une récolte de 30 buts et 32 passes en 40 matchs. Ses coéquipiers et lui réussissent aussi à se faufiler jusqu'à la finale du prestigieux Frozen Four, le championnat national du hockey universitaire américain. Boston College, qui n'a gagné le titre qu'une seule fois dans son histoire, en 1949, s'incline 3-2 en prolongation face à Michigan, lors du match ultime.

Brian espère avoir suffisamment impressionné pour être repêché lors de l'encan de 1998. Des dépisteurs de Saint Louis, San Jose et New Jersey demandent à le rencontrer personnellement, ce qui attise ses ambitions. Et pour ajouter au rêve, cette année-là l'événement se tiendra à Buffalo, tout près de chez lui.

« Mon agent Steve Barlett nous avait averti que je pourrais être réclamé entre la troisième et la septième ronde... Et il avait ajouté qu'il était aussi possible que je ne sois pas du tout repêché. »

Quelques semaines avant le grand événement, les plus beaux espoirs disponibles pour l'encan sont invités à Toronto pour un camp d'évaluation où se retrouvent les dépisteurs de toutes les formations du circuit. Ces quelques jours servent de vitrine aux joueurs qui sont jugés en situation de matchs en plus d'être soumis à des examens et à des tests physiques hors glace. Les organisations en profitent également pour rencontrer les joueurs qu'elles ont ciblés et, de retour dans leur ville respective, les recruteurs complètent ensuite leur liste en fonction de ce qu'ils ont retenu pendant ces quelques jours.

Le petit capitaine de Team USA n'est pas invité à ce camp que l'on appelle, dans le jargon du hockey, *show-case* ou *combine*. Certains de ses coéquipiers y seront pourtant – certains rivaux aussi. C'est une situation qui agace légèrement Brian, mais sans plus.

Quelques jours avant l'événement, l'organisation des Devils contacte toutefois le jeune porte-couleur des Eagles de Boston College. Même s'il n'a pas été invité par la centrale de recrutement de la LNH, les dépisteurs du New Jersey aimeraient le rencontrer et le soumettre à leurs propres tests, ce que Brian accepte évidemment avec joie.

L'expérience se déroule bien, mais Brian ne sait pas trop à quoi s'en tenir. Comme il n'a pas été convié à Toronto par la LNH, contrairement aux autres espoirs, Brian a dû défrayer lui-même ses coûts de transport et d'hébergement. Avant qu'il ne parte, le dépisteur-chef des Devils lui remet une enveloppe pour acquitter les frais reliés à ce déplacement dans la Ville-Reine.

—Merci monsieur, mais je ne peux accepter cet argent.

—Mais voyons! Prends l'enveloppe, Brian. Ce n'est pas à toi ou à tes parents d'assumer les dépenses pour venir ici. C'est nous qui voulions te voir et nous sommes très heureux que tu sois venu ici pour passer nos tests.

—Premièrement, ça m'a fait un énorme plaisir de venir à Toronto pour vous rencontrer. Deuxièmement, les règlements de la NCAA sont très clairs: il nous est interdit d'accepter de l'argent.

—C'est du *cash*. Personne ne le saura et ça va payer vos dépenses. Ne te casse pas la tête avec ça. Tes parents n'ont pas à payer, c'est nous qui t'avons demandé de venir.

—Merci quand même, mais je ne peux accepter cet argent, monsieur.

En sautant dans la voiture, Brian se sent tout de même un peu mal à l'aise face à son père qui travaille fort pour que ses fils ne manquent jamais de rien. Il n'a aucune idée du nombre de billets qui se trouvaient dans l'enveloppe; sans doute auraient-ils aidé à équilibrer le budget familial. Se sentant un peu coupable, il raconte l'histoire à Sam.

« J'étais très fier de Brian quand il m'a raconté ça, sur le chemin du retour. Je m'étais dit que c'est ce qui allait peut-être faire la différence », se souvient Sam.

Les Devils connaissaient déjà suffisamment le joueur de hockey. En quelques secondes, ils venaient maintenant de découvrir l'individu : un jeune homme de principe, droit et honnête... Et ça, ça ne court pas les rues.

UNE JOURNÉE INOUBLIABLE

Comme le repêchage se déroule à l'Auditorium de Buffalo, à une heure de route de la maison, toute la famille accompagne Brian pour partager avec lui ce grand moment. Et il n'y a pas que Sam, Penny, Joe et Stephen qui se retrouvent dans les estrades avec lui. Le groupe des Gionta compte une bonne soixantaine d'accompagnateurs.

Cette année-là, le Lightning de Tampa Bay a la chance de parler en premier et l'équipe de la Floride fait de Vincent Lecavalier le tout premier choix de l'encan 1998 devant David Legwand qui, lui, sera réclamé par Nashville. Pendant ce temps, dans les gradins, les parents et amis de Brian écoutent patiemment les noms retentir dans l'amphithéâtre. À la fin de la première ronde, enfin un moment de réjouissance quand les Devils mettent le grappin sur le jeune Américain Scott Gomez, un excellent copain de Brian.

Finalement, à la 3e ronde, au 82e choix, le hockeyeur de Greece entend la phrase qu'il attendait depuis quelques heures... depuis des années en fait : « *The New Jersey Devils are proud to select, from Boston College... Brian Gionta.* »

C'est l'explosion de joie !

« Après le repêchage, David Conti, qui était dépisteur-chef pour les Devils, m'avait dit quelque chose que je n'ai jamais oublié. Quand on regarde un petit joueur, on le raye habituellement de notre liste aussitôt qu'il commet une erreur. Quand on surveille un gros bonhomme, on n'a besoin de voir qu'un seul beau jeu de sa part pour se dire qu'il sera un bon joueur de hockey. C'est ce qui attend Brian, et les joueurs de son gabarit n'obtiennent pas souvent deux chances, contrairement aux colosses. Alors, quand il fera le saut, Brian devra résolument être prêt, et je crois qu'il arrivera chez les professionnels avec de meilleures aptitudes en jouant au collège jusqu'à la fin de son programme, à vingt-deux ans », raconte Sam Gionta.

Brian retourne donc, comme prévu, à Boston College où il continuera de peaufiner son jeu sous les ordres de Jerry York, pendant trois autres saisons complètes. À sa deuxième année, il est nommé sur l'équipe d'étoiles de l'est des États-Unis et il recevra de nouveau cet honneur lors des deux saisons suivantes.

Au début de sa quatrième et dernière année à Boston College, Brian est nommé capitaine des Eagles et il termine son stage universitaire en étant aussi élu joueur par excellence du circuit Hockey East.

« On ne pouvait trouver meilleur capitaine que Brian. C'était aussi un exemple pour tous en dehors de la patinoire, car il avait de bonnes valeurs. Et ce n'est pas un hasard : Sam et Penny Gionta sont les meilleurs parents que j'ai eu la chance de rencontrer dans ma longue carrière. Ils en ont fait, du millage, pour suivre leurs fils ! Ils ne venaient jamais se plaindre ou parler du temps de jeu », rappelle Jerry York, qui est entraîneur-chef au niveau universitaire depuis 1972. Il a amorcé sa carrière à l'Université Clarkson, où il est demeuré pendant six saisons avant d'aller diriger l'Université Bowling Green State pendant quinze ans, pour ensuite prendre les commandes de Boston College en 1994.

Pendant que Brian complète son stage au collège, les Devils gardent un œil attentif sur son développement. Lors de la saison 2000-2001, Scott Gomez, son ancien coéquipier de Team USA, profite d'un passage à Boston pour assister à un match des Eagles.

« Lou (Lamoriello, le grand patron de Devils) avait su que j'allais voir la partie et il m'avait demandé de lui faire un compte rendu de la performance de Brian. C'était assez bizarre, surtout que pendant la période d'échauffement, j'avais jasé avec ses parents et avec sa copine Harvest. C'est le plus mauvais match de hockey que j'ai vu dans toute ma vie! Boston avait gagné 1-0, mais c'était terriblement ennuyant comme spectacle! Le pire, c'est que je ne pouvais même pas partir puisque Jerry York m'avait demandé d'aller rencontrer les gars après le match pour leur parler de mon expérience! Et quand je suis rentré dans le vestiaire, Brian m'a regardé avec un air curieux qui voulait dire: "Mais qu'est-ce que tu fous là?" Le lendemain, Lou me demande mes impressions sur Brian et j'avais été plutôt évasif en mentionnant que c'était difficile à juger, car je ne n'avais jamais joué dans les collèges et que c'était le genre de match où personne ne s'était vraiment mis en valeur. Plus tard, en fin de soirée, après notre partie contre les Bruins, Lou me regarde au moment où je rentre dans l'avion et il me fait un signe en me montrant sa main toute grande ouverte. "Cinq buts ce soir! Gionta en a mis cinq dedans... et tous pendant la première période!" me lance-t-il en souriant. J'étais content de ne pas lui avoir dit qu'il avait été très ordinaire la veille!», se souvient Gomez, riant aux éclats en repensant à cette anecdote.

Quelques semaines plus tard, Brian et ses coéquipiers se retrouvent de nouveau au Frozen Four. C'est la quatrième année de suite que Boston College accède à cet événement sacré du hockey universitaire américain. En avril 2001, la compétition se déroule à Albany, dans l'État de New York, et c'est la dernière chance pour le capitaine des Eagles de la remporter. Michigan State, Michigan et North Dakota sont les autres formations à s'être qualifiées.

Menés entre autres par leur gardien Scott Clemmenson, le défenseur Rod Scuderi ainsi que les attaquants Krys Kolanos, Chuck Kobasew et leur capitaine, les Eagles se fraient un chemin jusqu'en finale. Ce sera une reprise de l'affrontement ultime de 2000 que les Fighting Sioux de North Dakota avaient gagné 4 à 2 face à Boston College.

Le samedi, la veille de la finale, comme c'est toujours la coutume, on profite de l'occasion pour dévoiler l'identité du récipiendaire du prestigieux trophée Hobey Baker, remis annuellement au joueur universitaire par excellence aux États-Unis. Brian est finaliste pour une troisième année grâce à une récolte de 33 buts et 21 passes en 43 matchs. On lui préfère toutefois le gardien Ryan Miller, de Michigan State, qui vient de connaître une année de rêve avec 31 victoires en 40 parties, 10 jeux blancs et une moyenne de buts alloués de 1,32.

« On me l'avait annoncé dans l'après-midi du vendredi et nous avions notre match de demi-finale le même soir. Après notre victoire, fallait bien que j'annonce la nouvelle à Brian, car il devait être présent le lendemain pour la cérémonie. J'ai commencé à parler dans le vestiaire et il s'est levé, m'a interrompu et il m'a dit : "Coach, ne t'en fais pas. Je suis venu ici pour un seul trophée, celui du championnat. Je n'ai aucun intérêt pour le Hobey Baker." Ça ne l'avait pas ébranlé une seule seconde », explique Jerry York.

Le dimanche, Brian dispute son dernier match avec les Eagles. En prolongation, son coéquipier Krys Kolanos brise une égalité de 2-2 pour battre North Dakota, et ainsi procurer à Boston College un premier championnat en 51 ans.

Brian Gionta gradue au printemps 2001 et, quelques mois plus tard, il amorce sa carrière professionnelle avec les River Rats d'Albany, dans la Ligue américaine. Il ne reste là que quelques mois avant de se retrouver à temps plein avec la formation des puissants Devils du New Jersey avec qui il dispute 33 parties.

Brian remporte la coupe Stanley dès la saison suivante, au printemps 2003, à sa première saison complète dans la LNH. Le petit attaquant de vingt-quatre ans aura son mot à dire, particulièrement en séries éliminatoires alors qu'il est employé en moyenne plus de 14 minutes par parties. En route vers la conquête de la Coupe, il marque 1 but et ajoute 8 passes en 24 matchs des séries.

LES CONSEILS DE SAM ET PENNY

« La chose la plus importante, c'est que les enfants s'amusent tout au long de leur carrière dans le hockey mineur. À un moment donné, une certaine pression s'installe ; ça peut venir de la part des parents ou des entraîneurs, selon les circonstances, et c'est possible que ça étouffe l'enthousiasme et le désir de l'enfant. Joe, notre aîné, s'implique comme entraîneur à Greece et ce n'est pas une légende urbaine, l'histoire de parents qui se montrent beaucoup trop exigeants envers leur fils qui, lui, a comme seul objectif de jouer au hockey pour s'amuser.

« Laissez vos enfants avoir du plaisir. On s'en fiche que l'équipe gagne ou perde. Ça change quoi dans leur vie, si leur club perd toutes ses parties mais que les jeunes s'amusent ? D'ailleurs, il faut être conscient que la plupart du temps, c'est quand on a du plaisir qu'on est le plus réceptif et qu'on s'améliore le plus. Nos trois fils ont grandi dans le sport et non pas seulement dans le hockey. Ils ont aussi joué au soccer et au baseball avec le même enthousiasme. Et quand ils n'étaient pas sur un terrain pour un vrai match, ils se retrouvaient devant la maison à jouer au roller-hockey dans la rue ou en patin sur le canal, pendant l'hiver. Et très souvent, d'autres parents se joignaient aussi au groupe et c'était vraiment agréable ! Comme je n'étais pas très bon, les garçons me plaçaient toujours dans les buts. Je ne compte même plus le nombre de fois où j'ai brisé mes lunettes en jouant avec mes fils et les autres petits gars du quartier ! Alors pourquoi ce genre de plaisir disparaît-il une fois rendu à l'aréna ?

« Plus tard, quand ça devient plus sérieux, quand la chose primordiale n'est plus de juste s'amuser avec les copains, il faut que le jeune se rende compte que si son but ultime n'est plus le même, la façon de se comporter doit aussi être modifiée. Et si le hockey est vraiment une passion, le plaisir restera présent même si le jeune doit mettre des efforts pour réussir. Mais il faut le laisser lui-même établir ses propres objectifs. Nous avons toujours donné à nos fils l'opportunité d'aller au bout de leurs ambitions mais une chose a toujours été très claire dans notre famille : nos enfants doivent être heureux. On leur répétait souvent que la journée où le bonheur ne serait plus dans le hockey, ils ne nous feraient certainement pas de peine en quittant ce sport. »

LES CONSEILS DE BRIAN

« Il y a une chose que je vais essayer d'inculquer à mes enfants quand ils seront plus vieux, une chose qui, on dirait, échappe à beaucoup de gens. Je vois beaucoup trop de jeunes qui ne se dédient qu'au hockey. Des petits joueurs de niveau atome sont poussés par leurs parents qui rêvent de les voir un jour dans la Ligue nationale. La réalité, c'est que les enfants doivent d'abord pratiquer le hockey parce qu'ils veulent s'amuser. C'est un jeu pour les enfants et non pas pour les parents.

« Laissez les enfants s'amuser. Le sport d'équipe doit développer un esprit de camaraderie. Et puis c'est intéressant, car quand les jeunes apprennent en groupe, ça forme aussi certaines facettes de leur caractère, comme l'entraide. Dans un sport d'équipe comme le hockey, l'égoïsme est mis de côté.

« Il faut aussi les laisser pratiquer d'autres sports où ils peuvent s'amuser. Ils doivent vivre pleinement leur enfance et ne pas chercher à tout centrer autour du hockey. C'est bien de les accompagner et de leur enseigner, mais il ne faut pas les pousser et, surtout, il ne faut pas avoir des objectifs qui sont irréalistes pour les enfants. Après un mauvais match, même si on faisait une heure ou deux de route, mon père ne revenait jamais sur ma performance. Si je lui demandais conseil, il était ravi de me parler de ma partie, mais il ne me parlait jamais de mes mauvais jeux. Jamais ! Quand j'avais un bon match, il était fier de moi, mais il ne s'excitait pas trop. Il était là pour m'accompagner dans mes activités, tout simplement. »

LES PLUS PETITS JOUEURS DE LA LNH (SAISON 2010-2011)

Nathan Gerbe	5 pi 6 po	Buffalo
Brian Gionta	**5 pi 7 po**	**Montréal**
David Desharnais	5 pi 7 po	Montréal
Sergei Samsonov	5 pi 8 po	Caroline
Steve Sullivan	5 pi 8 po	Nashville
Francis Bouillon	5 pi 8 po	Nashville
Mathieu Perreault	5 pi 8 po	Washington
Martin St-Louis	5 pi 8 po	Tampa Bay
Derek Roy	5 pi 9 po	Buffalo
Tyler Ennis	5 pi 9 po	Buffalo
Michael Cammalleri	5 pi 9 po	Montréal
Brett Lebda	5 pi 9 po	Toronto
Scott Nichol	5 pi 9 po	San Jose

BRIAN GIONTA
Né le 18 janvier 1979 à Greece, NY
Ailier gauche
5 pi 7 po
175 livres
Repêché par New Jersey en 1998
3e ronde, 82e choix au total

		Saison régulière				Séries			
ÉQUIPE	SAISON	PARTIES	BUTS	PASSES	POINTS	PARTIES	BUTS	PASSES	POINTS
ROCHESTER	94-95	28	52	37	89				
NIAGARA	95-96	51	47	44	91				
NIAGARA	96-97	50	57	70	127	6	6	11	17
BOSTON C.	97-98	40	30	32	62				
BOSTON C.	98-99	39	27	33	60				
BOSTON C.	99-00	42	33	23	56				
BOSTON C.	00-01	43	33	21	54				
NEW JERSEY	01-02	33	4	7	11	6	2	2	4
ALBANY	01-02	37	9	16	25				
NEW JERSEY	02-03	58	12	13	25	24	1	8	9
NEW JERSEY	03-04	75	21	8	29	5	2	3	5
ALBANY	04-05	15	5	7	12				
NEW JERSEY	05-06	82	48	41	89	9	3	4	7
J.O. TURIN	2006	6	4	0	4				
NEW JERSEY	06-07	62	25	20	45	11	8	1	9
NEW JERSEY	07-08	82	22	31	53	5	1	0	1
NEW JERSEY	08-09	81	20	40	60	7	2	3	5
MONTRÉAL	09-10	61	28	18	46	19	9	6	15
TOTAL LNH		534	180	178	358	86	28	27	55

TROPHÉES LNH
COUPE STANLEY : 2003

Des lieux importants dans le parcours de Brian Gionta

1. **Greece, État de New York, États-Unis**: lieu de sa naissance en 1979 et de ses premiers coups de patin.
2. **Rochester, État de New York, États-Unis**: club pee-wee AAA-mineur (1991); membre des Americans de New York (1994-1995).
3. **Québec, Québec, Canada**: participe au Tournoi international pee-wee de Québec sous les couleurs des North Stars du Minnesota (1993).
4. **Syracuse, État de New York, États-Unis**: bantam mineur AAA avec les Stars (1994).
5. **Niagara Falls, Ontario, Canada**: junior A dans la MTJHL avec le Scenic (1995-1996 et 1996-1997).
6. **Boston, Massachusetts, États-Unis**: hockey universitaire avec les Eagles de Boston College (de 1997-1998 à 2000-2001).
7. **Albany, État de New York, États-Unis**: avec les River Rats dans la Ligue américaine (2001 et 2004).
8. **New Jersey, État du New Jersey**: avec les Devils dans la Ligue nationale de hockey (de 2001-2002 à 2008-2009). Gagnant de la coupe Stanley en 2003.
9. **Montréal, Québec, Canada**: avec le Canadien de Montréal depuis 2009.

ALEX KOVALEV

Alexey Kovalev n'a pas profité, pendant son enfance, du confort douillet de ses contemporains originaires du Canada et des États-Unis. Né à Togliatti, une ville industrielle située à environ 1200 kilomètres au sud-est de Moscou, il a grandi et s'est développé en tant que hockeyeur sous l'autorité du régime communiste, à l'époque où la vie était austère dans la défunte URSS. Il serait faux de dire que l'enfance d'Alexey et de sa sœur aînée Irina a été triste et malheureuse, mais comme les autres familles soviétiques de cette époque, les Kovalev devaient se débrouiller avec les moyens du bord, et les ressources étaient plutôt limitées lorsqu'Alex a effectué ses débuts au hockey, à la fin des années 1970.

Dès son adolescence, tous se rendent compte que ce jeune homme est beaucoup plus qu'un simple joueur très doué. Mais ce qui impressionne encore plus que le talent incomparable du jeune Kovalev, c'est sa vaillance sans borne et sa très grande maturité. Le jeune phénomène de Togliatti ne connaît rien de la LNH, mais il est résolu à devenir rien de moins que le meilleur joueur de hockey au monde.

Pour parvenir à ses fins, Alexey a fait des sacrifices que très peu de garçons de son âge seraient prêts à faire, même pour aller au bout de leurs rêves. Encore moins de nos jours... Et encore moins au Canada ou aux États-Unis.

* * *

Le 23 février 1973, Viacheslav Kovalev nage dans le bonheur quand son épouse Pavlina donne naissance à un garçon. Maniaque de sport, il ne rate la diffusion d'aucun événement lorsque la télé soviétique présente une compétition, peu importe la discipline au programme. Abonné au magasine *Soviet Sports*, Slava (c'est ainsi que le surnomment ses amis) est tellement fervent de hockey que son fils n'a pas encore quitté la pouponnière qu'il a déjà décidé qu'il en ferait un grand joueur, et il le clame fièrement à qui veut l'entendre !

Alexey n'a pas encore trois ans quand Slava commence à l'initier au soccer. Dès l'hiver suivant, le jeune garçon amorce la pratique du ski de fond.

« Ça l'amusait surtout quand il y avait des bosses et qu'il pouvait sauter. Bien entendu, à la fin de la journée, il se retrouvait toujours avec plein d'ecchymoses, mais ça ne l'empêchait pas de sourire à belles dents ! Alex ne se plaignait jamais, peu importe la distance que l'on skiait ensemble. Déjà, à ce moment-là, je n'avais aucun doute qu'il deviendrait un grand athlète un de ces jours », relate Viacheslav Kovalev dans un petit livre qu'il a lui-même écrit et qui a été publié en 1994. Traduit en anglais et intitulé *The Road to Success*[1], ce petit bouquin de cinquante pages retrace le parcours d'Alex, de ses premiers pas à Togliatti jusqu'à sa sélection au repêchage de la LNH, en première ronde, par les Rangers de New York en 1991. Slava avait donc très tôt vu juste en prédisant une grande carrière à son fils...

Alexey n'a pas encore quatre ans la première fois qu'il enfile les patins... si on peut employer ce terme. À cette époque, en Union Soviétique, il est pratiquement impensable de trouver de vrais patins à la bonne pointure, et c'est encore plus vrai pour les enfants. Et une fois les patins trouvés, il est presque impossible de faire aiguiser les lames. La plupart des enfants commencent donc à patiner avec des lames que les parents fixent à leurs bottes du mieux qu'ils le peuvent. Ce sont deux lames latérales espacées d'environ deux centimètres et soudées ensemble, que l'on attache avec des sangles. Les premières séances sont ardues pour le petit Alex. Il avance d'un pas, tombe, rampe un peu, se relève maladroitement, avance encore avant de chuter de nouveau. Mais le jeune garçon ne se laisse jamais abattre et il désire

1. Kovalev, Viacheslav. *The Road to Success*. Richfield, É.-U., Geilman, 1994.

ardemment s'améliorer et patiner comme les plus vieux qu'il regarde et admire à la patinoire extérieure.

«Je me souviens d'une journée où j'ai entendu la porte de notre appartement se refermer bruyamment. J'ai pensé qu'Alex était parti jouer dehors avec ses copains. Peu de temps après, on cogne à la porte. C'est une de nos voisines qui vient pour m'engueuler, raconte Viacheslav. "Slava, pourquoi tu ne surveilles pas ton fils? Sais-tu seulement où il est?" "Euh... Dehors, non?" "Pourquoi lui mettre ses patins à l'intérieur plutôt que d'attendre qu'il soit rendu dehors?"»

Viacheslav constate alors que son fiston a quitté l'appartement et que ses patins ne sont effectivement plus là. Alexey est parti, ses patins aux pieds, et, pour ne pas abîmer les marches de l'escalier, il les a descendues en se laissant glisser sur les fesses. Les Kovalev habitent au cinquième étage de l'édifice! Le jeune garçon voulait vraiment patiner cette journée-là...

Un autre jour, alors qu'Irina est à l'école, Viacheslav emprunte les patins blancs de sa fille et il amène fiston au parc avec lui. Le paternel enfile les patins blancs à Alex et il lui enseigne comment pousser de façon latérale pour avancer en glissant avec puissance. Alex trouve qu'il est beaucoup plus facile de patiner avec de vrais patins aux pieds!

«Comme j'avais trois ans de moins que ma sœur, je revenais de l'école plus tôt qu'elle. Chaque jour, dès que j'arrivais, je me précipitais sur ses patins et je courais au parc pour aller patiner avant son retour à la maison...»

Comme c'est le cas au Québec et ailleurs au Canada, les enfants s'amusent à jouer au hockey sur n'importe quelle surface glacée. Pour Alex, une grosse flaque d'eau gelée est suffisante en attendant que les vraies patinoires soient enfin prêtes. Certains enfants ont des patins, mais la plupart jouent en bottes. En plus du hockey, Alex et ses amis s'adonnent aussi au bandy, un sport très populaire en Union Soviétique qui mélange les règlements du hockey et du soccer. Le bandy se pratique à onze joueurs sur un terrain de soccer gelé, avec un bâton et une balle, et les joueurs tentent de compter des buts, comme au hockey. Quelques-uns ont de vrais bâtons et les autres, de simples bouts de bois, mais tous s'amusent. Cadet du groupe, Alex se retrouve souvent à la position de gardien.

« Le soir, quand il rentrait et qu'il se déshabillait, on pouvait voir qu'il était couvert de bleus sur les jambes. À la fin des années 1970, en URSS, pas un seul enfant ne possédait de jambières ou de masque de gardien. La seule pièce d'équipement qu'on avait était un gant de gardien fabriqué de façon artisanale », précise Viacheslav.

À cette époque, en Union Soviétique il faut jouer d'astuce et se débrouiller avec les moyens du bord. Néanmoins, l'État s'assure de repérer les jeunes athlètes les plus talentueux, et ceux-ci ont rapidement la chance de se développer au sein d'un club sportif. Toutefois l'équipement adéquat est difficile à trouver et les infrastructures ne sont pas toujours comparables à ce que l'on retrouve en Amérique du Nord. À Togliatti, par exemple, l'aréna n'a pas de toit et le hockey se joue à ciel ouvert.

« Un de mes amis un peu plus vieux jouait déjà dans une vraie équipe, mais en fait, c'était plutôt une école de hockey. Comme nous habitions à environ cinq minutes de l'aréna, j'allais souvent le voir jouer et, après un match, je lui ai demandé qu'il me présente son coach, Viacheslav Ivanov. Je le lui ai dit que j'aimerais jouer avec eux et il m'a donné un formulaire à remplir en me disant de revenir le voir, et qu'il me prendrait l'année suivante. J'étais tout petit mais je savais déjà ce que je voulais, et je prenais les moyens pour que ca marche ! », raconte Alex.

« Une bonne journée, Alex est arrivé à la maison en me disant qu'il avait été accepté dans une équipe de hockey et que nous n'avions qu'à remplir le formulaire d'inscription. Le lendemain, après le travail, nous nous sommes immédiatement rendus rencontrer monsieur Ivanov. C'était un immense bonheur pour moi de voir mon fils être accepté dans un club, mais il avait un an de moins que les autres enfants de son groupe, tous nés en 1972. Il faut dire qu'Alex était très responsable pour son âge et qu'il travaillait fort. L'automne suivant, il a commencé à s'entraîner au superbe Palais des Sports. C'est à ce moment que je lui ai acheté sa première vraie paire de patins », se remémore Slava.

« Je me souviens encore de ma première paire de patin, raconte Alex. Le cuir était tellement souple que j'avais de la difficulté à rester debout une fois que je les avais aux pieds. C'était dur pour les chevilles. Mon père a trouvé des morceaux de cuir beaucoup plus épais et plus rigides, qu'il a réussi à coudre sur les côtés de la bottine pour renforcer le soutien. Mais ça m'a quand même pris du temps à m'habituer, car je patinais avec des patins de fille depuis quelques mois déjà. Avec les patins de ma sœur, j'avançais en poussant avec les orteils puisque les lames étaient beaucoup plus longues, mais on ne peut pas faire ça avec des patins de garçon ! »

Comme on ne vend pas de bâtons de hockey dans les magasins, le paternel doit faire preuve de débrouillardise et d'ingéniosité afin d'en dénicher un pour fiston. Il tente sa chance en allant rencontrer les joueurs de l'équipe du Lada, le club professionnel de Togliatti. Il parviendra finalement à échanger une coûteuse boîte de confiseries pour un vrai bâton de hockey !

« Ces bâtons-là n'étaient pas comparable à ceux d'aujourd'hui ! Évidemment, c'était des bâtons de bois, mais vraiment rudimentaires… J'avais l'impression que quelqu'un venait juste de le tailler dans un arbre ! », se souvient Alex.

Avant la fin de sa première saison de hockey, Alex est considéré comme le meilleur joueur de son groupe même si tous ses coéquipiers ont un an de plus que lui. En avril 1982, Boris Popov, qui dirige une équipe de joueurs nés en 1971, l'invite à se joindre à son club pour une compétition qui se déroule à Tcheliabinsk. La troupe de Popov connaît un bon tournoi et le petit Kovalev fait très bonne figure. Quelques jours seulement après être revenu à la maison, Alex est cette fois invité à jouer pour le coach Vladimir Guzhenkov qui, lui, entraîne le club des joueurs de 1970. Cette fois, le tournoi se déroule à Severodonetsk. Même s'il a trois ans de moins que les autres, Alex s'illustre lors de cette compétition. Les entraîneurs des autres équipes n'arrivent tout simplement pas à croire qu'il est si jeune.

« J'étais peut-être plus content qu'Alex lui-même », écrit Viacheslav dans *The Road to Success.*

« J'ai commencé à entraîner Alex sérieusement quand il était âgé de huit ans. Je passais tous mes temps libres avec mon fils et je l'amenais à la patinoire dès que je le pouvais. Il ne pensait à rien d'autre qu'au hockey. Les week-ends, il pouvait facilement jouer entre cinq et huit heures par jour. Quand il ne respectait pas les consignes, la pire punition consistait à lui interdire d'aller à un entraînement », se souvient son père.

UN ATHLÈTE NATUREL ET SURDOUÉ

Au cours de l'été 1982, Alex exprime le désir de jouer au soccer au sein d'une formation dont les activités ont lieu sur un terrain situé non loin de l'appartement de la famille Kovalev. Athlète doué d'un talent naturel, Alex se distingue rapidement dans cette discipline et, l'automne venu, son entraîneur Yerofeyev tente de convaincre Viacheslav de laisser son fils pratiquer ce sport et de délaisser le hockey.

« Je n'ai pas voulu, avoue le paternel, et je crois que si Alex avait eu à choisir, il aurait pris lui aussi cette décision. »

Les Kovalev gardent donc le cap sur le hockey, mais une vive déception attend Alex quand il se pointe au premier entraînement de son équipe. L'entraîneur Ivanov lui explique que ses coéquipiers ne veulent plus le voir, car à la fin de la précédente saison, il a laissé tomber son club pour participer à des tournois avec les plus vieux. Finalement, la jeune sensation se retrouve sous les ordres de Guzhenkov, avec des garçons tous nés en 1970. Son père fait alors des pieds et des mains pour dénicher à Alex un équipement qui le protégera adéquatement contre des joueurs de trois ans plus vieux que lui.

« Dans notre ville, comme partout ailleurs en Union Soviétique, il était pratiquement impossible d'acheter de l'équipement de hockey. De toute façon, les entraîneurs préféraient que les jeunes jouent sans équipement, parce que selon eux les protections nuisaient à leurs mouvements et à leur fluidité sur la patinoire. J'avais une opinion différente et je me disais qu'avec des jambières ainsi qu'un casque et une visière, Alex pourrait jouer sans avoir peur de se blesser. C'est pour ça que je me suis toujours efforcé de lui trouver de l'équipement quand il était jeune », explique Slava qui devait composer avec la réalité de l'époque.

Alex n'a que des bons mots pour son coach de l'époque :

« Guzhenkov a eu un impact important sur mon développement au hockey. Il me faisait confiance même si les autres gars avaient tous trois ans de plus que moi. Il considérait que j'avais beaucoup d'habiletés et un très bon coup de patin, et il pensait que j'allais m'améliorer rapidement dans son équipe en côtoyant chaque jour des gars plus vieux. Les autres joueurs ne l'aimaient pas, car il me laissait faire ce que je voulais sur la patinoire puisque selon lui, j'étais déjà meilleur que la plupart de ses joueurs. Je n'avais pas à jouer dans un système établi et j'avais toutes les libertés, à condition que je sois le premier revenu dans notre zone si je commettais une erreur. Plus tard, quand je suis revenu jouer avec des garçons de mon âge, j'avais une bonne longueur d'avance sur tout le monde. »

La façon de jouer et de s'entraîner ne ressemble pas à ce qui prévaut en Amérique du Nord. Dans l'URSS d'alors, et en Russie encore aujourd'hui, les jeunes joueurs se joignent à un club à partir de l'âge de six ans et ils demeurent ensemble au fil des années. L'organigramme commence avec le club professionnel et ses ramifications descendent ensuite du junior jusqu'aux tout petits.

« On commençait à s'entraîner hors glace environ deux ou trois fois par semaine avant de penser à chausser les patins. Pour les plus jeunes, c'était quand même assez léger, mais à compter de dix ans, on quittait nos familles pour aller tous ensemble dans un camp d'entraînement à la campagne. Ce n'était pas facile, mais nos parents venaient nous rendre visite chaque fin de semaine. Quand l'école commençait, nous allions au stade après nos cours, et nos entraînements commençaient toujours par une bonne heure de conditionnement physique en gymnase. On faisait de la course, des étirements ou des exercices de pliométrie, et on finissait toujours par une partie de soccer », explique Alex. Au cours de la saison 1982-1983, Alex s'initie également au basketball. Recruté au sein de l'équipe de l'école, il tombe amoureux de ce sport. Chaque matin de semaine, il se lève à six heures pour se rendre aux entraînements, avant le début des classes.

« À la même époque, il a aussi commencé à prendre des cours de natation. Peu de temps après, il est revenu à la maison avec trois médailles d'or ! Quand même, je lui rappelais que le hockey devait demeurer sa priorité numéro 1. Mais je n'avais pas vraiment besoin d'insister, car il pensait la même chose. »

Au début de la saison, l'équipe dirigée par Guzhenkov est invitée à participer à un important tournoi à Rybinsk. On y retrouve des formations redoutables venues de Moscou, Minsk, Sverdlovsk, Tcheliabinsk, Voskressensk, Ufa, Elektrostal et d'autres villes. Les équipes sont logées dans les meilleurs hôtels et la nourriture est aussi délicieuse qu'abondante… C'est le bonheur pour Alex et ses coéquipiers ! Toutefois, un nuage se pointe bientôt à l'horizon : avant le début de la compétition, lors d'une rencontre d'information entre les entraîneurs, les officiels et les responsables du tournoi, un médecin du centre de santé de Rybinsk annonce qu'Alexey Kovalev, de l'équipe de Togliatti, ne sera pas autorisé à prendre part au tournoi.

Viacheslav raconte :

« Le docteur a dit que quelques entraîneurs avaient logé des plaintes, car ils craignaient que mon fils, plus jeune que tous les autres participants, se blesse. Je suis allé à cette rencontre, je me suis présenté et j'ai demandé à prendre la parole. Je leur ai expliqué que je ne souhaitais pas non plus qu'un événement malencontreux se produise, mais que j'avais confiance que mon fils tiendrait son bout. »

Son intervention ne change rien. Mais Viacheslav ne baisse pas les bras si aisément. À la fin du meeting, il retourne discuter avec le médecin, une femme, pour essayer de la convaincre. Elle l'envoie consulter un de ses supérieurs, un médecin du Centre régional de santé qui refuse de renverser la décision.

« J'étais désespéré, avoue Viacheslav. Je voulais tellement qu'Alex participe à ce tournoi. Je suis donc retourné une autre fois voir le médecin et, après de longues négociations, elle m'a dirigé vers le médecin en chef au niveau national pour le tennis. Placé au-dessus d'elle dans la hiérarchie, il était la seule personne en ville à pouvoir changer sa décision, en dépit du fait qu'il était affecté au tennis. C'était un coup de chance qu'un grand tournoi de tennis se déroule à Rybinsk au même moment. Après avoir passé un examen physique, Alex a finalement été autorisé à participer aux matchs de son équipe à condition que je signe un formulaire déchargeant l'autre médecin de tout blâme en cas d'incident. »

Togliatti s'inclinera éventuellement en finale et Alex sera nommé le plus bel espoir de la compétition.

À la fin de décembre, les protégés de Guzhenkov enlèvent les honneurs du tournoi de Novossibirsk. C'est un premier triomphe pour le jeune Kovalev qui ajoutera une deuxième médaille d'or à son palmarès, en mars, quand ses coéquipiers et lui remportent la coupe Valery Kharlamov disputée à Irbit.

AUCUN RÉPIT POUR LE JEUNE PRODIGE

À l'été 1983, Alex n'a que dix ans et demi, mais il s'entraîne déjà avec beaucoup d'assiduité.

« Je n'avais pas besoin de pousser mon fils. Une journée, il courait six ou sept kilomètres, le lendemain il me demandait d'aller faire des sprints avec lui. Il aimait aussi courir à la piste d'athlétisme en montant et descendant des gradins. Chaque matin, nous allions lancer des rondelles. Notre routine durait habituellement deux heures. On plaçait une cible sur le but et Alex essayait de viser juste de plusieurs angles différents. Pour mettre du piquant, je lui donnais des punitions. Ainsi, à chaque lancer raté, il devait faire un *push-up* ou dix *squats* ! Je calculais les coups loupés et, à la fin de l'entraînement, il devait souvent exécuter de 40 à 60 *push-up* ou *squats*. En plus de cela, il s'entraînait aussi à la maison. J'avais installé une barre dans notre appartement pour qu'il puisse faire des *pull-up*, et il faisait aussi des séances de *push-up* et de *squats* », raconte Slava.

« Nous habitions à seulement cinq minutes du stade, alors je passais mon temps à demander à mon père d'y aller pour m'entraîner, renchérit Alex. J'arrivais dans le salon avec ma montre et je lui disais de fermer la télé pour venir me chronométrer au parc ! J'étais un vrai fanatique de l'entraînement et mon père était toujours là pour me supporter. Il n'a jamais fait de sport de façon professionnelle, mais il se débrouillait très bien en judo, en volley-ball et en haltérophilie. Il ne voulait pas que je traîne dans la rue comme d'autres jeunes qui, par oisiveté, commencent très tôt à fumer et à boire. Moi, je me suis jeté dans le hockey et l'entraînement ! De nos jours, il y a plusieurs activités qui sont accessibles aux enfants. Aujourd'hui, un jeune hockeyeur s'entraîne en pensant déjà à ce qu'il fera plus tard en sortant de l'aréna. Moi, à cette époque, je ne voulais qu'une chose : rester à l'aréna, car il n'y avait rien de plus intéressant que de jouer au hockey. Il y a aussi le fait que je pensais sans cesse à impressionner les gens autour de moi. Si un jeune bat son record personnel sur un jeu vidéo, ça va épater qui ? Personne, puisqu'il n'y a pas de témoins ! Mais si je fais quelque chose d'extraordinaire pendant un match, tout le monde va le savoir ! Je ne sais pas pourquoi, mais j'avais besoin d'épater la galerie. Je voulais devenir le meilleur et c'était important que je le prouve à tout le monde. »

La passion du jeune Russe est démesurée. À ce moment de sa vie, il ne fait que quatre choses : manger, dormir, étudier et jouer au hockey. Quand il ne s'entraîne pas avec son équipe régulière, il sollicite les entraîneurs des autres clubs pour avoir la permission de sauter sur la glace avec eux. Sinon, il joue dans la rue avec ses amis.

« Après le souper, je retournais toujours au stade pour voir si des équipes s'entraînaient et j'essayais chaque fois de me trouver une place pour jouer. Ce n'était pas toujours très chaud, car nous n'avions pas de toit pour nous protéger du froid ! La semaine, malgré l'école, ce n'était pas rare que je patine de quatre à cinq heures par jour », se souvient Alex.

À l'automne 1983, le bonheur tranquille du jeune homme est soudainement bouleversé. Comme c'est le cas au début de chaque nouveau camp d'entraînement, les garçons doivent se soumettre à des examens médicaux avant d'amorcer la saison. On constate alors que les battements du cœur d'Alex ne sont pas réguliers. On lui diagnostique une sorte d'arythmie juvénile causée par un surmenage. Rien d'inquiétant pour sa santé... à condition qu'il renonce à jouer au hockey pour le reste de sa vie. Le choc est brutal.

« J'ai demandé si je pouvais au moins patiner et on m'a répondu : peut-être une fois par semaine... et sans trop forcer. J'en ai pleuré un coup ! Puis je me suis ressaisi et je me suis dit que je m'étais toujours senti très bien. Je n'avais jamais éprouvé le moindre malaise auparavant. J'ai décidé que je n'arrêterais pas de jouer au hockey et qu'on verrait bien ce qui se passerait. Pour m'aider à améliorer ma santé, mon père a donc commencé à acheter des fruits et des légumes frais. J'ai ralenti mes activités et j'ai allongé mes nuits de sommeil. Je n'étais pas costaud et, tout compte fait, c'était plutôt une bonne chose. À compter de ce moment-là, j'ai aussi commencé à jouer avec des garçons de mon âge. De toute façon, c'était devenu difficile de jouer avec des plus vieux que moi, car ils étudiaient tous ensemble dans un programme sports-études. »

On accorde donc à Alex la permission de continuer à jouer au hockey, mais durant les deux années suivantes, il devra rencontrer un médecin tous les mois pour se soumettre à un examen et subir des analyses de sang. Si sa condition régresse, il ne sera plus autorisé à jouer. Heureusement, l'état d'Alex demeure stable et il ne sera finalement pas obligé d'arrêter le hockey.

Au début, Alex et ses parents demeurent tout de même sur leurs gardes et le jeune garçon ne participe qu'aux activités de son équipe, avec les joueurs de son groupe d'âge. Chaque mois, les examens médicaux se révèlent rassurants et, après quelque temps, Alex recommence à s'entraîner en catimini avec la formation de son ancien entraîneur Guzhenkov. En ne patinant qu'une heure par jour, le jeune Russe a des fourmis dans les jambes. Mais ce n'est pas tout: avec les plus vieux, il s'amuse beaucoup plus. Nouveau venu dans l'équipe des 1973, son style de jeu ne cadre pas avec la philosophie du coach en place. C'est qu'Alex aime transporter et garder possession de la rondelle en multipliant les feintes spectaculaires. Il peut aisément déjouer trois fois le même rival dans un espace restreint, puis, quand il aperçoit une brèche, il coupe vers le filet et marque d'un tir aussi précis que foudroyant. Même si la façon de jouer des Soviétiques laisse place à plus de créativité que ce que l'on voit en Amérique à ce moment-là, le coach du jeune Kovalev n'apprécie guère son style individualiste.

« Pendant les entraînements, quand il me réprimandait, je lui expliquais toujours la raison pour laquelle j'avais fait tel ou tel jeu. Il n'aimait vraiment pas que je discute avec lui alors il m'envoyait réfléchir sur le banc pour une dizaine de minutes.

Je finissais par me la fermer pour ne pas me faire renvoyer au vestiaire. Pourtant, plus tard en soirée, quand j'allais jouer avec l'équipe de Guzhenkov, je pouvais faire tout ce que je voulais sur la glace, où j'affrontais pourtant des gars trois ans plus vieux que moi », raconte Kovalev.

Comme Alex se sent bien et qu'il est étroitement suivi par les médecins, l'entraînement reprend graduellement une place importante dans sa vie. Quand il a douze ans, son père commence à le faire s'entraîner avec des rondelles lourdes qu'il confectionne lui-même en faisant fondre du plomb qu'il verse ensuite à l'intérieur de rondelles qu'il a préalablement percées.

« Chaque rondelle devait bien peser une livre et ça a vraiment développé les muscles de ses bras. C'était difficile pour Alex, mais il ne se plaignait jamais, car il savait que c'était bon pour lui. À l'occasion, je prenais soin de vérifier son pouls par précaution. Après ça, quand il se retrouvait avec une rondelle conventionnelle, il avait l'impression de dribbler avec un morceau de coton tellement elle était légère en comparaison avec mes rondelles de plomb ! », écrit Viacheslav dans son bouquin.

« Je devais bien lancer 200 rondelles par jour ! » ajoute Alex.

Les années passent et Kovalev, toujours aussi passionné, continue de redoubler d'ardeur au travail. Afin de surveiller de plus près le développement de fiston, Viacheslav quitte son emploi pour travailler au Palais des sports comme assistant-gérant de l'équipe professionnelle de Togliatti, le Lada.

Au printemps 1987, Alex, alors âgé de quatorze ans, accompagne son équipe à Voskressensk pour un grand tournoi qui regroupe toutes les formations de la région de Volga. La compétition débute plutôt mal pour Alex, qui se blesse à un poignet dès la première séance d'entraînement. Il devra regarder toutes les parties de son équipe assis dans les gradins, comme un simple spectateur. Incapable de jouer au hockey, il se défoule dans le corridor de l'hôtel où il s'amuse avec ses camarades entre les matchs. Plutôt bruyants, Alex et ses coéquipiers se font régulièrement répéter de baisser le ton, toujours par le même homme. À la fin du tournoi, à l'aréna, le type en question s'avance vers le jeune Kovalev avec un regard sévère.

— C'est toi, Alexey Kovalev, du club de Togliatti ?

— Heu... Oui, m'sieur.

— Je te cherche sur la glace depuis le début du tournoi. On m'a dit que tu étais blessé.

— Oui, au poignet, mais ce n'est rien de bien sérieux.

— Tant mieux. Je suis le coach Polupalov de l'école du Dynamo de Moscou. Nous aimerions te recruter dans notre organisation.

— Oh, bien sûr !

Polupalov lui explique ce qui l'attend. Seuls quelques détails resteront à régler avec son père. De retour à la maison, Alex annonce la grande nouvelle à ses parents. C'est tout un honneur que de recevoir une offre du réputé Dynamo de Moscou. Toutefois, Alex n'a encore que quatorze ans, et ses parents se montrent rébarbatifs à l'idée de le voir quitter la maison à un si jeune âge.

« Sa mère ne voulait absolument rien savoir de le laisser partir. Alex nous a dit que si nous refusions de le laisser aller avec le Dynamo, il abandonnerait le hockey. Nous avons discuté et je me suis finalement rangé derrière lui, mais Pavlina ne voulait pas changer d'idée. Alex et moi avons discuté avec elle encore et encore, et elle a fini par céder... mais pas sans beaucoup pleurer », raconte Viacheslav.

SEUL À MOSCOU... À QUATORZE ANS

Alex doit rejoindre le Dynamo le 1er juillet. La veille de son départ, Viacheslav répète ses recommandations à son fils pour une énième fois alors que Pavlina y va d'une ultime tentative pour le convaincre de rester avec eux – en pure perte. L'adolescent de quatorze ans sait ce qu'il veut et il demeure imperturbable devant les sanglots de sa mère.

« Ma mère ne voulait pas que je parte, mais je ne lui ai pas donné le choix, car je savais que c'était la meilleure chose à faire pour ma carrière. Je n'avais peut-être que quatorze ans, mais je voulais aussi vivre ma propre vie. Je voulais découvrir le monde du hockey par moi-même. Je ne voulais plus être le petit garçon que ses parents amènent à l'aréna. Je savais que j'avais la maturité pour partir et voler de mes propres ailes. Mon but était de faire partie un jour de la formation nationale de l'URSS, et les dépisteurs ne venaient pas à Togliatti pour épier les joueurs de l'organisation du Lada, car notre club n'évoluait pas en première division. J'étais convaincu qu'il fallait que j'aille vivre et jouer à Moscou pour me faire voir », explique l'ancienne vedette du Canadien de Montréal.

Viacheslav accompagne Alex dans cette longue expédition qui les mène jusqu'à la capitale. Le père et le fils quittent la gare de Togliatti à 18 heures pour arriver à destination le lendemain matin, à 10 heures.

Il avait été convenu avec Vladimir Polupanov qu'un représentant de l'organisation viendrait cueillir le jeune hockeyeur à la gare de Moscou, mais il n'y a personne à leur descente du train. Ils attendent patiemment. Une heure passe, puis deux et personne ne vient à leur rencontre. Heureusement que Viacheslav a fait le voyage avec Alexey…

« Nous n'avions aucune idée où aller. Nous avons essayé de téléphoner aux bureaux du Dynamo, mais il n'y avait pas de réponse. Nous avons été contraints de passer la journée entière et toute la nuit à la gare, couchés sur des bancs. Le matin venu, Alex a proposé de prendre le métro et de sortir à la station nommée Dynamo afin de voir si les bureaux du club n'étaient pas dans ce coin-là », raconte Slava dans *The Road to Success.*

« Ça faisait environ 24 heures qu'on attendait à la gare et personne n'était encore venu. Moscou est une ville immense qui compte des millions d'habitants. Mon père n'avait jamais mis les pieds à Moscou de sa vie. Il était paralysé et il n'osait pas s'aventurer en dehors de la gare de peur qu'on se perde. Il me répétait que le Dynamo finirait bien par envoyer quelqu'un nous chercher lorsqu'ils constateraient que nous ne nous étions pas encore rapportés au club. J'ai fini par le convaincre qu'on resterait peut-être encore longtemps à la gare si nous ne faisions rien », se souvient Alex.

Alex et son père trouvent effectivement le bureau principal du Dynamo pas très loin de la station de métro. Il n'y a personne sur place, à l'exception d'un gardien de sécurité qui les informe que le coach Polupanov est actuellement en vacances, en dehors de la ville. Viacheslav réussit cependant à entrer en contact avec Vladimir Yefimov, l'autre entraîneur, qui leur explique qu'il s'était lui-même rendu les accueillir à la gare… mais une journée trop tôt. Une fois le malentendu dissipé, il leur propose de se rendre aux dortoirs, situés près de la piscine. Sur place, un homme les attend et assigne une chambre à Alex. Dorénavant, c'est là qu'il vivra.

« Nous avons laissé les bagages d'Alex dans sa chambre et il est venu avec moi à la gare, car je voulais prendre le train de nuit pour rentrer à la maison. Je lui ai répété mes instructions et quand est venu le temps pour lui de partir, j'ai éclaté en sanglots. J'étais incapable de retenir mes larmes. Je regardais mon fils qui n'était qu'un adolescent de quatorze ans et je me demandais comment il allait pouvoir se débrouiller tout seul dans une immense ville comme Moscou. J'étais debout sur la plate-forme et je ne faisais que pleurer. Alex m'a consolé et il m'a rassuré en me répétant qu'il allait s'arranger et que je devais lui faire confiance. On a parlé encore un peu et il est retourné au dortoir rejoindre les autres », raconte Viacheslav.

Une heure et demie plus tard, alors que, perdu dans ses pensées, Viacheslav attend encore le départ de son train, il aperçoit soudainement son fils qui revient vers lui. Comme il ne trouvait pas le sommeil et que tout le monde dormait, Alex a pensé venir tenir compagnie à son père encore quelques minutes. Peu de temps après, on annonce le départ du train pour Togliatti. Cette fois, Viacheslav contient ses émotions quand vient le temps d'étreindre son fils avant de partir.

« Pour la première fois en quatorze ans, mon fils n'était plus à mes côtés. En entrant dans mon compartiment, je me suis affalé sur la banquette et j'ai pleuré de nouveau. Seize heures plus tard, quand je suis arrivé à Togliatti, j'ai trouvé la maison déserte, car Pavlina et notre fille Irina étaient parties à la campagne. Je ne voulais pas être seul alors j'ai téléphoné à ma sœur et elle venue faire un tour. Nous avons discuté ensemble et ça m'a fait du bien. »

Devant son épouse, Viacheslav demeure stoïque et ne laisse rien transparaître de sa grande inquiétude. Pavlina, tout comme son mari, s'en fait beaucoup pour Alex.

« Le premier mois a été assez difficile, avoue Alex, car je savais que mes parents avaient le cœur brisé et qu'ils étaient rongés par l'inquiétude. Mais leurs sentiments et leur peine demeuraient moins importants à mes yeux que le hockey. Je savais que c'était la meilleure chose à faire pour ma carrière. J'étais à Moscou pour devenir un meilleur joueur et je me concentrais là-dessus. Au lieu de penser à ce qui se passait à Togliatti, je réfléchissais à ce qui s'en venait pour moi. Une fois l'année scolaire entreprise, nous avions un horaire plutôt chargé. Lorsque je suis rentré dans ma routine, j'ai commencé à beaucoup moins penser à ma famille. »

Un mois après le départ d'Alex, ses parents décident d'aller tous deux lui rendre visite à Moscou pour constater de visu comment il se débrouille là-bas. Le déplacement est long, mais ce week-end passé avec leur fils les réconforte grandement. Durant les quatre années suivantes, Viacheslav Kovalev ne passera jamais un mois sans aller voir son fils.

Alex s'améliore sous les ordres de ses entraîneurs Yefimov et Bystrov. Mais à chacune de ses visites, Viacheslav constate que la vie hors glace des jeunes hockeyeurs de l'organisation n'a que très peu d'importance pour les dirigeants du Dynamo. Dans les dortoirs, les conditions auxquelles sont soumises les jeunes sont très difficiles. La qualité de la nourriture laisse grandement à désirer et les conditions sanitaires aussi. Il y a des coquerelles partout : sur les planchers, sur les tables et même dans les assiettes. Quand l'équipe s'entraîne à l'heure du souper, rien n'est prévu pour ceux qui reviennent après la fermeture de la cafétéria. Alex partage une chambre avec deux coéquipiers. Ensemble, ils ont acheté un petit four électrique pour se préparer des repas quand ils reviennent au dortoir en soirée.

Quand Viacheslav visite son fils, il lui apporte chaque fois de la nourriture qu'Alex s'empresse de partager avec ses cochambreurs. Mais il est impossible pour eux de stocker des aliments, car ils se font voler tout ce qu'ils entreposent ! Non par des coéquipiers affamés, mais plutôt par des rats qui vivent dans le sous-sol de la piscine... Ils sont nombreux et, la nuit venue, ils se promènent dans les chambres. Alex les entend, les voit... Le spectacle est effrayant.

« Le soir, en revenant de l'aréna, quand j'ouvrais la porte de ma chambre, il y avait souvent des rats qui pique-niquaient au milieu de la pièce. Ils s'enfuyaient tout de suite en courant. Je ramassais les miettes sur le sol puis je me glissais dans les couvertures en sachant qu'ils n'étaient pas très loin et qu'ils reviendraient peut-être bientôt. Je plaçais un oreiller par-dessus ma tête en vérifiant que j'étais bien enroulé dans ma couverture et j'essayais de m'endormir. Mais je les entendais se promener et grignoter derrière les murs. C'est le seul bruit que l'on entendait », se remémore Alex.

LE DÉBUT D'UNE GRANDE AVENTURE

Le camp d'entraînement du Dynamo s'amorce deux mois avant le début de la saison. Durant les deux premières semaines, les joueurs ne touchent pas à leur équipement de hockey. À compter de la troisième semaine, on divise l'équipe en deux. Après le déjeuner, un groupe entreprend la journée en allant à la patinoire, et l'autre s'entraîne en faisant de la course ou en levant des poids ; l'après-midi, c'est l'inverse. Le soir, tous les joueurs se retrouvent sur la glace pour un entraînement complet. C'est comme ça pour les clubs bantam, midget, junior, élite 1 et élite 2.

Sur la glace, Alex impressionne, et au bout de seulement quelques mois, il est clair dans l'esprit de tous que le jeune joueur est un surdoué. Il avait voulu aller à Moscou pour se faire voir et c'est exactement ce qui se produit. Le Dynamo prend part à de gros tournois et Alex attire les regards. Les dirigeants de la puissante équipe de l'Armée Rouge se rendent compte que le phénomène de Togliatti leur a échappé. Et quand l'Armée Rouge désire quelque chose, elle l'obtient presque à tout coup.

La première étape est de mettre de la pression sur Viacheslav. Adjoint au gérant de l'équipe du Lada de Togliatti, il reçoit presque quotidiennement la visite des entraîneurs Sadomov et Majorchick, qui viennent à tour de rôle discuter avec lui pour le convaincre de faire transférer son fils du Dynamo à la prestigieuse formation de l'Armée Rouge. À court d'arguments, ils finissent même par le blâmer pour avoir pris la décision de confier Alex au Dynamo !

« Je leur ai rappelé que l'Armée Rouge n'avait jamais invité mon fils. Il était trop tard pour changer brusquement d'avis et je ne voulais pas qu'Alex quitte son équipe. J'ai compris que ça allait me coûter mon emploi, mais je n'ai jamais hésité, car Alex était ma priorité. Il y a aussi le fait que je ne voulais pas donner raison à l'Armée Rouge. Aussitôt qu'un jeune commençait à s'illustrer, il fallait tout de suite qu'il se joigne à leur club. En cas de refus, ils attendaient pour le réclamer au repêchage à l'âge de dix-huit ans. Alors le joueur n'avait plus vraiment le choix. Soit il se joignait à l'Armée Rouge, en étant exempté du service militaire, et se retrouvait devant la perspective de jouer un jour pour l'équipe nationale, soit il refusait et allait passer quelques années de sa vie avec une mitraillette en bandoulière », résume Viascheslav dans son bouquin.

Pendant ce temps, à Moscou, Alex continue de se développer à l'école du Dynamo et il se taille un poste avec l'équipe nationale junior de l'URSS, ce qui lui permet de prendre part à des compétitions internationales en Corée, au Canada et aux États-Unis.

« C'était toute une affaire que de quitter notre pays ! Je me souviens surtout de notre premier match à Lake Placid, contre l'équipe nationale junior des États-Unis. Nous avions ensuite affronté l'équipe de l'Université de Boston. Nous n'avions rien en Russie, alors tout ce qu'on voyait et touchait était nouveau pour nous. Nous n'avions pas d'argent pour acheter des choses, donc on essayait de faire du troc. Nous avions passé une journée à New York et j'avais été très impressionné en voyant les gratteciel et les graffitis. J'avais déjà vu New York dans des films, mais j'étais sous le choc en constatant que tout ça était réel et non pas des décors de cinéma ! »

En 1989, à l'âge de seize ans, il retourne à Moscou mais cette fois la situation est fort différente puisqu'il se retrouve au sein de la formation élite du Dynamo, et non pas avec un club affilié de jeunes espoirs. Les joueurs de cette formation habitent dans une superbe maison de Novogorsk, en banlieue de Moscou. Les repas y sont succulents. Parmi les autres avantages de l'endroit, Alex découvre un aréna couvert, une piscine intérieure et un gymnase. Chaque jour, il côtoie quelques-uns des meilleurs joueurs de son pays et il s'entraîne avec eux après l'école. Il ne dispute cependant qu'un seul vrai match avec le Dynamo.

Puis arrive la saison 1990-1991, un hiver passablement occupé pour Alex puisqu'il endossera l'uniforme du Dynamo en première et en deuxième division. Avec cette dernière équipe, il enfilera d'ailleurs 16 buts en 21 rencontres. Il vivra toutefois une amère déception en étant écarté de la sélection finale lors de la composition de l'équipe nationale junior d'URSS. Lors de matchs préparatoires face à la Finlande, il accumule les buts comme à son habitude, mais le nouvel entraîneur Robert Cherenkov lui indique qu'il n'est pas retenu dans l'équipe, car seuls des joueurs de 1971 participeront au championnat du monde junior.

« Je n'ai jamais rencontré une personne aussi malhonnête que Cherenkov. Ce n'était pas un vrai coach, mais un petit salaud qui a nui à plusieurs équipes de première et de deuxième division. Bon nombre de joueurs ont lâché le hockey à cause de lui et d'autres ont décidé de se joindre à d'autres formations pour ne plus le voir. Il insultait constamment ses joueurs et il les menaçait aussi. Il avait des entrées au Comité central, il était également très lié avec le Parti communiste et il savait en tirer avantage. Cherenkov est devenu célèbre en Union Soviétique, mais pour les mauvaises raison. Il a été impliqué dans plusieurs histoires scandaleuses. Il a vendu des voitures et des appartements à des joueurs qui ne les ont malheureusement jamais vus », raconte Viacheslav, toujours amer.

Quand même, durant cette saison, Alex et ses coéquipiers du Dynamo 1 accèdent à la finale de la Coupe des champions d'Europe. La formation russe s'incline face à la Tchécoslovaquie. Le jeune joueur de dix-sept ans est élu meilleur attaquant du tournoi. À la fin de l'année, le club remporte le championnat national, mais comme Alex n'a pas disputé suffisamment de matchs avec le club de première division, il ne peut recevoir la médaille d'or tant convoitée.

REPÊCHÉ DANS LA LNH

En 1990, le Soviet suprême élit Boris Eltsine à la présidence et proclame la souveraineté de la Russie. L'URSS telle qu'on la connaissait jusqu'alors est en voie de disparaître.

Le 22 juin 1991, à quelques milliers de kilomètres de Moscou, c'est l'effervescence au repêchage amateur de la Ligue nationale qui se déroule alors à Buffalo, dans l'État de New York. L'événement n'a pas fait autant jaser depuis plusieurs années. Un jeune prodige de la Ligue junior de l'Ontario, aussi habile que costaud, excite la convoitise de toutes les équipes. Les attentes sont tellement élevées envers ce phénoménal joueur de dix-huit ans qu'on le surnomme « The Next One », en référence à Wayne Gretzky, « The Great One ». Cette jeune vedette des Generals d'Oshawa qui fait saliver tous les dépisteurs se nomme Eric Lindros.

Tous se souviennent de sa sélection par les Nordiques au tout premier rang… et aussi du fait que peu de temps après, Québec l'avait échangé à la fois aux Flyers de Philadelphie et aux Rangers de New York. Philadelphie aura finalement gain de cause dans ce litige, mais les Rangers s'en tirent quand même bien en ce jour de juin 1991. Leur tour venu, au 15ᵉ rang, ils font d'Alexey Kovalev le premier joueur russe de l'histoire à être réclamé en première ronde du repêchage de LNH.

Ni le père ni le fils n'assistent à l'événement.

« J'ai appris la grande nouvelle à la maison, en lisant le journal *Soviet Sports*. Je n'oublierai jamais ce jour-là. Savoir que mon fils avait été choisi dans la LNH m'a rempli de joie et de fierté. On reconnaissait qu'il était un bon joueur de hockey même en Amérique. Ce fut une sensation inoubliable », se rappelle Viacheslav.

« J'étais alors à Moscou et, après mon entraînement avec le Dynamo, un de mes amis m'a annoncé avec enthousiasme que j'avais été repêché en première ronde du repêchage de la LNH, raconte le principal intéressé. Je n'avais absolument aucune idée de ce que ça représentait et je me demandais s'il ne me faisait pas une blague ! Quand le Dynamo avait voulu de moi, des gens étaient venus me parler, mais cette fois je n'avais discuté avec personne de la LNH. Jouer dans ce circuit n'était pas une ambition pour moi. J'avais grandi en regardant les championnats du monde et les jeux olympiques avec mon père. Je savais vaguement ce qu'était la LNH, mais sans plus. »

Peu de temps après le repêchage, Neil Smith, le directeur général des Rangers, se pointe à Moscou avec un interprète, quelques membres de son état-major et un journaliste. On remet officiellement un chandail au nouvel espoir de l'organisation. Un dépisteur lui remet aussi un magnétoscope et des cassettes pour qu'il regarde comment jouent les Rangers et qu'il commence déjà à se familiariser avec le style de jeu pratiqué en Amérique du Nord. Habitué d'évoluer avec des formations qui semblent improviser et fonctionner à la va-comme-je-te-pousse, Kovalev prend conscience pour la première fois que la LNH, c'est peut-être quelque chose de gros…

Les Rangers ne sont toutefois pas en tête de liste des priorités d'Alex, en cet été 1991. À la fin du mois d'août, l'URSS prendra part à la Coupe Canada en compagnie des États-Unis, de la Tchécoslovaquie, de la Finlande et de la Suède. Même s'il n'a que dix-huit ans, Kovalev est persuadé qu'il peut se tailler un poste dans l'équipe nationale. Il connaît un excellent camp, mais l'entraîneur-chef Viktor Tikhonov préfère se fier à des joueurs d'expérience pour ce tournoi très important qui se déroulera en sol américain. Alex est furieux, mais son père lui rappelle que d'autres occasions se présenteront à lui et que s'il travaille avec acharnement, il sera peut-être sélectionné au sein de la formation qui participera aux Jeux olympiques de 1992, quelques mois plus tard, à Albertville, en France.

L'URSS ne remporte qu'une partie à la Coupe Canada et termine en cinquième et avant-dernière place devant la défunte Tchécoslovaquie. Adjoint de Tikhonov pour cette compétition et entraîneur-chef du Dynamo, l'équipe professionnelle d'Alex, Vladimir Yurzinov lui avait expliqué que son jeune âge était la seule raison qui avait motivé son retranchement. En guise de prix de consolation, il lui donne la permission de quitter temporairement l'équipe pour aller vivre l'expérience du camp d'entraînement des Rangers, à New York.

« Je ne parlais pas un seul mot d'anglais et je ne pesais alors que 170 livres, mais tout s'est bien déroulé quand même. J'ai disputé quelques matchs préparatoires et ils m'ont demandé de rester en Amérique, car j'avais réussi à me tailler une place dans l'équipe. Je leur ai expliqué que c'était impossible puisque j'avais donné ma parole que je retournerais à Moscou avec le Dynamo. Mais, surtout, je voulais participer au Championnat du monde junior et je rêvais d'être sélectionné sur l'équipe nationale pour les Jeux olympiques. »

Alex réalise cependant que sa vie pourrait bientôt basculer, mais il n'a pas idée à ce moment à quel point tout va bientôt se précipiter. Au-delà du hockey, c'est la vie de tous ses compatriotes qui sera bouleversée peu de temps après son retour en URSS. En décembre 1991, la face du monde est transformée lors du démantèlement de l'Union des Républiques socialistes soviétiques. Pour Alex, sa famille et ses coéquipiers, l'impact de ce changement de régime ne modifie en rien la routine quotidienne de leur vie. Au niveau du hockey, Alex voit cependant tout un changement, mais sans lien avec ce qui se trame en Russie.

« J'étais un bien meilleur joueur quand je suis revenu avec le Dynamo. Ce camp d'entraînement avec des professionnels de la LNH m'avait donné une énorme dose de confiance. Je me souviens entre autres d'un match à Moscou, alors que Neil Smith était dans les gradins, et que j'avais marqué un but de toute beauté en transportant le disque d'un bout à l'autre de la patinoire ! Ça l'avait impressionné ! »

La saison 1991-1992 sera la dernière d'Alex dans son pays et il ne l'oubliera jamais.

Malgré la dissolution de l'URSS, sur la scène du hockey la Russie conserve la plupart des éléments importants de l'ancienne équipe soviétique. Alex et ses coéquipiers remportent les Championnats du monde junior après avoir terminé au premier rang du classement du tournoi à la ronde devant la Suède et les États-Unis. Les Rangers sont sûrement très fiers de leur coup puisque leur jeune espoir termine au troisième rang des marqueurs, grâce à cinq buts et autant de passes en sept parties. Seuls les Suédois Michael Nylander et Peter Forsberg ont amassé plus de points qu'Alex. Il est aussi élu sur l'équipe d'étoiles du tournoi en compagnie du gardien américain Mike Dunham, du défenseur canadien Scott Niedermayer et du Finlandais Janne Gronvall. Outre Alex, l'Américain Peter Ferraro et le Suédois Michael Nylander sont les autres attaquants sélectionnés.

Quelques semaines plus tard, l'entraîneur Tikhonov choisit Alex pour aller aux Jeux olympiques d'Albertville.

« C'était plutôt étrange comme expérience. Nous n'avions pas de logo sur nos chandails, car nous n'étions pas encore un pays souverain et on faisait jouer l'hymne olympique pour nous présenter. Nous avions une équipe très jeune et nous n'étions pas censés de faire long feu là-bas », se souvient-il.

Aux Jeux d'Albertville, Kovalev et ses coéquipiers sont inscrits comme représentants des États Unifiés puis, quelques mois plus tard, en avril 1992, ils joueront pour la Communauté des États indépendants (CEI). Dans le cadre du tournoi olympique, Tikhonov n'emmène que quelques vétérans avec lui, comme Vyacheslav Bykov, Yuri Khmylev et Andrei Khomutov. Il mise sur plusieurs jeunes joueurs tout aussi talentueux que prometteurs comme Sergei Zubov, Alexei Zhitnik, Alexei Zhamnov, Igor Kravchuk, Andrei Kovalenko, Vladimir Malakhov, Dmitri Mironov, Darius Kasparaitis, Evgeny Davidov, Nikolai Borschevsky, Andrei Trefilov, Dmitri Yushkevich, Vyacheslav Busayev et Nikolai Khabibulin qui, lui, n'avait toutefois pas joué, car il agissait comme troisième gardien.

« Dès que j'ai su qu'Alex faisait partie de l'équipe unifiée, j'ai demandé la permission de prendre mes vacances pendant la période des Jeux olympiques. J'ai passé toutes mes journées devant le téléviseur ! Nos commentateurs n'arrêtaient pas de répéter que nous n'avions aucune chance d'aller loin avec autant de jeunots dans notre formation », rappelle Viacheslav.

Utilisé au sein du quatrième trio, Kovalev termine le tournoi olympique avec un but et deux mentions d'aide en huit parties, mais il y a mieux encore. Le 22 février 1992, lors de la finale, les États Unifiés disposent du Canada 3 à 1 pour enlever la médaille d'or. Alexey Kovalev et son coéquipier Viacheslav Butsayev deviennent du coup les deux premiers athlètes de Togliatti à monter sur la plus haute marche du podium au hockey. La ville est en liesse et on immortalise cet exploit unique en affichant une immense photographie des deux jeunes hommes au Palais des Sports.

La saison suivante, à l'âge de dix-neuf ans, Alex fait ses débuts dans l'uniforme des Rangers et, dès le printemps 1994, il soulève la coupe Stanley au bout de ses bras. Cette fois, il aura été un élément capital grâce à une contribution de 9 buts et 12 passes en 23 parties des séries.

LES CONSEILS D'ALEX

« À mes yeux, il est essentiel que les enfants fassent du sport. Les parents doivent leur proposer des activités, mais il faut les laisser choisir ce qui les intéresse. Ce ne sera peut-être pas le sport favori de papa ou de maman, mais il faut respecter leur décision, les supporter et les encourager en faisant en sorte qu'ils soient en mesure de s'épanouir le plus possible.

« Je crois aussi que c'est très important de donner aux jeunes la chance de devenir autonome et mature par le sport. Il faut laisser l'adolescent prendre ses responsabilités. Moins vous lui dites "fais-ci, fais-ça, prends garde à ça", et plus le jeune athlète devient adulte rapidement. Au lieu de chercher à savoir ce que veulent ses parents pour lui, il va plutôt concentrer ses énergies à trouver ce qu'il doit faire personnellement pour devenir un meilleur athlète. Comme parents, je sais que l'on aimerait que nos enfants agissent comme nous aurions nous-mêmes agi, mais il faut réaliser que ce sont des êtres différents de nous. La vie que j'ai connue ne ressemble en rien à celle que mes enfants vivent aujourd'hui. Ça n'empêche pas qu'il faut les guider et leur donner notre support. »

ALEX KOVALEV
Né le 24 février 1973 à Togliatti, Russie
Ailier droit
6 pi 1 po
224 livres
Repêché par New York en 1991
1re ronde, 15e choix au total

		Saison régulière				Séries			
ÉQUIPE	**SAISON**	**PARTIES**	**BUTS**	**PASSES**	**POINTS**	**PARTIES**	**BUTS**	**PASSES**	**POINTS**
Dynamo	89-90	1	0	0	0				
Dynamo	90-91	18	1	2	4				
Dynamo 2	90-91	21	16						
Dynamo	91-92	33	16	9	25				
Dynamo 2	91-92	4	5	0	5				
JO Albert.	1992	8	1	2	3				
NY Rangers	92-93	65	20	18	38				
Binghamton	92-93	13	13	11	24	9	3	5	8
NY Rangers	93-94	76	23	33	56	23	9	12	21
Lada Togliatti	94-95	12	8	8	16				
NY Rangers	94-95	48	13	15	28	10	4	7	11
NY Rangers	95-96	81	24	34	58	11	3	4	7
NY Rangers	96-97	45	13	22	35				
NY Rangers	97-98	73	23	30	53				
NY Rangers	98-99	14	3	4	7				
Pittsburgh	98-99	63	20	26	46	10	5	7	12
Pittsburgh	99-00	82	26	40	66	11	1	5	6
Pittsburgh	00-01	79	44	51	95	18	5	5	10
Pittsburgh	01-02	67	32	44	76				
JO Nagano	2002	6	3	1	4				
Pittsburgh	02-03	54	27	37	64				
NY Rangers	02-03	24	10	3	13				
NY Rangers	03-04	66	13	29	42				
Montréal	03-04	12	1	2	3	11	6	4	10
AK Bars	04-05	35	10	12	22	4	0	0	0
Montréal	05-06	69	23	42	65	6	4	3	7
JO Salt Lake	06	8	4	2	6				
Montréal	06-07	73	18	29	47				
Montréal	07-08	82	35	49	84	12	5	6	11
Montréal	08-09	78	26	39	65	4	2	1	3
Ottawa	09-10	77	18	31	49				
Total LNH		1228	412	578	990	116	44	54	98

Trophées LNH
Coupe Stanley : 1994

Des villes importantes dans le parcours d'Alex Kovalev

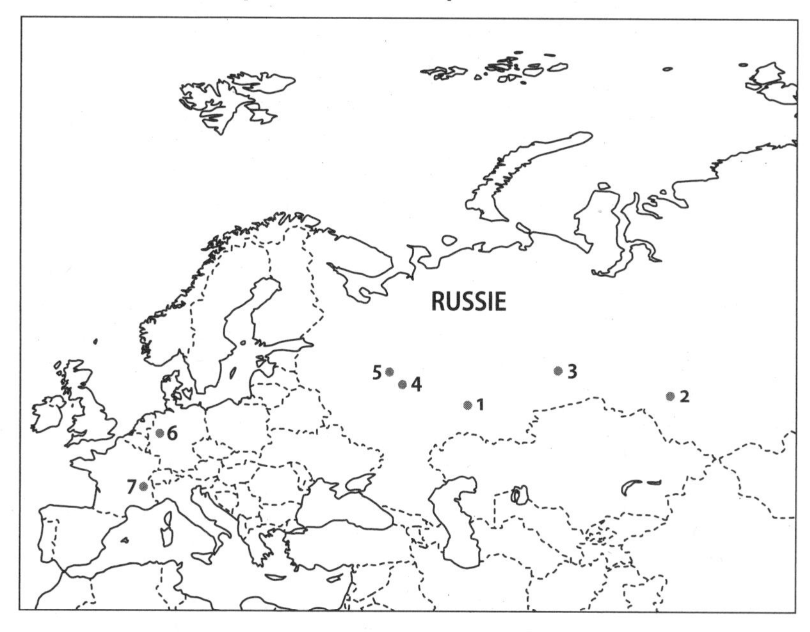

1. **Togliatti** : lieu de sa naissance en 1973 et de ses premiers coups de patin. Il y habite jusqu'à son départ pour Moscou en 1987.
2. **Novossibirsk** : sous les couleurs du Lada de Togliatti, il enlève les honneurs du tournoi de la ville en décembre 1982.
3. **Irbit** : toujours avec le Lada de Togliatti, il remporte la coupe Valery Kharlamov en mars 1983.
4. **Voskressensk** : rencontre avec Polupalov, le coach de l'École du Dynamo de Moscou au printemps 1987.
5. **Moscou** : il joint les rangs du Dynamo en 1987.
6. **Düsseldorf** (Allemagne) : participe à la Coupe d'Europe de hockey 1991. Même si le Dynamo 1 s'incline en finale contre la Tchécoslovaquie, Alex est sacré meilleur attaquant du tournoi.
7. **Albertville** (France) : membre de l'équipe olympique de hockey de la Communauté des États indépendants (CEI). Médaillé d'or (1992).

KIM SAINT-PIERRE

Reconnue comme étant l'une des meilleures gardiennes de but de l'histoire du hockey féminin, Kim Saint-Pierre a baigné dans le sport dès sa naissance et, au fil des ans, ses parents l'ont initiée à plusieurs disciplines. À la fin de son adolescence, elle a choisi de se consacrer au hockey, mais si elle avait voulu elle aurait pu nourrir de grandes ambitions dans plusieurs autres sports puisqu'elle était une excellente nageuse, une joueuse de soccer élite, sans compter qu'elle aurait peut-être pu faire carrière au tennis et assurément à la fastball.

À la maison, le sport, c'était beaucoup plus qu'un passe-temps, c'était un véritable mode de vie. Ancienne gymnaste, la maman de Kim, Louise Vallières, gagnait sa vie grâce au sport en tant que professeure d'éducation physique et son époux André Saint-Pierre était aussi un athlète très doué. Les Rangers de New York avaient d'ailleurs fait de ce grand défenseur leur quatrième choix en 1970. Yan, Karl et leur sœur Kim avaient donc de qui tenir.

Malgré son talent indéniable, Kim a toutefois dû faire preuve d'énormément de persévérance et lorsqu'elle est venue près d'abandonner, c'est le destin qui lui a fait signe.

* * *

Kim Saint-Pierre naît à Châteauguay, le 14 décembre 1978. C'est une première fille pour Louise et André qui avaient déjà eu un garçon, Yan, dix-neuf mois plus tôt. Quatre ans plus tard, en juillet 1981, Karl viendra compléter cette famille de sportifs.

En décembre 1983, alors que l'hiver s'installe et que la petite Kim se prépare à célébrer son cinquième anniversaire de naissance, André installe une patinoire dans la cour arrière. La famille vient de déménager à Saint-Jean-sur-Richelieu et c'est la première fois que le paternel se lance dans un tel projet. L'endroit devient immédiatement le lieu de rassemblement par excellence pour tous les jeunes du quartier. Dès que l'école se termine, la cour arrière des Saint-Pierre accueille des dizaines de petits joueurs de hockey et ça ne dérougit pas durant les week-ends, au contraire.

Comme bien des jeunes filles de sa génération, Kim s'initie aux joies du sport par le patinage artistique. Le club local jouit d'une très bonne réputation et la petite adore se rendre dans le grand Colisée Isabelle-Brasseur pour patiner avec ses amies. Mais après trois ans, elle n'apprécie plus tellement de devoir se réveiller bien avant le lever du soleil chaque samedi matin.

« Kim aimait bien le patinage artistique, mais si je compare avec les autres sports qu'elle a pratiqués par la suite, je dois avouer que ce n'est pas une activité qui l'a réellement allumée », résume sa mère Louise.

Quand même, les hivers de son enfance sont consacrés au patinage artistique et au hockey avec ses frères, à la maison. L'été, Kim n'est pas moins active. En 1984, à l'âge de six ans, elle découvre le soccer et la natation. À dix ans, elle s'inscrit elle-même à un tournoi de tennis au parc municipal de Saint-Jean-sur-Richelieu.

« Kim se rendait parfois au parc près de chez nous. Elle partait toute seule avec sa raquette pour y rejoindre ses amies. Une bonne journée, elle me dit qu'il va y avoir un tournoi et qu'elle aimerait bien y participer. Elle ne savait même pas comment compter les points mais on l'a quand même inscrite. Ça se déroulait pendant la journée et nous ne sommes même pas allés la voir jouer. À la fin de l'après-midi, Kim avait battu tout le monde et elle est rentrée à la maison avec un trophée ! Quand on a vu ça, on a décidé de l'abonner au tennis intérieur et elle a commencé à jouer douze mois par année », raconte Louise en rigolant.

« Jusqu'à l'âge de dix ans, poursuit André, on laissait aller les enfants dans tous les sports qui les intéressaient. Comme Louise était prof d'éducation physique, on avait une grande ouverture de ce côté-là. Les enfants ne disaient jamais non et ce ne sont pas les activités qui manquaient chez nous. Le hockey est arrivé en 1985, un peu avant que Kim fête ses huit ans. Elle jouait dehors avec ses frères et elle voulait imiter Yan qui jouait à l'attaque. Comme elle patinait déjà assez bien, on l'a inscrite au camp de la ligue atome AA où elle n'a pas fait long feu. Elle a été rétrogradée au BB puis au CC pour finalement aboutir atome B. »

En septembre 1985, Kim troque donc sa jupette et ses collants de patinage artistique pour un équipement de hockey. Seule fille de son équipe, elle se réserve une petite coquetterie, car il est hors de question qu'elle accepte de chausser des patins bruns ou noirs comme les garçons ! La petite sait ce qu'elle veut et elle tient obstinément à garder ses patins blancs de fille. André se charge donc de faire disparaître la partie munie de dents située à la pointe de ses lames.

« Je ne voulais pas jouer avec des patins de gars parce que dans les estrades, les gens n'auraient pas vu la différence. Je voulais que le monde sache que j'étais une fille et pas un gars avec des cheveux longs ! Plus tard, quand j'ai enfin porté de vrais patins de hockey, j'avais des housses blanches que j'utilisais quand on allait patiner avec l'école, car j'étais gênée auprès des autres filles », raconte Kim.

UNE FILLE DEVANT LE FILET

La vocation de gardien de but de Kim débute dès la saison suivante alors qu'elle se retrouve avec une formation plus compétitive au niveau atome CC. Quelques matchs sont écoulés au calendrier et Kim se prépare comme d'habitude quand l'entraîneur surgit soudainement dans le vestiaire en annonçant au groupe qu'il a besoin d'un nouveau volontaire pour aller devant le filet. Sans se poser de questions, Kim lève promptement sa main sans dire un mot. Louise lui lance un regard interrogateur, car elle n'approuve pas tellement cette décision spontanée. Seule fille de l'équipe, Kim se débrouillait relativement bien à l'attaque grâce à son très bon coup de patin. Sa mère craint que l'aventure tourne à la catastrophe. Elle se penche vers sa fille pour l'aider à enfiler l'équipement puis elle lui murmure doucement :

— C'est OK, Kim... mais c'est seulement pour l'exercice d'aujourd'hui.

Impatiente de sauter sur la patinoire, la petite Kim a l'impression que la séance d'habillage dure une heure. Solidaires, toutes les mères présentes dans le vestiaire donnent un coup de main à la pauvre Louise qui n'a aucune idée sur la façon de revêtir pareil équipement. Lorsque Kim est enfin prête et qu'elle se lève fièrement, les mamans constatent qu'elles ont inversé les jambières ! Quand Kim est finalement mûre pour sauter sur la patinoire afin de rejoindre le groupe, Louise se dit que l'exercice a été tellement fastidieux que ce sera certainement la dernière fois que la petite se proposera pour remplir cette fonction.

« On a presque été obligé de me transporter jusqu'à la patinoire tellement j'avais du mal à marcher avec tout l'équipement ! Une fois sur la glace, j'ai tout simplement capoté ! Quand je suis revenue au vestiaire, je savourais ce qui venait de se passer et je ne voulais plus qu'une chose : avoir la chance de disputer un match en tant que gardien », n'a pas oublié notre héroïne.

Déjà consciente des pouvoirs du charme d'une petite fille de presque dix ans, Kim regarde sa mère avec un sourire innocent puis elle tourne ses petits yeux aussi pétillants que mielleux vers l'entraîneur.

— J'étais quand même pas pire, hein ? Est-ce que je pourrais "goaler" une vraie *game*, s'il te plaît ?

— OK, ma belle Kim ! Mais juste une *game*... Et ça, c'est seulement si ta mère est d'accord.

Comment refuser pareille demande ! Marché conclus : Kim sera au poste pour l'affrontement suivant.

Cette fois, après la partie, la gardienne en herbe n'affiche pas du tout la même mine. L'aventure vire au cauchemar. Lors de cette première expérience devant le filet, son équipe encaisse une raclée de 8-0. Une fois dans le vestiaire, Kim éclate en sanglots et elle en veut même à ses parents de l'avoir autorisée à garder les buts... surtout que c'est son père, l'entraîneur de l'équipe !

« Je ne suis même pas allée coucher à la maison tellement j'étais fâchée contre eux. Je leur avais dit qu'ils devaient bien savoir que ça allait arriver. Ma tante Sylvie, qui venait souvent me voir jouer, m'avait emmenée chez elle pour me changer les idées! », raconte Kim en riant de bon cœur de sa mauvaise foi de l'époque.

Mais la jeune fille possède tout un caractère et il est hors de question que sa seule tentative de garder les buts s'avère un fiasco. Elle réussit à persuader tout le monde d'obtenir une seconde chance et, après quelques séances d'entraînement, elle se sent déjà beaucoup plus à l'aise avec tout son attirail. Ce sera le début d'une longue carrière qui mènera Kim jusqu'aux Jeux olympiques.

« Déjà que Kim était la seule fille de tout le hockey mineur de Saint-Jean-sur-Richelieu, voilà qu'elle était devenue gardien de but, en plus ! Je trouvais ça dur pour elle, car quand une équipe perd, c'est souvent le gardien qui est pointé du doigt. Là, en plus, c'est une fille qui sera la responsable quand ça va mal aller... On se posait des questions, mais elle aimait tellement ça qu'on a décidé de la laisser aller », raconte Louise.

« On n'avait qu'un seul gardien cette année-là et Kim a donc disputé tous les matchs. Elle s'est améliorée rapidement et elle a connu une saison très acceptable », ajoute André.

Même si les choses se déroulent relativement bien pendant cette première année, Kim a néanmoins quelques petits obstacles à surmonter. Par exemple, lors d'un tournoi, un certain samedi après-midi, alors qu'elle ne veut pas garder les buts.

« J'étais malade et je ne me sentais pas bien. J'étais terriblement stressée. Je pleurais pour ne pas jouer mais j'étais le seul gardien de notre équipe. Ma mère est venue me voir dans le vestiaire pour m'expliquer gentiment que je devais au moins essayer, parce que toute l'équipe dépendait de moi. Finalement, on a gagné le match 1-0 », se souvient Kim avec un brin de fierté.

Au cours de cette même période, à chaque printemps, quand le hockey se termine, Kim remise ses patins et sort ses crampons... et elle en possède deux paires. Une pour le soccer et une autre pour la fastball. La gamine excelle dans ces deux disciplines, et particulièrement à la fastball. C'est peut-être une des raisons qui expliquent son intérêt pour la position de gardien au hockey, car l'été elle se distingue au poste de receveur.

« J'ai l'impression que le fait de pratiquer plusieurs sports m'a énormément aidée pour le hockey. En jouant au soccer, j'ai développé de bonnes jambes et des pieds rapides. En tant que receveur, j'étais habituée de bloquer des balles, et le tennis a amélioré ma coordination», analyse Kim.

En plus, chaque soir où le Canadien joue au petit écran, elle enfile tout son équipement (à l'exception des patins) et elle imite son idole Patrick Roy devant la télé en glissant sur le plancher du salon. Toute jeune, elle s'entraîne sans le savoir à développer un style papillon très semblable et surtout presque aussi efficace que celui du célèbre numéro 33 du Tricolore.

«Le samedi soir, quand c'était possible, elle ne manquait jamais un match du Canadien. Elle n'en avait que pour Patrick Roy, et elle essayait toujours de reproduire chacun de ses gestes. Elle l'analysait sous tous les angles et elle tentait d'intégrer sa technique et sa position dans sa propre façon de jouer. Honnêtement, Kim avait une facilité déconcertante à copier Patrick Roy et elle mettait ça en application aisément. Déjà, à cet âge, elle possédait une technique très fluide et ses gestes coulaient naturellement. Elle était gracieuse devant le filet», ajoute André, qui s'y connaît en la matière.

LA FAMILLE RETOURNE À CHÂTEAUGUAY

Après une saison emballante avec son équipe atome CC de Saint-Jean-sur-Richelieu, Kim doit recommencer à zéro et se bâtir une nouvelle «réputation», car ses parents mettent le cap sur Châteauguay où, bien entendu, personne ne connaît la jeune gardienne.

Quelques jours avant le début des camps de sélection, André se rend au bureau du hockey mineur, car l'association locale fournit gratuitement l'équipement de gardien aux joueurs. Là-bas, il rencontre Claude Charron, le bénévole responsable des prêts d'équipement. C'est la première fois qu'un père se présente sur place avec sa fille. Charron regarde André d'un œil plutôt intrigué.

— L'équipement, c'est pour elle?

— Oui, oui! Ma fille aime ça "goaler"!

— Ben oui... mais est-ce qu'elle veut juste "goaler" une *game* comme ça, pour le *fun*, ou si elle veut s'essayer pour vrai avec une équipe?

— Inquiète-toi pas, Claude. Ça fait déjà un an ou deux qu'elle "goale" et elle se débrouille pas mal. Même que je pense qu'elle va faire un club "deux lettres" cette année.

Et c'est toute souriante que Kim repart à la maison avec de magnifiques jambières blanches. À ce moment, Kim a onze ans et l'athlète qui sommeille en elle commence sérieusement à s'éveiller.

« Tout a explosé à partir de cette année-là. Elle excellait déjà au tennis – elle était classée troisième ou quatrième de la province à cette époque –, puis elle s'est améliorée très rapidement au hockey, au soccer et à la fastball. Nous étions des parents très présents mais comme Yan et Karl faisaient aussi beaucoup de sport et qu'ils étaient aussi dans l'élite, Louise et moi on se partageait le travail et on se promenait sans arrêt entre l'aréna, le terrain de baseball ou de soccer, la piscine et le parc de tennis. Ça commençait à devenir très compliqué avec Kim qui pratiquait alors quatre sports en même temps, tous au niveau élite. Parallèlement à ça, nous avions aussi nos activités qui demandaient de l'entraînement, car on faisait des triathlons et des marathons, sans parler des nombreuses courses de dix ou vingt kilomètres qui se déroulaient pas trop loin de la maison. Quand on s'entraînait, les enfants nous suivaient parfois à vélo, et quand certaines compétitions offraient de petits parcours pour les plus jeunes, alors ils venaient courir avec nous. À la maison, le sport était vraiment un mode de vie et ça impliquait aussi une bonne alimentation et des habitudes saines », explique André.

« Avoir toujours eu mes parents près de moi dans mes activités a sans aucun doute été un facteur très important dans ma vie et dans mon développement. Je me sentais supportée et, en plus, je pouvais les prendre comme modèles, car ils se surpassaient également de leur côté », continue Kim.

Mais revenons au hockey et au passage chez les pee-wee. Nouvellement arrivée à Châteauguay, Kim tente donc sa chance au camp du AA. André n'avait pas menti à Claude Charron, car sa fille décroche l'un des deux postes de gardien disponibles avec l'équipe régionale, les Élites de Salaberry. Jouer à un tel niveau de compétition dès la première année s'avère déjà tout un exploit...

Imaginez quand on est une fille! Unique fille au sein de sa ligue, à ce moment-là, Kim croit bien qu'elle est la seule à pratiquer ce merveilleux sport. Elle ne se doute pas que certaines de ses jeunes congénères jouent ensemble dans des circuits féminins!

Après deux années au sein du pee-wee AA, où elle se distingue, la gardienne des Élites fait le saut dans les rangs bantam. La marche est haute: les joueurs sont beaucoup plus costauds, certains d'entre eux font six pieds alors que d'autres commencent à avoir du poil au menton. Déjà flattée d'avoir été invitée au camp de sélection du AA, Kim n'entretient aucun espoir quant à ses chances de se tailler un poste avec cette formation. Même si les lancers sont décochés plus rapidement et avec plus de force, la jeune fille se dresse devant eux sans broncher. Elle impressionne, mais pas suffisamment, puisqu'à la fin du camp elle est écartée de la sélection du AA pour être rétrogradée au niveau CC.

Si, lorsqu'ils sont ainsi retranchés, la plupart des garçons vivent un véritable drame et n'oublient jamais ce jour si injuste où la vie a été tellement cruelle à leur égard, Kim, elle, n'a même pas versé une petite larme. Dans son esprit, elle vivait une situation aussi normale que prévisible. Les gars étaient impressionnants et malgré son brio, elle estimait qu'elle n'avait pas d'affaire là. Pas question de crier au sexisme ou de se lamenter dans la voiture sur le chemin du retour.

Mais on assiste un mois plus tard à un coup de théâtre quand un des gardiens, insatisfait de son utilisation, abandonne le bantam AA. Sylvain Turcotte, l'entraîneur-chef de la formation, téléphone chez les Saint-Pierre pour offrir à Kim une promotion inespérée. La jeune fille accepte d'emblée mais son père s'inquiète.

« Je me demandais si elle allait pouvoir tenir le coup. Comparée aux garçons, à cette époque, Kim était plutôt frêle et petite. Je me demandais aussi si elle allait avoir la chance de jouer un peu, car Benoît Thibert, le gardien numéro 1 de l'équipe, était déjà identifié comme un bel espoir pour la LHJMQ. »

Le coach Turcotte ne promet rien. Sa philosophie a le mérite d'être claire: rendu à ce stade, le système d'alternance entre les gardiens n'existe plus. C'est d'ailleurs ce qui avait poussé l'autre jeune cerbère à abandonner le navire alors que la saison battait son plein.

« J'ai dit oui, mais j'étais intimidée en arrivant dans l'équipe. J'étais juste contente d'être là avec des gars comme Daniel Archambault, un défenseur qui a été repêché en cinquième ronde par le Canadien en 1996. »

« On avait convenu que Kim irait avec le bantam AA, car même en ne jouant pas beaucoup, on estimait que ce serait bon pour elle. Elle s'assurait d'un poste pour l'année suivante et elle pourrait progresser énormément avec des entraîneurs aussi compétents que ceux qui étaient en place. Au même moment, il nous manquait un gardien dans ma ligue de garage et je savais que Kim pouvait très bien se débrouiller. Je me suis donc dit qu'elle s'entraînerait avec le bantam AA et qu'elle obtiendrait au moins un départ chaque vendredi soir en jouant avec moi et mes chums », explique le chef du clan Saint-Pierre, qui précise qu'il jouait du hockey très compétitif avec ses amis.

La stratégie fonctionne à merveille : Kim travaille fort durant les entraînements et l'entraîneur la récompense en lui donnant le filet pour environ le quart des parties.

« Nous avons été surpris de voir à quel point tout a bien marché lors de cette première année bantam. C'est là que Kim aurait flanché si elle n'avait pas été talentueuse ou si elle n'avait pas eu une certaine force de caractère. Sans l'une ou l'autre de ces qualités, on l'aurait probablement ramassée à la petite cuillère. Sylvain Turcotte, un entraîneur reconnu pour être autoritaire, avait fait un sacré pari en allant chercher une petite fille pour l'amener avec son club au bantam AA. C'est là que le tournant s'est amorcé pour Kim », confie André.

UNE ADAPTATION DIFFÉRENTE

Lors de cette première année bantam, alors qu'elle garde les buts de son club pendant un tournoi, la pauvre Kim se retrouve avec un problème qu'aucun de ses coéquipiers ne peut comprendre.

En plein milieu de la rencontre, pour la première fois de sa vie, la jeune adolescente fait face à une nouvelle réalité : les menstruations. Comment gérer cette délicate affaire ? À qui expliquer ce qui lui arrive ? La gardienne des Élites de Salaberry ne dit rien à personne et elle termine la partie devant le filet des siens.

Dans un monde aussi macho que celui du hockey, Kim attire bien sûr l'attention partout où elle passe. Des articles lui sont notamment consacrés dans *La Presse* et dans *Le Journal de Montréal*. Avant un match contre Verdun-Lasalle, l'entraîneur de l'équipe adverse se sert d'un texte élogieux à l'endroit de la jeune gardienne pour motiver sa troupe en plaçant des photocopies du reportage sur le sol et en invitant ses joueurs à marcher dessus en quittant le vestiaire pour se rendre à la patinoire !

« À partir du niveau bantam, j'ai entendu toutes les insultes imaginables de la part de mes adversaires. La plupart du temps, ça venait de leurs coachs, mais je n'ai jamais pris ça comme des attaques personnelles. Je voyais ça comme des niaiseries destinées à me déconcentrer. J'avais dix-neuf gars dans mon équipe et ils me considéraient comme leur petite sœur. Alors quand on entendait un rival me narguer, les gars s'occupaient de lui ! Et quand un adversaire venait me foncer dessus, il se retrouvait tout de suite encerclé par cinq joueurs. Si un gars de l'autre équipe avait le malheur de me donner un coup de bâton, c'est simple, la bagarre éclatait sur-le-champ, relate Kim en rigolant. C'était un peu mieux dans les tournois. Je sentais que les organisateurs et le public étaient heureux d'accueillir un club qui alignait une fille dans ses rangs. Il y avait une sorte de respect pour ce que j'étais en train d'accomplir, alors que c'était plutôt le contraire dans ma ligue régulière. »

Pour aider sa cause et décontenancer ses rivaux, Kim développe aussi un système d'autodéfense qui s'avérera très efficace. Quand un adversaire la nargue, elle lui répond par son plus beau sourire !

À l'interne, tout se déroule à merveille avec ses coéquipiers des Élites. « La fille » livre la marchandise, de sorte qu'elle fait partie du groupe au même titre que tous les garçons. En ce qui concerne la logistique du vestiaire, la règle est simple : Kim arrive la dernière et elle repart la première, sans prendre le temps de passer sous la douche.

« Les gars gardaient leurs boxers pour se rendre aux douches et ils revenaient avec une serviette autour de la taille. Il n'y a jamais eu un seul coéquipier qui m'a manqué de respect. Il aurait sans doute fallu un seul geste déplacé pour que je ne veuille plus jouer avec eux mais ce n'est jamais arrivé. De mon côté, j'étais tellement heureuse qu'ils m'acceptent que je me dépêchais pour faire mes petites affaires le plus rapidement possible pour ne pas déranger. »

Après avoir vécu une expérience positive et enrichissante lors de cette première année bantam, Kim revient évidemment au niveau AA avec les Élites lors de la saison suivante, celle de l'hiver 1992-1993. Benoît Thibert, l'autre gardien, a gradué dans les rangs midget et, cette fois, c'est elle qui a l'opportunité de se faire valoir comme numéro 1. L'entraîneur-chef Sylvain Turcotte est parti lui aussi et c'est Michel Chevrier qui se retrouve dorénavant à la barre de cette formation d'élite qui regroupe principalement les meilleurs éléments de la région Valleyfield-Châteauguay.

Kim amorce la saison avec énormément de confiance. Il faut dire qu'au cours de l'été, même si elle était toujours d'âge bantam, elle avait été invitée au camp de sélection des Lions du lac Saint-Louis, l'équipe midget AAA de sa région. Lors de sa première présence devant le filet, un puissant tir l'atteint au visage et, sous l'impact, sa bavette protectrice explose littéralement. Cette mésaventure lui permet de constater qu'il y a une énorme différence de calibre entre elle et les vrais joueurs d'âge midget, comme Peter Worrell (l'ancien dur à cuire de la LNH) qu'elle côtoiera pendant ce camp. L'expérience avec les Lions ne dure que le temps des roses, mais c'est néanmoins suffisant pour renforcer son rêve d'un jour jouer pour le Canadien de Montréal avec son idole Patrick Roy.

« Je rêvais à la LNH à cet âge-là et je me disais que le midget AAA serait une étape cruciale. Je savais que je n'avais aucune chance de rester avec l'équipe. J'étais invitée parce que c'était une sorte de levée de fonds, mais ça ne me dérangeait pas du tout. Je me disais que je devais y aller pour me faire voir en vue de l'année suivante. Ma chambre était tapissée de posters du Canadien et j'avais les mêmes ambitions que les petits gars ! Je ne savais même pas que le hockey féminin existait. Faut dire que c'était nouveau, car les premiers championnats du monde ont eu lieu en 1990 et personne n'en parlait dans les médias. »

André et Louise laissent leur fille vivre ses chimères. Pour eux, il demeure primordial que leur jeune adolescente ait des ambitions, quitte à ce qu'elle déchante amèrement un de ces jours. Évidemment, ils savent qu'elle ne jouera jamais dans la LNH, mais ils lui donnent la chance d'exploiter son talent au maximum de ses capacités.

À la même époque, une femme gardien de but fait énormément parler d'elle. Le 26 novembre 1991, la Québécoise Manon Rhéaume dispute un match devant le filet des Draveurs de Trois-Rivières de la LHJMQ. Du coup, elle défraie les manchettes à travers tous les tabloïds sportifs de l'Amérique et inspire Phil Esposito, le directeur général du Lightning de Tampa Bay, qui tente un coup de marketing en invitant la jeune femme au camp d'entraînement de son équipe, l'automne suivant. C'est ainsi que le 22 septembre 1992, Manon Rhéaume se retrouve devant le filet du Lightning lors d'un match préparatoire face aux Blues de Saint Louis. Première femme à prendre part à un match dans l'un des quatre circuits professionnels majeurs de l'Amérique du Nord, Manon devient une vedette instantanée. Rhéaume accorde deux buts sur neuf lancers et elle passera ensuite la saison avec les Knights d'Atlanta dans la Ligue internationale. Quelques années plus tard, elle signera un livre que Louise s'empressera d'acheter à Kim. Mais la petite Saint-Pierre ne s'intéresse guère aux exploits de sa célèbre compatriote. Il n'y a que le Canadien qui compte à ses yeux, à cette époque de sa vie.

Alors que Manon Rhéaume fait couler beaucoup d'encre au camp d'entraînement du Lightning, Kim se rend compte qu'il y a plusieurs autres filles très talentueuses qui jouent aussi au hockey lorsque, au début de l'hiver 1992, elle reçoit une invitation pour le camp de sélection de l'équipe du Québec.

« Quand je suis arrivée là, j'ai été vraiment surprise de voir qu'il y avait autant de filles qui pouvaient bien se débrouiller au hockey ! Au fil des ans, j'en avais déjà croisé une ou deux dans des tournois, mais sans plus. Cette fois, les meilleures joueuses de la province étaient présentes et je ne connaissais personne, même pas de réputation. C'était un camp qui se déroulait pendant quatre jours au collège Brébeuf, à Montréal, et c'était du hockey de bon calibre. Je n'avais d'ailleurs pas eu un camp fantastique ! Je jouais à un niveau de compétition relevé avec les gars mais j'avais eu de la difficulté à m'ajuster au jeu des filles, qui est assez différent. Les gars décochent des tirs frappés puissants et des tirs des poignets vifs et précis dans le haut du filet alors que les filles préfèrent dribbler, et je me retrouvais souvent trop vite à genoux. Comme j'étais la plus jeune du groupe, je n'ai donc pas été du tout surprise, quelques semaines plus tard, quand j'ai reçu une lettre m'indiquant qu'on ne m'avait pas retenue pour représenter ma province au championnat canadien. Je ne m'en suis pas fait avec ça, parce que ça n'avait jamais fait partie de mes objectifs. Moi, je voulais jouer dans la LNH ! »

Cette année-là, les deux gardiennes de l'équipe du Québec furent Denise Caron et Marie-Claude Roy, deux joueuses d'expérience beaucoup plus âgées que la petite joueuse bantam.

UNE MAUVAISE DÉCISION ?

Mené par Patrick Roy, l'idole de Kim, le Canadien remporte la coupe Stanley au printemps 1993, ce qui ne fait qu'attiser les ambitions de l'adolescente qui caresse encore le rêve d'un jour évoluer dans la LNH.

À la conclusion de son stage bantam, Kim ne vise donc rien de moins qu'un poste avec l'équipe midget AAA de sa région, mais la compétition est relevée, avec plus d'une quinzaine de gardiens au camp de sélection des Lions du lac Saint-Louis. Elle passera finalement la campagne de 1993-1994 avec les Élites de Sallaberry au niveau midget AA, qui présente néanmoins un excellent calibre de jeu.

L'année suivante, Kim se retrouve très près de son but. Les jours passent et les gardiens se font chacun leur tour indiquer la porte de sortie tandis qu'elle évite le couperet à chaque nouvelle étape pour finalement se retrouver dans le carré d'as. L'entraîneur-chef devra faire son choix parmi quatre gardiens seulement et Kim tient son bout. Mais alors même qu'elle se rapproche de son objectif, la gardienne de quatorze ans se voit contrainte de prendre une décision déchirante. Membre de l'équipe féminine du Québec en fastball, elle doit décider si elle demeure au camp des Lions ou si elle prend le risque de s'éclipser pour quelques jours afin de représenter sa province au championnat canadien féminin qui se tiendra à Surrey, en Colombie-Britannique. Le choix s'avère difficile. Kim est convaincue qu'elle a autant de chances que les trois autres gardiens toujours en lice avec les Lions, mais elle ne veut pas laisser tomber ses coéquipières, d'autant plus qu'elle est l'une des meilleures joueuses de l'équipe.

Après avoir pesé le pour et le contre et jonglé avec tous les scénarios possibles, elle prend finalement la décision de s'envoler à l'autre bout du pays avec ses camarades. Ce choix s'avérera très coûteux…

En plus d'avoir dû s'absenter pendant une semaine, à son retour elle devra aussi déclarer forfait pour une douzaine de journées supplémentaires après avoir contracté un virus lors de la dernière journée de compétition, à Surrey.

« Vers la fin du mois d'août, je leur ai signalé que j'étais prête à revenir mais ils m'ont dit d'oublier ça et qu'ils n'avaient plus besoin de moi. Je suis retournée jouer avec mon équipe midget AA et j'ai connu une excellente saison. Les Lions ont eu des difficultés toute l'année et j'ai trouvé ça dur parce qu'ils ont essayé à peu près tous les gardiens de la région sans jamais me faire signe. Ils ne m'ont jamais donné la chance de jouer un seul petit match avec eux. Je me demandais ce qui se serait produit si je n'étais pas allée au championnat canadien de fastball… »

Même si elle affiche des statistiques flatteuses, Kim n'aura jamais la chance de faire valoir son talent avec les Lions. Chaque semaine qui passe l'éloigne de son rêve ultime, car dans son esprit l'équation est simple : si tu ne joues pas midget AAA, tu ne pourras jamais te faire repêcher par une équipe de la LNH, puisque tu ne joueras pas dans la LHJMQ.

Kim n'en fait pas un drame, sauf qu'elle se pose des questions. Est-ce que Kevin Figsby, l'entraîneur-chef des Lions, l'aurait gardée dans son équipe si elle n'était pas allée en Colombie-Britannique ? Est-ce que cette décision l'avait frustré au point qu'il rappelle des gardiens beaucoup moins bons qu'elle pendant la saison ? Et, surtout, est-ce que Figsby l'avait ignorée parce qu'elle était une fille ? André, lui, a une idée claire de la situation.

« Je crois que c'était une question de territoire. Le hockey au lac Saint-Louis, c'est un petit cercle fermé depuis des années. Kim aurait probablement été choisie dans le midget AAA si elle avait habité Beaconsfield plutôt que Châteauguay. Je ne pense pas que c'était personnel. Châteauguay n'a presque jamais fourni de joueurs aux Lions du Lac Saint-Louis et c'est pour cette raison qu'à un certain moment le secteur de Châteauguay s'est affilié avec Gatineau pour le midget AAA. En tant que parents on s'est efforcés de rester positifs auprès de Kim, car quand on se laisse aller à la frustration, l'enfant perd le sens des priorités. Il fallait que toute l'attention de Kim reste concentrée sur son jeu, sur son club, sur le midget AA », explique le paternel avec sagesse.

Kim vit aussi de grandes frustrations du côté du hockey féminin alors que l'équipe du Québec la boude également. Alors qu'elle ronge son frein avec les Élites durant cette deuxième saison dans le midget, elle se voit aussi retranchée du camp de sélection provinciale pour une troisième fois de suite. Rien ne va plus pour Kim !

Heureusement, une opportunité se présente au milieu de l'hiver quand elle est invitée à prendre part au camp d'entraînement de l'équipe junior féminine du Québec qui ira représenter la province aux Jeux du Canada qui se dérouleront à Grande-Prairie, en Alberta, en février 1995. Cette fois, Kim entend démontrer qu'elle est de loin la meilleure cerbère de moins de dix-huit ans. Sa sélection au sein de la formation québécoise ne fait pour elle aucun doute et sa nomination sur l'équipe d'étoiles du Québec n'est qu'une formalité. Lors de la journée décisive, Louise attend même sa fille bien assise dans la voiture. Quand elle arrive, Kim a les larmes aux yeux.

— Qu'est-ce qui se passe, Kim ?

— Elles m'ont coupée. Elles ont gardé les deux autres filles.

— Ben voyons donc ! Ça n'a pas de bons sens, cette affaire-là ! Qu'est-ce qu'elles t'ont donné comme raisons ?

— Je le sais pas. J'écoutais plus quand elles m'ont dit que j'étais coupée.

— Attends-moi ici. Je vais aller les voir.

Louise se lève d'un bond en grognant. Elle claque la portière et file vers l'aréna d'un pas décidé. Kim, les yeux pleins d'eau, la regarde s'éloigner. C'est la première fois de sa vie qu'elle voit sa mère réagir de la sorte.

Louise repère rapidement les deux femmes en charge de la sélection, Diane Michaud et Diane Gaboury. Comme d'habitude, elles sont assises ensemble dans le haut des gradins. En montant l'escalier, Louise tente de retrouver son calme, mais dès qu'elle arrive près d'elles, elle ne peut s'empêcher de les apostropher.

— Qu'est-ce qui se passe ? Pouvez-vous me dire pourquoi Kim n'a pas été choisie ?

— C'est pas compliqué. On a remarqué qu'elle pivote d'un poteau à l'autre quand le jeu est derrière son but. Techniquement, il ne faut pas faire ça. Il faut glisser.

— Pivoter ! De quoi parlez-vous ? Voyons donc !

— C'est ce qu'on vient de vous dire... pis ça ne se fait pas, ça, madame.

— Ben, laissez-moi vous dire que c'est des conneries, vos raisons !

Ce n'est pas du tout dans la nature de Louise de s'emporter de la sorte, mais cette fois, elle n'est pas en mesure de contenir ses émotions. Elle est furieuse et triste pour sa fille, car selon elle Kim est victime d'une réelle injustice.

UNE CARRIÈRE QUI TIRE À SA FIN

Comme elle s'entend bien avec ses coéquipiers et qu'elle vient de connaître beaucoup de succès avec son club, Kim décide de poursuivre sa carrière de gardienne au-delà du midget à un moment où bien des jeunes accrochent habituellement leurs patins.

Elle s'aligne alors avec l'Express junior AA du Suroît où elle rejoint aussi Yan, son frère aîné, et son père André, qui occupe le poste d'entraîneur-chef. L'amour du hockey et le plaisir qu'elle y trouve en côtoyant ce bon groupe d'amis deviennent ses seules motivations, car elle réalise maintenant qu'elle ne sera jamais repêchée dans la LNH. Sa carrière se retrouve aussi dans un cul-de-sac du côté hockey féminin puisqu'elle n'a pu réussir à se tailler un poste avec l'équipe du Québec malgré trois tentatives, et elle a aussi été rejetée de la formation junior. À l'aube de ses dix-sept ans, la jeune élève de secondaire 5 a donc l'intention de consacrer ses énergies du côté de la fastball, où elle s'illustre sur la scène nationale.

L'intérêt pour le hockey s'estompe lentement mais soudainement, au milieu de la saison, une lettre inattendue de Hockey Canada ravive la flamme chez Kim. Voilà qu'on l'invite au camp de sélection de la formation canadienne des moins de dix-huit ans qui participera bientôt aux championnats du monde. Quelle belle surprise ! Quelqu'un, quelque part, l'a vue et a su reconnaître son talent. Il est hors de question pour Kim de laisser passer une opportunité semblable. C'est le coup du destin qu'elle n'espérait plus.

Comme le camp se déroule en Ontario, la jeune Saint-Pierre devra donc rater quelques jours d'école, mais le jeu en vaut pleinement la chandelle. Le départ est prévu le vendredi après-midi, mais il est convenu que Kim se présentera tout de même à l'école pour ses cours en matinée, puis que Louise passera la prendre vers 13 h pour aller la déposer à l'aéroport. À midi, Kim tue le temps en participant à un petit match de volleyball avec quelques autres filles du collège Saint-Louis. Quand elle plonge pour récupérer un ballon, Kim se blesse à un pied. En se tordant de douleur, elle porte son regard vers l'horloge du gymnase. Il est précisément 12 h 45. Sa mère sera là dans moins de quinze minutes.

Des amies l'aident et la transportent près de l'entrée. Impuissante et résignée, elle n'a d'autre choix que d'attendre patiemment Louise.

— Salut, maman ! Je pense que je ne pourrai pas aller au hockey. Je me suis tordu le pied en jouant au volleyball. Ça fait très mal.

— T'es pas sérieuse ?

— Ça fait terriblement mal, maman. Je pense qu'il faut qu'on aille à l'hôpital.

—Ma pauvre Kim, mais pourquoi t'es allée jouer au volleyball ?

—Ben, penses-tu que j'étais pour rester assise ici à t'attendre pendant une heure ? Je pouvais pas le savoir, moi, que j'allais me blesser en jouant ! J'ai vraiment mal, maman !

Le diagnostic du radiologiste tombe sèchement. Kim s'est infligé une fracture et elle devra aller rencontrer un autre spécialiste pour qu'on lui insère une vis dans le pied. Puis elle devra porter un plâtre qui couvrira sa jambe des orteils jusqu'au genou. Non seulement va-t-elle rater le camp de la formation canadienne, mais elle devra s'absenter de la compétition pour deux mois. Nous sommes alors en février, c'en est donc terminé pour le reste de la saison et pour toutes les séries.

Deux mois plus tard, quand on retire finalement son plâtre, les médecins n'aiment pas ce qu'ils voient. Kim doit passer sous le bistouri. Tout est à recommencer à zéro. Elle ne sera sur pied qu'au début du mois de juillet, ce qui signifie qu'elle ne jouera pas non plus au soccer ni à la fastball lors de cet été de 1996.

Heureusement, Kim est complètement rétablie à l'automne et elle revient en force pour une deuxième saison avec l'Express, au niveau junior AA. Elle se présente également à la sélection de l'équipe féminine du Québec pour une quatrième fois et elle est encore évincée avant la fin. Cette fois, Kim perd ses illusions. Il est clair qu'il s'agit d'une chasse gardée et les raisons qu'on lui donne pour justifier ses renvois lui semblent des prétextes bien futiles.

« Elles me reprochaient de ne pas avoir une bonne technique alors que tout le monde me disait que c'était justement ma force. Une année, elles m'ont même dit qu'elles ne me gardaient pas parce que je n'avais pas assez d'expérience dans le hockey féminin ! Je jouais pourtant dans un calibre de compétition nettement supérieur avec les gars et je me débrouillais très bien... mais je n'étais pas assez bonne pour jouer avec les filles. On n'a jamais vraiment su les raisons qui ont pu justifier leurs décisions. C'était toujours les deux mêmes gardiennes qui étaient avec l'équipe du Québec et je ne comprenais pas du tout ce qui se passait, car dans ma tête, j'étais vraiment meilleure qu'elles », analyse Kim froidement mais sans rancœur.

À l'automne 1997, la jeune femme entame sa dernière saison dans le hockey organisé. Elle sait qu'à la conclusion de cette dernière année junior, elle ne jouera dorénavant qu'à l'occasion dans la ligue récréative de son père. Son destin aurait pu être différent, mais sa chute malencontreuse a changé la donne. Ni amère ni triste, pas même frustrée, Kim vivra au fond la même fin de carrière que tous ses coéquipiers de l'Express. De toute façon, elle aura bientôt dix-neuf ans et le temps est venu pour elle de se consacrer entièrement aux études.

Au cours de cette troisième et dernière campagne au sein du junior AA, Team Québec l'invite à son camp de sélection pour une cinquième année de suite. Dès la réception de la missive, elle regarde sa mère en souriant puis s'empresse de cocher la case « Non merci, je ne désire pas participer au camp » et elle retourne aussitôt l'enveloppe à son expéditeur.

« Je commençais à être tannée de faire rire de moi. Je payais de ma poche pour aller à ces camps-là. Je me suis dit, c'est assez, elles vont arrêter de prendre mon argent pour me garder pendant deux ou trois jours en sachant qu'elles vont ensuite me retrancher en inventant des raisons qui n'ont pas de sens. Je savais que c'était fini pour moi, le hockey. J'allais finir mon junior AA et jouer dans la ligue de garage de mon père, tout simplement. J'étudiais alors en sciences humaines au cégep André-Laurendeau, à LaSalle, et je me suis dit que j'allais concentrer mes énergies sur l'école et sur la fastball, car j'étais encore membre de Team Québec. »

En fait, Kim était beaucoup plus qu'un membre de la formation québécoise de fastball ; en vérité, elle s'avérait plutôt être un rouage essentiel de cette équipe d'étoiles qui réunissait les meilleurs éléments de la province tout entière. Quelques mois auparavant, pendant les Jeux du Canada qui s'étaient déroulés à Brandon, au Manitoba, la jeune Saint-Pierre avait terminé la compétition au deuxième rang des frappeurs grâce à une moyenne au bâton de .591. Des portes auraient aisément pu s'ouvrir aux États-Unis, mais Kim préférait demeurer dans son coin de pays et elle lorgnait plutôt du côté de l'Université de Montréal et de l'UQAM, posant sa candidature pour des cours en communication à chaque institution.

UNE INTERVENTION PROVIDENTIELLE

Brillante élève, Kim attend les réponses des deux universités sans trop de nervosité. Sa vie de jeune adulte commence à se dessiner et elle savoure paisiblement cette dernière année dans le hockey organisé.

La gardienne joue sans pression et sa saison avec l'Express du Suroît se déroule parfaitement. À la mi-février 1998, alors qu'elle attend ses parents dans le lobby de l'aréna Crépin de Valleyfield, deux individus l'abordent. Ils se sont déplacés pour la voir jouer et ils désirent lui parler. L'homme et la femme arborent tous deux un coupe-vent rouge sur lequel est brodé bien en évidence le nom « McGill », et ils se sont présentés sans s'annoncer. L'homme s'avance et prend la parole en faisant un effort pour s'exprimer en français.

— Bonjour, Kim. J'aimerais me présenter. Je suis Dan Madden, de l'Université McGill. Je suis venu ici parce qu'on m'a parlé de toi. Paraît que tu "goales" très bien et c'est ce que j'ai vu aujourd'hui.

— Merci, monsieur Madden.

— On aimerait beaucoup que tu viennes jouer pour notre université. Viens faire une visite à McGill. Ça ne t'engage à rien et on pourrait t'expliquer notre programme.

Bien entendu, Kim est flattée par l'offre. Ses plans d'avenir commençaient à être tracés, mais cette proposition de se joindre aux réputés Redmen pourrait modifier ses intentions. Toutefois, un peu avant la date convenue pour la visite, déception : elle apprend que Dan Madden parlait du programme de hockey féminin et non des fameux Redmen. Kim n'a jamais joué avec des filles et elle entretient même une certaine rancœur vis-à-vis de ses pairs à la suite des expériences négatives vécues année après année avec les dirigeantes de Team Québec. Jouer avec les filles de McGill ne lui apportera rien de plus, si ce n'est que de prolonger inutilement sa carrière de quelques années.

Par courtoisie, Kim et ses parents se pointent tout de même au rendez-vous pour effectuer une visite des lieux. La jeune femme de dix-neuf ans est éblouie par la beauté et l'immensité de cette prestigieuse institution. Elle est également intimidée en constatant que là-bas, tout se passe en anglais. Quand Dan Madden les emmène finalement à l'aréna de l'université, elle espère se sentir plus à l'aise dans un environnement plus familier.

« De toute ma vie, c'était l'aréna le plus froid que j'avais visité ! Les filles s'entraînaient quand on est arrivés. Il n'y avait que dix joueuses sur la glace et elles n'utilisaient qu'une moitié de la patinoire pour faire des exercices qu'on exécutait dans l'atome ! J'arrivais du junior AA avec des gars qui décochent des tirs frappés foudroyants et là je voyais ces pauvres filles qui lançaient les rondelles très mollement. Sans dire un mot, j'ai regardé monsieur Madden. J'ai failli lui demander si c'était une *joke*, mais j'étais une invitée et je voulais rester polie », se souvient Kim en riant.

« Il n'y avait aucune raison logique pour que je choisisse d'aller à l'Université McGill. Je ne parlais pas un seul mot d'anglais. Aucun de mes amis du secondaire ou du cégep n'étudiait là. C'était au centre-ville et le club de hockey féminin était franchement mauvais. Il n'y avait absolument aucun point positif en faveur de McGill ! Mais je me suis dit que je me retrouvais devant une opportunité de jouer au hockey presque chaque jour alors que si j'allais à l'UQAM, je ne jouerais qu'une fois par semaine avec mon père. J'aimais tellement le hockey que j'ai accepté ! »

Dan Madden n'avait pas essayé de jeter de la poudre aux yeux de Kim. Il avait mis cartes sur table en lui expliquant que le club des Martlets était la risée de la ligue, mais qu'il avait l'intention de bâtir l'équipe autour d'elle et que sa présence aiderait possiblement à recruter d'autres bonnes joueuses.

« J'avais négligé mes études au profit du hockey quand les Rangers m'avaient repêché en quatrième ronde en 1970 et ça n'avait pas été ma meilleure décision. Je considérais qu'il était important pour Kim de pouvoir profiter d'un enseignement de haut niveau et McGill lui offrait cette possibilité », ajoute André.

Même si peu d'éléments favorables militent en faveur du choix de McGill, Kim fonce tête première dans cette aventure. Malheureusement, elle déchante dès les premières semaines. Les entraînements lui paraissent interminables. Elle ne connaît personne et elle ne fait rien non plus pour s'intégrer au groupe. La compétition du junior AA lui manque et elle se demande même si ça vaut la peine de continuer dans cette galère... Mais sa persévérance sera récompensée de façon inattendue.

À la fin septembre, alors qu'elle s'entraîne avec les Martlets en vue de la saison qui s'amorcera à la fin octobre, Kim reçoit un coup de fil chez ses parents. Au début, elle est persuadée qu'il s'agit d'une mauvaise blague.

—Kim, je te téléphone pour t'inviter au camp de Team Canada qui aura lieu la semaine prochaine à l'aréna Maurice-Richard, à Montréal.

—Je suis désolée, monsieur, mais je ne suis plus d'âge junior.

—Non! Je parle du camp pour l'équipe nationale, le vrai gros club.

—Vous vous êtes trompé de Kim, je pense.

—Non, je ne pense pas. Tu es bien Kim Saint-Pierre, la gardienne de but?

—Oui. Mais ça fait cinq fois que je suis coupée de Team Québec, alors je ne vois pas pourquoi je serais invitée à un camp de Team Canada. Il faut faire Team Québec avant de faire Team Canada, et en plus je n'ai aucune expérience au hockey féminin.

—Écoute, tu es bel et bien sur ma liste. C'est à l'aréna Maurice-Richard et ça se passe du 5 au 12 octobre. Va falloir que tu te libères pour ça. Nous n'invitons que quatre gardiennes.

Quand Kim dépose le combiné, elle se demande encore s'il ne s'agit pas d'un canular. Après avoir confirmé sa présence et noté toutes les informations, elle se dit qu'on l'invite probablement pour boucher un trou à la dernière minute, car Hockey Canada n'aura pas à défrayer un sou pour ses frais de déplacement et d'hébergement. Quand même... Quelle bonne décision d'avoir continué à jouer au hockey!

«Ce que Kim ne savait pas, c'est que je l'avais moi-même retranchée de l'équipe du Québec! Un camp de sélection qui ne dure que trois jours ne lui aurait jamais donné la chance de s'adapter au hockey féminin, explique Danièle Sauvageau, la responsable de cette invitation surprise. Il y a d'abord le fait que les tirs sont décochés avec beaucoup moins de vélocité, mais les filles ne nettoient pas le devant du filet aussi rapidement que les garçons et ça prend par conséquent une gardienne très rapide pour saisir les retours et travailler dans la circulation. On venait de subir un échec à Nagano et je commençais déjà à préparer Team Canada pour les jeux de 2002 à Salt Lake City. J'avais invité plusieurs jeunes nouvelles joueuses qu'on identifiait comme notre relève à long terme. »

SES DÉBUTS AVEC TEAM CANADA

Gardienne numéro 1 de la formation canadienne quelques mois auparavant aux Jeux olympiques de Nagano, Manon Rhéaume a pris sa retraite du hockey pour fonder une famille. Au camp de Team Canada, Kim se retrouve donc en compagnie de Lesley Reddon, une fille de Fredericton qui avait servi d'auxiliaire à Rhéaume au Japon. Les deux autres gardiennes sont Sami Jo Small, de Winnipeg, et une autre Québécoise, Isabelle Leclair.

Kim se présente comme prévu, mais avec en tête l'idée de vivre une nouvelle expérience, sans plus. En arrivant à l'amphithéâtre, elle reconnaît tout de suite les gros canons du hockey féminin qu'elle avait découverts pour la première fois, au mois de février précédent, à Nagano. Elles sont toutes là : France Saint-Louis, Nancy Drolet, Danielle Goyette. Elle aperçoit aussi une autre petite nouvelle, Caroline Ouellette, qu'elle connaissait déjà en tant qu'ancienne coéquipière au sein de l'équipe du Québec de fastball.

« Chaque jour je me demandais comment ça se faisait que j'étais encore là, mais en même temps je n'étais pas intimidée et je trouvais que j'avais ma place au sein de ce groupe. Le calibre était moins fort que chez les garçons, mais était nettement supérieur à Team Québec, de sorte que l'adaptation a peut-être été plus facile, car ça se rapprochait davantage du niveau de jeu auquel j'étais habituée », explique Kim.

Au début de décembre 1998, contre toute attente, Kim s'envole avec le reste de l'équipe pour représenter le Canada au Tournoi des Trois Nations, à Kuortane, en Finlande. Elle partagera le travail avec Sami Joe Small, qui était la troisième gardienne de l'équipe nationale à Nagano. Le 12 décembre 1998, Kim Saint-Pierre dispute un premier match en carrière sur la scène internationale alors qu'elle se retrouve devant la cage du Canada face à la formation finlandaise. Elle remporte cette joute au compte de 8-4, repoussant un maigre total de 13 lancers. Puis deux jours plus tard, la gardienne recrue célèbre son vingtième anniversaire de naissance en affrontant les Américaines. Le défi est de taille puisqu'elles viennent de battre les Canadiennes en finale, lors du match de la médaille d'or des derniers Jeux olympiques. Pour la première fois depuis sa première année devant le filet avec l'atome CC, Kim a la trouille. Habituée d'affronter des équipes de Verdun, Saint-Hyacinthe ou Lachine, elle va cette fois se mesurer à la puissante Team USA.

Les représentantes du pays de l'Oncle Sam amorcent le duel avec conviction. Lorsque Kim et ses coéquipières retraitent au vestiaire après le premier engagement, elles tirent de l'arrière 2 à 1. Kim a reçu 15 lancers et elle est quand même satisfaite de sa prestation. Soudain, alors que les filles récupèrent en silence, l'entraîneur-chef Danièle Sauvageau fait irruption dans le vestiaire.

« Elle s'est approchée de moi et elle m'a sèchement annoncé qu'elle me sortait de la *game*. Je me suis presque mise à brailler. J'avais une chance en or et là, j'avais tout bousillé. Je voyais mon rêve d'aller aux championnats du monde en mars s'écrouler. Je ne comprenais pas pourquoi elle faisait ça, mais je n'ai rien dit, parce qu'elle est plutôt intimidante ! En partant, elle m'a dit qu'elle me parlerait après le match et elle a tenu parole. Elle m'a expliqué qu'elle ne voulait pas que je saute des étapes et que si j'avais alloué cinq ou six autres buts, c'en aurait été fait de ma carrière avec Team Canada. Finalement, nous avions gagné cette partie 4 à 3, en prolongation. »

« C'était très important que je lui explique les raisons pour lesquelles je l'avais sortie du match, raconte Sauvageau, car c'est un réflexe très humain de se faire des histoires pour chercher des réponses à nos questions. On ne perdait effectivement que 2-1, mais on se faisait manger tout rond par les Américaines. On ne jouait pas bien et il faut se rappeler qu'à ce moment-là, on avait

Durant son enfance, Brian n'a qu'à traverser la rue pour aller jouer au hockey avec ses frères Joe et Stephen sur ce canal gelé.

Jusqu'aux rangs pee-wee, chaque été, Brian participe à des écoles de hockey mais toujours comme gardien.

Brian n'oubliera jamais les quatre années passées à Boston College
sous les ordres de l'entraîneur Jerry York.

Le 12 février 2001, Brian aide les Eagles à remporter
le légendaire tournoi Beanpot de Boston.
On le voit ici avec ses parents, Sam et Penny.

Alex Kovalev à l'école de sa ville natale de Togliatti, vers l'âge de dix ans.

Moment de répit pour Alex, alors membre de l'organisation du Lada de Togliatti, qu'il quittera bientôt pour partir à Moscou.

À Novogorsk en 1992, au camp d'entraînement pré-olympique de l'équipe unifiée qui remportera l'or en battant le Canada 3-1 en finale.

Alex fait parler de lui dès son arrivée avec le Dynamo de Moscou. On le voit ici lors d'un match contre l'Armée Rouge, qui aurait bien aimé le compter dans ses rangs.

À quinze ans, Alex s'est déjà taillé une place avec le club junior du Dynamo de Moscou.

Très doué au basketball ainsi qu'au soccer et à la natation,
Alex aimait jouer au ping-pong entre deux parties de hockey.

À neuf ans, Kim participe aux Jeux du Québec à Coteau-Station. Au début de l'adolescence, elle sera classée dans le top cinq au Québec dans sa catégorie d'âge.

L'été, c'est à la fastball que se distingue Kim (vue ici à huit ans). Plus tard, elle représentera à plusieurs reprises l'équipe du Québec aux championnats canadiens.

En 1986-1987, Kim joue novice B. On la reconnaît à droite, dans la rangée du centre. Son père André est le deuxième à gauche, dernière rangée.

Kim entourée de ses frères Yan et Karl
pendant le tournage du film *Les Boys.*

Kim a su imiter son idole Patrick Roy en rendant
son numéro 33 célèbre sur la scène du hockey féminin.

la plus jeune équipe de l'histoire du hockey féminin. C'était sa toute première expérience internationale et je ne voulais surtout pas qu'elle se brûle en partant.»

De retour de Finlande, Kim reprend son poste avec les Martlets de McGill. Le calibre de jeu est désolant mais il y a un aspect positif: elle se fait bombarder de 50 à 60 lancers à chaque rencontre. Pendant ce temps, avec Team Canada, Isabelle Leclair et Lesley Reddon se partagent le travail lors d'un autre tournoi international, au début de janvier. Sauvageau a pu évaluer le potentiel de ses quatre gardiennes pendant deux tournois importants et elle annonce ensuite la composition de la formation qu'elle amènera aux Championnats du monde, le 22 janvier.

Sans aucune surprise, Sami Jo Small est sélectionnée pour le poste de gardienne numéro 1 et l'entraîneur se tourne vers Kim pour le poste d'auxiliaire. La jeune gardienne de Valleyfield devient donc officiellement membre de l'équipe nationale qui participera aux Championnats du monde, du 8 au 14 mars 1999, à Espoo, en Finlande. Même si elle regardera la finale du bout du banc, Kim verra tout de même un peu d'action pendant la compétition et elle reviendra à la maison avec une médaille d'or au cou.

«Ça avait été une très grosse déception de perdre la finale à Nagano et on ne rebâtissait pas l'équipe canadienne avec les meilleures joueuses disponibles, mais plutôt avec les filles que l'on croyait être les meilleures trois ans plus tard. Sami Joe et Kim avaient été identifiées comme celles qui avaient le meilleur potentiel», explique Sauvageau pour justifier le choix de ces deux jeunes gardiennes.

Les exploits de Kim, sortie de nulle part, font énormément jaser. Les bonzes de Team Québec, qui la boudent et la méprisent depuis cinq ans, ont-ils soudainement retrouvé ses coordonnées dans un vieux classeur? Toujours est-il que dès son retour de Finlande, on sollicite Kim pour les championnats nationaux qui auront lieu quelques jours plus tard, à Mississauga, en Ontario.

«Quand elles ont su que j'étais avec Team Canada, elles m'ont automatiquement invitée à jouer pour l'équipe du Québec. Dans le fond, c'est parce qu'elles n'avaient pas le choix! Intérieurement, j'avais le goût de leur dire de s'arranger avec leurs problèmes, car c'était encore la même petite clique qui menait le bateau. Mais j'ai quand même pris la décision d'accepter d'aller aux Championnats canadiens et nous avons gagné l'or pour la première fois en cinq ans. »

Mené par Kim qui effectue 30 arrêts, le Québec bat l'Alberta 4-1 en finale.

EN ROUTE VERS SALT LAKE CITY

Kim a fait un pas de géant en étant choisie sur l'équipe canadienne pour les Championnats du monde en mars 1999, mais rien n'est quand même acquis pour elle. Quelques mois après avoir vécu ces moments euphoriques, c'est le brutal retour à la réalité. À l'automne, la routine recommence à l'Université McGill et son poste est loin d'être assuré au sein de l'équipe nationale, car Manon Rhéaume revient dans le décor, ce qui n'est pas sans inquiéter la petite nouvelle. Sa médaille d'or n'est plus garante de rien. Tout est à refaire.

Le camp d'entraînement pour la sélection de Team Canada se déroule cette fois en banlieue de Toronto, à Teen Ranch. Absente de la compétition depuis un an, Rhéaume n'est plus capable de suivre la cadence et Leslie Reddon éprouve de la difficulté dès les premières journées. Sauvageau annonce rapidement ses couleurs et elle fera confiance au tandem qui s'était partagé le travail en Finlande. Kim Saint-Pierre aura bientôt vingt et un ans et elle ne rêve désormais plus de suivre les traces de Patrick Roy, son idole d'enfance. Désormais, son objectif ultime est de devenir la meilleure gardienne au pays pour aider le Canada à remporter la médaille d'or aux Jeux olympiques de Salt Lake City, en 2002.

« Sami Jo avait plus d'expérience en compétition internationale, mais il était évident que Kim possédait énormément de talent, rappelle Sauvageau. Elle était agile et mobile mais, surtout, elle possédait une coordination main-œil bien au-dessus de la moyenne. Elle pouvait anticiper où la rondelle allait se retrouver dès que le tir était décoché. C'est quelque chose qui ne s'apprend pas. On peut développer ça en s'entraînant, mais c'est une qualité qui est d'abord et avant tout innée. Dans mon travail de policière, à la GRC, on nous avait souvent expliqué que certains sont meilleurs que d'autres au tir au pistolet même s'ils n'ont jamais tiré, en raison de la coordination main-œil. »

Quelques mois plus tard, durant les Championnats du monde de 2000, le scénario se répète pour Kim qui gagne encore en expérience, même si elle ne dispute pas les matchs importants, en particulier la finale. Cette année-là, c'est Melody Davidson qui prend les rênes de l'équipe puisque Danièle Sauvageau a quitté le navire pour tenter sa chance du côté de la LHJMQ, en tant qu'entraîneur-adjoint sous les ordres de Gaston Therrien avec le Rocket de Montréal.

En avril 2001, les Championnats du monde se déroulent au Minnesota, en territoire américain, et la gardienne québécoise représente son pays pour une troisième année de suite. Sauvageau a réintégré ses fonctions avec Team Canada et c'est vers Kim qu'elle se tourne pour l'affrontement ultime.

« Quand je suis revenue au bout d'un an, Kim était passée en avant de Sami Jo. Elle jouait bien sous la pression et on la sentait très concentrée dans les matchs importants. »

La finale oppose encore le Canada et les États-Unis, et évidemment Sami Jo n'est pas très heureuse de voir la jeune Québécoise lui ravir son poste. Avoir la confiance de l'entraîneur pour le match le plus important de l'année est très significatif puisque les Jeux olympiques de Salt Lake City auront lieu dans dix petits mois. Les Canadiennes sont dominées 36 à 15 au chapitre des tirs au but, mais Kim mène sa formation à une victoire de 3-2 grâce à une prestation éclatante.

« Sans Kim, nous n'aurions pas remporté les championnats du monde cette année-là. Grâce à cette performance extraordinaire, elle a confirmé ce qu'on pensait d'elle depuis quelques années », avoue Sauvageau.

Cette médaille d'or que Kim porte au cou en rentrant chez elle a beaucoup plus de valeur à ses yeux que la précédente, car cette fois elle a le sentiment d'avoir fait la différence.

Moins de quatre mois plus tard, les filles se retrouvent de nouveau réunies et elles resteront ensemble pour longtemps.

Pour les vingt-six meilleures joueuses au pays commence le début d'une longue et exigeante préparation. Au cours des semaines qui suivront, cinq d'entre elles seront retranchées du groupe; pour les autres, cette aventure atteindra son apogée en février 2002, à Salt Lake City.

« Nous étions quatre gardiennes au camp d'entraînement, mais je suis arrivée à Calgary assez confiante, forte de trois ans d'expérience avec Team Canada. Ça s'est bien passé pour moi dans l'ensemble, sauf qu'entre la fin du camp et le début des Jeux olympiques, nous avons perdu huit parties de suite face aux Américaines. J'avais disputé quatre de ces rencontres alors que Sami Jo s'était partagé le travail avec Charlene Labonté pour les autres affrontements. »

LES JEUX OLYMPIQUES

Le 11 février 2002, à Salt Lake City, Kim se retrouve devant le filet du Canada pour le premier match du tournoi à la ronde. La troupe de Danièle Sauvageau se mesure alors au Kazakhstan, un adversaire qui n'est pas de taille face aux puissantes Canadiennes, qui l'emportent sans difficulté au compte de 7-0. Pour réaliser un jeu blanc à sa première sortie olympique, Kim n'a qu'à effectuer 11 arrêts, ce qui lui procure du même coup une 30e victoire sur la scène internationale. Peu importe l'adversaire, elle a été parfaite lors de ce duel où elle n'avait rien à gagner sur le plan individuel.

Deux jours plus tard, le 13 février, le Canada croise le fer avec la Russie. Les filles de Danièle Sauvageau sont sans pitié et elles triomphent à nouveau de leur rivales au compte de 7-0. Cette fois, c'est au tour de Sami Jo Small de signer un blanchissage, grâce à une performance pas très épuisante de six arrêts.

Les Canadiennes concluent leur tournoi préliminaire le 16 février en humiliant la Suède par un pointage de 11-0. Cette fois, Kim voit un peu plus d'action devant la cage de son équipe et elle signe un deuxième jeu blanc de suite grâce à une performance sans bavure de 22 arrêts. Avec ses trois victoires en autant de sorties, le Canada termine bien entendu au premier rang du groupe A et affrontera ainsi en demi-finale la Finlande, deuxième du groupe B.

Quarante-huit heures plus tard, Saint-Pierre bloque 15 des 18 tirs décochés vers elle et les Canadiennes méritent un quatrième gain en autant de départs alors que son pays dispose des Finlandaises 7-3. Mais les Canadiennes ont eu la frousse puisqu'elles ont dû combler un déficit de 3-1 pour l'emporter. Dans l'autre match, les Américaines se paient facilement les Suédoises 4-0. Comme à Nagano quatre ans plus tôt, les deux grandes nations rivales s'affronteront dans l'espoir de monter sur la plus haute marche du podium. Au Japon, les Américaines avaient enlevé les honneurs de la finale 3-1. Mais quelle gardienne sera devant le filet pour le match ultime ?

« Il fallait envisager ça de façon rationnelle et regarder au-delà des statistiques. Nous avions de très jeunes défenseurs et il fallait déterminer quelle gardienne communiquait le mieux avec elles. Comment l'équipe se comportait-elle avec Sami ou Kim dans le filet ? Qui était le plus en mesure de gérer la pression à Salt Lake City ? On était aux États-Unis, il allait y avoir des drapeaux américains partout dans les gradins. Pour moi, la conclusion de tout ça, c'était d'y aller avec Kim », explique l'entraîneur-chef.

Plus que deux jours avant la finale tant attendue. Les Canadiennes pourront-elles détrôner les médaillées d'or des Jeux de Nagano ?

La veille, pendant la journée, Kim se prépare mentalement et elle se dit qu'elle n'aura rien à perdre face aux Américaines. Si les États-Unis l'emportent, il s'agira d'un neuvième triomphe de suite contre les Canadiennes et tous s'entendront pour dire qu'elles sont tout simplement supérieures. Si Kim et ses coéquipières enlèvent les honneurs de la finale, il s'agira d'une victoire surprise et elles seront acclamées à travers le pays comme des héroïnes.

La veille de l'affrontement, Hockey Canada organise un grand souper qui regroupe les membres des équipes masculine et féminine ainsi que leur famille. Même si elles affichent un air relativement confiant, il est clair que les joueuses sont nerveuses, et ce rassemblement leur permet de décompresser un peu avant le match de la médaille d'or. Comme pour les autres parents, c'est aussi la dernière fois que Louise et André verront leur fille avant le rendez-vous contre les Américaines. Alors que l'autobus s'apprête à démarrer pour retraiter au village olympique, Louise s'approche de sa fille pour lui souhaiter bonne chance. André est près d'elles et il ne dit rien. Mais quand Kim pose un pied sur la première marche pour grimper à bord, le paternel regarde sa fille et il s'avance vers elle.

— En tout cas, Kim, si tu "goales" bien demain, vous allez gagner. C'est toi qui vas décider.

— Mais qu'est-ce que tu viens de lui dire là, André? lance Louise en le regardant d'un air furieux.

Kim n'a pas le temps de réagir et de demander à son père de s'expliquer. Elle monte avec les autres filles et l'autobus entraîne les athlètes dans leurs quartiers.

« Ça faisait une journée que je me disais sans cesse que je n'avais rien à perdre et voilà que quelques heures avant le match, mon père me lance ça en pleine face! Ça voulait dire: Kim, ce match-là, ça va dépendre de toi. Je me demandais pourquoi il avait dit ça. Et j'ai commencé à réfléchir. Je me questionnais. Je me demandais si j'allais être en forme... »

Le lendemain, le 21 février 2002, Kim Saint-Pierre et ses coéquipières affrontent les Américaines. Avec moins de deux minutes écoulées, Caroline Ouellet saute sur une rondelle libre qu'elle loge derrière la gardienne Sara DeCosta. Team USA tire de l'arrière pour la première fois depuis le début du tournoi olympique! Puis les choses se gâtent: plusieurs ont l'impression que la troupe dirigée par Danièle Sauvageau doit se battre contre l'arbitre en chef, en plus des Américaines. Au cours du premier engagement, les joueuses des États-Unis profitent de deux avantages numériques à cinq contre trois mais la gardienne québécoise ferme la porte à chacune de leurs menaces.

Dès les premiers instants du deuxième tiers, les Américaines profitent d'une autre supériorité numérique pour niveler le pointage quand Katie King fait dévier un tir de la pointe décoché par Tara Mousey. Mais deux minutes plus tard, Hayley Wickenheiser profite d'un retour de lancer pour déjouer la gardienne américaine et le Canada reprend son avance d'un but. Puis en toute fin d'engagement, avec une toute petite seconde à faire dans la période, Jayna Hefford se retrouve seule devant le filet et enfile l'aiguille: c'est 3-1 pour le Canada après 40 minutes de jeu.

Les Américaines reviennent en force en troisième période, mais la gardienne canadienne se dresse comme un mur devant leurs attaques répétées. Bénéficiant de leur 11e avantage numérique de la rencontre, les favorites resserrent le pointage à 3-2 lorsque Karin Bye touche la cible avec 3: 33 à écouler au match. Dans la foule, c'est l'hystérie.

Inspirées par leurs bruyants compatriotes, les Américaines prennent d'assaut le filet adverse, mais Kim multiplie les arrêts avec brio. Mené par notre héroïne, qui termine la rencontre avec 25 arrêts, contre toute attente, le Canada remporte l'or.

« Quand on gagné le match, je n'ai pas pensé à la médaille que j'allais bientôt recevoir. J'ai plutôt été frappée par un flash soudain. J'ai pensé à tout ce que j'avais fait depuis l'âge de huit ans au hockey mineur. J'ai pensé à toutes les embûches que j'avais surmontées avec le hockey féminin et toutes les fois où j'avais été injustement retranchée de Team Québec. Je me disais, ON a réussi, parce que mes parents et mes frères m'ont tellement aidée à me rendre jusque-là. »

Celle qui, à une époque pas si lointaine encore, n'était pas assez bonne pour obtenir une chance avec l'équipe du Québec sera élue meilleure gardienne du tournoi olympique... Et grâce à ses exploits, elle donnera aussi le goût à de nombreuses jeunes Québécoises de jouer au hockey.

LES CONSEILS DE KIM

« Je rencontre souvent des jeunes dans des écoles ou ailleurs, et je leur dis toujours la même chose : "Peu importe ce que tu as comme objectif, ce n'est jamais fini tant que ce n'est pas toi qui as décidé que c'est fini." J'aurais pu décider de planter un clou dans le cercueil de mes rêves à plusieurs occasions mais je ne sais pas pourquoi, il y avait toujours quelque chose pour me pousser à continuer. Je ne veux pas généraliser ou porter de jugement, mais je trouve que les jeunes abandonnent souvent trop rapidement leur rêve.

« Il ne faut pas que les filles qui aiment des sports traditionnellement réservés aux gars s'en fassent si elles se font traiter de garçon manqué. Ça m'est déjà arrivé souvent, mais ça me passait dix pieds par-dessus la tête parce que j'étais heureuse quand je jouais au hockey ou à la fastball. Je me fichais complètement de ce que certaines personnes pouvaient penser de moi.

« En fait, j'en tirais même de la fierté, car j'étais contente d'être la seule fille du groupe. Pour moi, c'était valorisant. Et d'avoir toujours joué avec les gars m'a certainement aidée quand je suis arrivée avec Team Canada, car je crois que j'étais mieux préparée pour affronter la compétition et gérer le stress. Quand tu es une fille qui veut jouer avec les gars, tu ne dois pas seulement bien jouer ; tu dois être meilleure que les autres gars. Le hockey masculin m'a procuré un excellent bagage d'expérience pour la compétition et m'a aussi permis de me forger une très bonne carapace. »

LES CONSEILS D'ANDRÉ

« Pour nous, le sport a toujours fait partie de la vie. Pendant sa carrière, un athlète connaît beaucoup d'expériences enrichissantes et de dépassements de soi. Mais ce qu'il ne faut pas perdre de vue, c'est la vie après la compétition. Il faut donc se servir du sport pour réussir sa vie qui, elle, est beaucoup plus longue qu'une carrière sportive et demande qu'on y consacre un effort constant. »

LES CONSEILS DE LOUISE

« Je remonte dans le temps et je revois Kim jouant au hockey dans la rue avec ses frères. À l'âge de huit ans, l'équipement de gardien de but la fascinait. La seule alternative pour elle, c'était de jouer avec les garcons et il lui en a fallu, de l'audace et du courage, pour vaincre sa timidité et tenir son bout. Aujourd'hui, avec le recul, je me souviens d'avoir respecté ses choix, même si je savais que ce serait difficile pour elle et que, comme toutes les mères, mon premier réflexe était de vouloir la protéger. Je lui vouais de l'admiration pour avoir suivi son instinct de joueuse et être parvenue à obtenir le respect de bien des gars et de bien des entraîneurs.

« C'est sans doute un cliché de dire que le sport est une école de vie. Quand notre enfant veut se lancer dans un loisir ou s'adonner à un passe-temps, en tant que parent, on se doit de répondre à cet appel et il importe, selon moi, de lui manifester disponibilité et intérêt.

« Accompagner son jeune dans son parcours sportif et, surtout, dans ses études, c'est un cadeau que l'on fait à notre enfant et, par ricochet, à nous aussi, car en tant que parent, on vivra aussi des moments privilégiés. Ça nous oblige à nous arrêter et à lui manifester de l'amour, de l'intérêt. En lui faisant confiance, on fait grandir son estime de soi. Le parent sortira gagnant de cette belle aventure puisqu'il sera le témoin privilégié des exploits de son enfant. Par contre, il ne faut pas se leurrer : avec les moments de gloire viennent aussi des déceptions et des embûches. Tout au long de sa carrière de hockeyeuse, j'ai compris que l'accomplissement sportif de Kim s'accompagnait d'une grande et belle dimension émotionnelle. J'ai toujours voulu épauler ma fille du mieux que je pouvais. Certes, j'ai commis des bévues (quel parent est à l'abri de ça ?), mais je pense que ma petite sportive savait qu'elle pouvait compter sur mon appui inconditionnel.

« Si l'enfant persiste à vouloir cheminer dans son sport, c'est qu'il vit une passion. En fait, je ne considère pas que Kim a fait des sacrifices pour atteindre ses buts. Elle a plutôt vécu une belle histoire d'amour, car la pratique du sport, et surtout du hockey, n'a jamais été un fardeau pour Kim, et encore moins un sacrifice. Elle savait qu'elle pouvait compter sur nous, autant dans les moments de gloire que dans les moments plus sombres. Les embûches, les déceptions, les défaites de notre enfant ne doivent pas être pour nous des motifs de frustration. Moi, je suis toujours restée fière de ce que Kim accomplissait, gagne ou perd. Dans les moments moins glorieux, bien sûr la maman est triste de voir sa fille déçue. C'est légitime de ne pas vouloir que notre enfant ait de la peine. On veut toujours le meilleur pour son enfant. Mais c'est alors que le rôle du parent est primordial.

« Je crois que notre enfant chemine dans son sport et, par ricochet, dans sa vie d'adulte, puisque les valeurs que Kim a acquises au cours de sa carrière sportive lui servent aujourd'hui.

« Aujourd'hui, ce n'est plus la mère qui donne des conseils à la fille. La situation est inversée. Après tout ce que j'ai vécu au cours de sa carrière, je sais qu'en tant que maman, j'ai moi aussi grandi. J'ai reçu avec le sport des leçons de vie : la mère a grandi grâce à la fille...

« En toute simplicité, Kim a donné des lettres de noblesse au hockey féminin. Si aujourd'hui des jeunes filles fréquentent les arénas, c'est que des barrières sont tombées, et que papa et maman approuvent le choix de leur fille. Quand on respecte et qu'on encourage son enfant dans la voie qu'il a choisie, ce sont les parent et les enfants qui en sortent gagnants. »

KIM SAINT-PIERRE
Née le 14 décembre 1978 à Châteauguay, Québec
Gardienne
5 pi 8 po
150 livres

Médaille d'or, Équipe de hockey féminin du Canada, Jeux olympiques de Vancouver, 2010
Médaille d'or, Équipe de hockey féminin du Canada, Jeux olympiques de Turin, 2006
Médaille d'or, Équipe de hockey féminin du Canada, Jeux olympiques de Salt Lake City, 2002
Championne du monde, Équipe de hockey féminin du Canada, 1999, 2000, 2001, 2004, 2007

(On peut consulter le palmarès complet de Kim Saint-Pierre sur son site Internet, au www.kimstpierre.com)

MICHAEL CAMMALLERI

Michael Cammalleri a grandi à Richmond Hill, une banlieue cossue de Toronto où il fait bon vivre. Doué dans biens des disciplines, Michael a hérité des habiletés sportives de son père Leo, un fils d'immigrants italiens, né au Canada mais dont les parents, eux, étaient originaires de la Sicile, cette grande île située au sud du pays et qui baigne dans la mer Méditerranée.

Ruth Gelbard, la mère de Michael, est aussi une fille d'immigrants qui avaient choisi de refaire leur vie à Toronto. Les parents de Ruth, tous deux Juifs et survivants de l'Holocauste, s'étaient rencontrés en Suède. Lui s'était sauvé de la Pologne et elle de la défunte Tchécoslovaquie.

Premier enfant de ce couple peu orthodoxe, Michael est né le 8 juin 1982. Quatre ans plus tard, le 6 mai 1986, la famille s'agrandit avec la venue de la petite Melanie. Les enfants grandissent dans l'amour et le respect, en harmonie avec les traditions religieuses différentes dont ont hérité les deux familles. À Noël, la fête se déroule chez les grands-parents Cammalleri, de fervents catholiques. Quand vient le temps de la célébration des huit jours de Hanoucca, ça se passe bien sûr chez les grands-parents Gelbard. Michael n'a pas reçu le sacrement de la communion des catholiques ni la confirmation religieuse, le Bar Mitzvah, des juifs. Comme sa sœur, il s'est forgé sa propre opinion de ce qui est bon et mal, sans embrasser l'une ou l'autre de ces doctrines.

Peut-on dire que, de manière inconsciente, les Cammalleri ont adopté la « religion du hockey » ? Les parties du vendredi soir et les tournois du week-end sont rapidement devenus des événements familiaux rassembleurs. Et comme tous les fidèles croyants, peu importe la confession, le jeune Michael était guidé par une petite flamme intérieure... et la sienne lui a toujours laissé croire qu'il deviendrait l'un des meilleurs joueurs de hockey au monde.

* * *

Comme la plupart des jeunes Canadiens, Michael Cammalleri a trois ans la première fois qu'il enfile une paire de patins. Le souvenir demeure vague aujourd'hui pour la vedette du Canadien. Son père Leo n'a toutefois rien oublié de cette journée de février 1985. Pour un père qui aime le hockey, amener son fils patiner pour une première fois représente un geste symbolique qui demeure gravé dans la mémoire pour toujours, au même titre que la première partie de pêche ou la première ballade à vélo sans les petites roues d'appui. Ceux qui n'aiment pas le hockey ne peuvent pas comprendre. Mais pour les mordus de ce sport extraordinaire, ce moment demeure inoubliable et aucun détail ne tombe dans l'oubli, peu importe les années qui passent. Pour eux, le souvenir des premiers coups de patins subsiste à perpétuité et cet instant devient comparable aux premiers pas d'un bébé ou au premier mot correctement articulé.

Leo Cammalleri ne fait pas exception. Son accent traduit ses origines, mais dans son âme il est probablement plus Canadien qu'Italien. Sportif naturel particulièrement doué pour le soccer, le basketball, le golf et le football, Leo n'a pas beaucoup joué au hockey organisé dans sa jeunesse mais il était amoureux de ce sport et chaque jour, dans sa rue, les matchs se succédaient sans cesse. Pas surprenant qu'il fasse partie de cette race de parents pour qui les premiers coups de patin demeurent un événement figé dans le temps.

« J'ai oublié la date, mais quand même, je me souviens encore parfaitement de cette journée. Il faisait un temps glacial et ça ne donnait pas tellement le goût d'aller jouer dehors. J'étais à la maison avec mon épouse Ruth et notre petit Mike s'ennuyait. Je me suis dit que c'était une bonne occasion d'aller lui acheter une paire de patins. Bien entendu, en sortant du magasin il a fallu les essayer tout de suite ! Il y avait un petit étang pas très loin de la maison et c'est là que tout a commencé pour Mike. Je le revois encore partir timidement en marchant sur les lames et en essayant de garder l'équilibre. Il avançait d'un pas, tombait, se relevait et recommençait. »

L'expérience se répète régulièrement au cours des semaines suivantes et le petit Michael gagne en confiance. Ruth aussi amène son fils patiner et malgré le froid, le petit Michael insiste toujours pour rester un peu plus longtemps. « Encore un peu, s'il te plaît », répète-t-il à chaque fois ! Après quelques séances, il se débrouille suffisamment bien pour que quelques mois plus tard, au début de l'automne 1986, Leo décide de l'inscrire au hockey mineur avec les autres jeunes de son âge… en fait, presque de son âge !

Lorsque la personne en charge des inscriptions à Richmond Hill lui demande la date de naissance de son fils, Leo ment sur l'âge de son rejeton. Plutôt que de dire que son garçon était né en 1982, il tente sa chance et prétend que Michael a vu le jour en 1981. Personne ne demande de pièces justificatives et même s'il n'a que quatre ans, le petit bonhomme pourra commencer à évoluer dans la ligue organisée réservée aux jeunes de cinq ans.

« Je m'en souviens avec une clarté stupéfiante ! On avait des chandails rouges commandités par la Banque Scotia ! J'étais vraiment fier », se souvient l'attaquant vedette du Canadien.

« Michael n'était pas un très bon patineur comparé aux autres petits gars. Il avait patiné à quelques reprises mais il n'avait jamais suivi de cours et plusieurs jeunes étaient pas mal plus avancés que lui. Curieusement, il semblait par contre déjà comprendre certaines tactiques du jeu. Comme c'est fréquent à cet âge, les autres suivaient la rondelle comme un essaim mais Mike restait à l'écart du groupe en attendant qu'elle se libère et il s'en emparait tout de suite pour filer seul vers le filet », n'a pas oublié Leo.

Au fil des entraînements, Michael améliore son coup de patin. En 1988, alors qu'il devrait se retrouver avec des enfants de six ans, on le place dans une équipe qui compte des joueurs de sept et huit ans. Plus petit que les autres, il ne voit même pas ce qui se passe sur la patinoire quand il est assis au banc !

« Je lui ai dit de toujours rester debout pour voir ce qui arrive sur la glace. Quand tu es assis, tu ne vois rien donc tu n'observes rien et tu perds ton temps. Debout, tu peux voir ce que les autres font et c'est comme ça que tu peux apprendre », lui avait expliqué son père.

MICHAEL SAUTE LES ÉTAPES

Dès la saison suivante, Michael se joint aux réputés Kings de Vaughan, l'équipe qui représente sa région au niveau AAA. C'est une organisation bien structurée qui développe les joueurs d'élite âgés entre huit et seize ans. À cette époque, un jeune attaquant de treize ans fait énormément parler de lui en raison de ses prouesses. Il s'agit d'un certain Jeff O'Neil qui jouera éventuellement dans la LNH pendant onze saisons avec les Whalers, les Hurricanes et les Maple Leafs.

Michael ne sera peut-être jamais aussi bon que O'Neil mais il attire néanmoins l'attention malgré son jeune âge. Même s'il n'a que sept ans, on fait une entorse aux règlements et il passera l'hiver avec les Kings AAA. Plus jeune joueur du groupe, il se retrouve inévitablement le dernier à choisir son chandail lorsque l'entraîneur dépose la boîte au milieu du vestiaire, une fois la sélection finale terminée. Le seul chandail disponible est le 13… un numéro maudit que personne n'ose alors porter dans la LNH.

« Oh que je me souviens de cet instant ! J'allais me précipiter vers la boîte quand mon père m'a attrapé par le bras et m'a ordonné d'attendre, car j'étais le plus jeune. Quand je me suis approché, j'ai bien vu qu'il ne restait que le 13. J'étais terriblement triste parce que le seul joueur que je connaissais et qui jouait avec ce numéro, c'était Ken Linseman. À chaque Noël, je recevais toujours la dernière cassette *Rock'em Sock'em* de Don Cherry et il présentait une séquence où il disait : "Regardez bien, le numéro 13, c'est Kenny Linseman et il va marquer dans son propre filet !" C'est tout ce que je connaissais du 13 et ça me rendait malade de savoir que ça allait être mon numéro pour toute l'année ! Mais mon père m'a raconté qu'au *high school*, il avait lui-même arboré ce numéro au football et au basketball. Je n'ai pas été fâché très longtemps et j'ai trouvé ça cool, finalement, de poursuivre la tradition de mon père avec ce chiffre maudit ! », raconte Michael.

L'aventure ne débute pas comme Mike et son père l'avaient anticipé. Les points ne viennent pas et le jeune commence à se décourager. Au bout de deux mois, l'entraîneur-chef rencontre Leo pour lui proposer de placer son fils au sein d'une autre formation moins forte.

— Leo, je crois qu'on s'est peut-être trompé en prenant Michael avec nous chez les huit ans. C'est difficile pour lui, surtout au AAA. Ça serait certainement mieux pour lui d'aller jouer avec les petits gars de son âge.

— Je pense que ses patins sont trop grands. Ça paraît peut-être curieux comme histoire, mais demain j'irai lui en acheter une autre paire à sa pointure et je suis persuadé qu'il jouera beaucoup mieux ensuite. Les choses vont changer pour Mike. J'aimerais attendre avant de lui dire qu'il n'est pas à sa place. Soyez patient pour quelque temps encore, s'il vous plaît.

Leo avait bien analysé la situation. Avec ses nouveaux patins Michael se met progressivement à mieux jouer. À tel point qu'il termine le calendrier régulier au troisième rang des pointeurs de son club. Le paternel avait vu juste, mais en même temps, c'était un peu gênant !

Le jeune Cammalleri a pris du gallon dans la ligue des huit ans mais à la fin de la saison il aura quand même l'opportunité d'aller disputer des rencontres avec les garçons de son âge. Leo se souvient de cette journée du printemps 1990 où son fils avait quitté l'aréna sans ôter son équipement, car il devait vite aller donner un coup de main aux plus jeunes.

« L'équipe régulière de Michael venait de se faire éliminer des séries éliminatoires et il avait donc la permission de se joindre au club des sept ans. Il n'a même pas ôté ses patins tellement le temps pressait ! Il s'est couché sur la banquette arrière dans la voiture pour se reposer un peu, car nous avions presque une heure de route à faire pour nous rendre de l'aréna de Markham à celui de Georgetown. Quand nous sommes finalement arrivés, la deuxième période venait de commencer et notre équipe accusait un retard de 4 à 1. Mike a marqué sept buts et nous avons gagné 8 à 7 ! C'était la première fois qu'il se mesurait à des gars de son âge. »

* * *

La vie des Cammalleri se déroule paisiblement et harmonieusement. Comme bien des enfants de son âge, le petit Michael passe tout son temps libre à pratiquer des activités sportives. Si le hockey demeure sa véritable grande passion, les balles et les ballons de toutes sortes exercent une forte attraction sur lui. L'été, malgré les demandes répétées de Mike et les offres qui venaient de partout, Leo n'a jamais voulu que son fils chausse les patins. Il était primordial pour lui que son garçon s'adonne à d'autres sports pour qu'il développe sa créativité. Très doué au soccer, Michael a pratiqué ce sport au niveau AAA, la catégorie la plus forte de l'Ontario, de huit ans jusqu'à l'âge de treize ans. Il a aussi joué au baseball pour le plaisir mais quand il a abandonné le soccer, c'est le golf qui l'a enthousiasmé pendant les étés suivants. Michael excellait aussi dans ce sport et à l'adolescence, il s'est même distingué dans quelques tournois.

« À treize ans, mon père m'a demandé de lâcher le soccer parce qu'il ne voulait plus que je pratique un sport de contact douze mois par année. Ça ne paraît peut-être pas mais le soccer est un sport très dur et il désirait que mon corps prenne un vrai répit l'été. Le golf est alors devenu ma principale activité estivale et j'adorais ça », se rappelle Michael.

Même s'il tire son épingle du jeu dans quelques autres sports, le hockey demeure la principale passion du jeune Michael.

« J'ai hérité de la passion des sports de mon père et absolument tous mes souvenirs d'enfance tournent autour de ça, raconte Michael en souriant. Jamais rien n'a pu battre mon amour pour le hockey. Je jouais dans la rue avec mes amis, j'allais à mes entraînements ou mes matchs et on jouait ensuite pendant des heures dans le sous-sol. On ne faisait que ça ! Je me rappelle que quand nous allions chez mes grands-parents, mon père et mes oncles venaient parfois jouer avec nous dans le sous-sol puis quand ils retournaient ensuite à l'étage pour discuter entre adultes, je me demandais invariablement quelles activités pouvaient bien leur procurer plus de plaisir que jouer au hockey en bas avec moi ! Rien ne pouvait battre ça et je trouvais ça tellement dommage pour eux, car dans mon esprit ils perdaient vraiment leur temps en haut !

« Entre six et dix ans, mon meilleur ami se nommait Chris Large et il était aussi fou et passionné que moi. Dans son sous-sol, il y avait des bandes comme sur une vraie patinoire et on passait tout notre temps libre ensemble. Un de nous deux faisait le gardien et l'autre l'attaquant et on alternait. On était tellement maniaques, Chris et moi, qu'on passait des heures à s'entraîner au jeu du gardien qui sort de son filet pour arrêter la rondelle derrière son but ! On trouvait ça cool ! J'ai tellement de beaux souvenirs de mon enfance avec Chris alors que tout notre univers tournait autour du hockey. Je me souviens que mon père nous avait amenés rencontrer Bobby Orr qui signait des autographes chez un concessionnaire automobile et nous avions apporté un bâton chacun pour le faire signer... J'ai encore le mien, d'ailleurs, c'est un Christian bleu et blanc.

« Une journée qu'on jouait dans la cour, chez Chris, et que c'était moi le gardien, je ne sais trop pourquoi mais je l'ai défié en lui disant que je lui donnerais cent dollars s'il marquait un but du fond de la cour. C'était carrément impossible qu'il réussisse ça ! Sans dire un mot, il est rentré dans la maison et il en est ressorti en courant avec son bâton de Bobby Orr. Quand j'ai vu ça, je me suis dit qu'il pouvait marquer avec ce bâton-là et que j'en aurais pour cent ans à payer ma dette... C'était un bâton magique puisqu'il était signé par Bobby Orr. Chris s'est élancé pour prendre le lancer frappé le plus payant de sa vie... et il a raté son coup. La palette a heurté le sol avant la balle et il a cassé son bâton sur l'asphalte. Je n'oublierai jamais ce moment-là de toute ma vie. Pour lui, comme pour moi, c'était un drame épouvantable », raconte Michael, les yeux brillants d'émotion en repensant à ces belles années de son enfance.

* * *

À l'automne 1990, Michael retourne avec les Kings AAA de Vaughan. À ce moment, il a huit ans et le scénario est identique à celui de la saison précédente alors qu'il concède un an à tous les autres joueurs. Il y a toutefois une grande différence : il entame l'année avec des patins de la bonne pointure ! Cette fois, il n'attend pas la mi-saison pour éclore. Michael sort de sa coquille dès les premières joutes et il conclut la campagne au premier rang des marqueurs de sa formation. La table est mise pour que le jeune homme de Richmond Hill suive les traces de Jeff O'Neil, qui avait donné certaines lettres de noblesse à l'organisation des Kings. Mais la jeune carrière de Michael prend une tournure inattendue au cours de l'été de 1991.

« Mike vieillissait et j'ai réalisé que même s'il se tirait très bien d'affaire avec des gars plus vieux d'un an, socialement ce n'était peut-être pas la solution idéale pour lui. J'ai donc décidé que pour la première fois de sa vie, il jouerait dorénavant avec des garçons de son âge. Cette année-là, il a été vraiment très dominant au sein de la ligue AAA », explique Leo.

LA FAMEUSE METROPOLITAN TORONTO HOCKEY LEAGUE

Les réussites de Michael ne laissent personne indifférent dans la grande région de Toronto, et même s'il n'a que dix ans, des formations convoitent maintenant ses services.

Si la popularité du hockey mineur périclite dangereusement sur l'île de Montréal, il n'en est rien dans la Ville Reine où la Metropolitan Toronto Hockey League offre sans conteste l'un des calibres de hockey mineur les plus relevés sur la planète. Rebaptisée la Greater Toronto Hockey League, en 1998, cette ligue rassemble environ 5000 jeunes hockeyeurs. Au niveau AAA, ce circuit se veut en quelque sorte une version de la LNH pour enfants comme en font foi les budgets dont certaines équipes profitent.

Puisque Michael a démontré qu'il était nettement supérieur aux autres joueurs de son âge, Leo considère qu'il serait probablement préférable que son fils quitte les Kings de Vaughan afin de goûter à un meilleur niveau de compétition. Leo est persuadé que Michael trouvera assurément son compte dans la prestigieuse MTHL. Plusieurs organisations tentent de recruter le jeune Cammalleri et toutes les ruses sont bonnes pour essayer de charmer le père autant que le fils.

« Quelques équipes nous ont même promis qu'elles n'aligneraient que deux joueurs de centre si Michael acceptait de se joindre à elles, et qu'ainsi il profiterait d'un meilleur temps de jeu. Mais ces clubs étaient automatiquement rayés de ma liste, car je considérais que ça ne véhiculait pas un bon message pour mon enfant. Puis un certain Craig Clark nous a contactés. Il était coach des puissants Red Wings AAA de Toronto et il voulait que Mike joue pour lui si nous décidions de nous joindre à une formation de la ville. Je l'ai observé et j'ai aimé sa façon de travailler avec les jeunes. Nous avons donc décidé que Mike quitterait les Kings et l'Association de hockey mineur de l'Ontario pour cette équipe de la MTHL. »

Pour procéder à ce changement d'équipe et de ligue, Michael doit cependant quitter la banlieue opulente de Richmond Hill et désormais résider sur le territoire de la MTHL. Ce n'est guère un obstacle puisque sa grand-mère maternelle habite à l'extrémité sud de Toronto et qu'il suffira de l'inscrire à l'adresse de celle-ci. Théoriquement, ce n'est qu'une simple formalité, car plusieurs familles procèdent de cette façon pour permettre à leur enfant de poursuivre leur développement dans ce prestigieux circuit. Pour les joueurs d'élite, cette pratique est monnaie courante.

« Ce n'était pas permis d'agir ainsi mais mon père avait tout arrangé ! », s'esclaffe Michael en y repensant.

Mais le jeune Cammalleri n'est pas un joueur comme les autres. Il n'a peut-être que dix ans, mais c'est un surdoué parmi les surdoués de son âge. Plusieurs formations AAA de la MTHL l'avaient sollicité et il était passé bien près de joindre les rangs des redoutables Marlies. À n'en pas douter, la décision de s'aligner avec les Red Wings crée bien des jaloux.

« On s'est fait avertir d'être extrêmement prudents parce que Mike allait être suivi et même filmé pendant le premier mois. Et il paraît qu'il n'était pas le seul à se faire espionner de la sorte par d'autres équipes frustrées. Je crois par contre que ce n'était que des racontars, car je n'ai jamais surpris quelqu'un à épier mon fils », précise Leo.

Cet épisode n'est nullement surprenant, car la compétition au sein de la MTHL est d'une envergure pratiquement démesurée. L'hiver, les vendredis deviennent des soirées très populaires lorsque les Red Wings envahissent l'aréna de Chesswood, dans le nord de Toronto. C'est là que la prestigieuse organisation a élu domicile, et un soir par semaine, les affrontements se succèdent. L'aréna est toujours bondé de spectateurs. Quand Michael et ses coéquipiers, tous des joueurs nés en 1982, quittent la patinoire, l'équipe des Red Wings de 1981 saute sur la glace et ensuite c'est au tour de celle de 1980 et ainsi de suite. Les joutes ne durent que trente minutes et c'est un feu roulant toute la soirée.

« Comme les matchs étaient brefs, les petits gars sortaient comme des enragés. C'était comme quand on ouvre les barrières pour les courses de chevaux ! C'était intense du début à la fin. C'est pour ça que ça me fait rire quand on parle de pression à Mike ! À dix ans, c'était déjà beaucoup de pression de jouer AAA dans la MTHL. Le petit aréna de Chesswood était plein à craquer et les gens venaient surveiller les joueurs de talent », explique Leo.

Si la pression de la MTHL n'étouffe nullement Michael, un autre genre de problème vient toutefois l'incommoder puisqu'à son arrivée avec les Red Wings, il n'hérite pas du temps de jeu qu'il aurait souhaité et il saute même son tour à l'occasion. Comme les matchs de la MTHL son très courts, il n'a pas tellement le temps de se défoncer comme il en avait l'habitude auparavant. En revenant d'un tournoi au cours duquel l'entraîneur Clark l'avait encore très peu utilisé, il avoue à son père qu'il regrette leur décision.

— Papa, c'est pas normal : je ne joue presque pas. On aurait dû rester avec les Kings.

— Michael, je ne veux plus entendre parler de cette équipe ! réplique Leo en levant le ton de façon autoritaire. Si tes entraîneurs ne réalisent pas quel potentiel tu as, c'est correct. Mais ils vont comprendre très bientôt. Sois toi-même, joue ta *game* et si tu joues trois minutes, tu dois "scorer" trois buts. Si tu joues cinq minutes, comptes-en cinq. Tu sais que tu peux faire ça. C'est une question de temps. Mais ne me parle plus de l'autre équipe... C'est de la pure *bullshit*, tes histoires. T'as qu'à travailler fort et ça va marcher.

La semaine suivante, Michael marque cinq fois alors que les Red Wings signent une victoire de 6 à 1. Le match suivant, il revient à la charge avec quatre filets. Mais son temps d'utilisation demeure tout de même relativement peu élevé. Leo songe alors à donner raison à son fils et l'idée de quitter les Red Wings germe en lui. Plutôt que d'agir sur un coup de tête et de partir en claquant la porte, il convoque Craig Clark pour une brève rencontre.

— Écoute, coach, tu devras te trouver un autre joueur de centre pour l'an prochain. Michael ne reviendra pas avec les Red Wings.

— Comment ça ?

— Il ne joue pas beaucoup et ce n'est pas juste. C'est tout. Je ne suis pas ici pour me plaindre mais tu fais de la politique avec le hockey et ce n'est pas comme ça que ça doit fonctionner. C'est un jeu pour les enfants, pas pour les adultes. C'est correct si tu penses que d'autres jeunes méritent de jouer plus souvent que Michael, mais tu dois comprendre que dans ce contexte, c'est normal qu'il aille jouer ailleurs pour continuer à se développer. On ne veut pas faire de chicane avec ça. Mais je voulais te prévenir qu'il sera ailleurs la saison prochaine.

Après cette rencontre, Michael continue de remplir le filet et il devient assez évident qu'il fait partie de l'élite de la MTHL. Cette fois, c'est l'entraîneur qui demande à rencontrer Leo !

— Bon... On s'excuse pour ce qui s'est produit avec Michael. Au début, nous n'étions pas totalement persuadés qu'il était prêt pour la MTHL mais maintenant on est convaincus ! On aimerait savoir s'il va rester avec nous l'an prochain...

— S'il joue à son tour, bien sûr qu'il va rester ! Je pense que tu es le meilleur coach. Mais tu ne lui as pas donné l'occasion de se prouver.

Michael demeure donc sous les ordres de Craig Clark et quelques semaines plus tard, il connaîtra des séries éliminatoires exceptionnelles. Non seulement reste-t-il avec les Red Wings, mais il sera aussi nommé capitaine dès le début de la saison suivante.

L'association entre les Cammalleri et Clark durera quatre saisons.

« Cet homme a été l'une des personnes les plus importantes dans l'enfance de Mike, du point de vue hockey. Comme entraîneur, il développait les habiletés de ses joueurs mais il leur apprenait des valeurs très importantes, comme le respect et l'éthique de travail. Dans les gradins, on n'entendait jamais Craig Clark crier après un de ses joueurs pour le réprimander. Il criait toujours "Travaille ! Travaille !" C'est le mot qui revenait le plus souvent dans son vocabulaire.

« Son adjoint Guy Dionne et lui avaient toujours une attitude positive avec les jeunes mais quand ça ne fonctionnait pas, ils les traitaient comme des petits professionnels. Ils n'étaient pas durs ou méchants, juste très stricts, et la discipline était primordiale pour eux », explique Leo.

« C'était un coach rusé et très intelligent mais malheureusement pour lui, il avait un œil de verre, ajoute Michael. Je me souviens qu'à un certain moment dans la saison, il nous avait réunis pendant un entraînement pour nous dire qu'il savait qu'il y avait des tricheurs dans l'équipe : "Ceux qui patinent toujours à ma gauche sont des tricheurs. C'est drôle, mais c'est presque toujours les mêmes qui se placent de ce côté. Je sais que ce n'est pas un hasard parce que avec mon œil de verre, vous savez que je ne vois pas tout de ce bord-là." Ça m'avait marqué, car je réalisais qu'il surveillait constamment tout le monde sur la patinoire pendant les exercices ! »

Si les adultes font de la MTHL une grosse affaire, Michael, malgré cette pression qui lui incombe, demeure un enfant comme les autres… enfin presque ! Quand il est à la maison, il descend dans le sous-sol, enfile ses roller-blades et patine sur le ciment en tirant des centaines de rondelles dans le filet. C'est une routine quotidienne pour lui.

« Je travaillais constamment sur de nouvelles feintes et je lançais des rondelles sans arrêt ! Mon père a toujours prêché que la créativité était très importante au hockey. Après un match, il ne me reprochait jamais d'avoir essayé tel ou tel jeu. Il me demandait plutôt si je pouvais améliorer le *move* qui n'avait pas fonctionné en perfectionnant ma feinte pour la rendre plus compliquée pour l'adversaire ! Alors je revoyais le jeu en question dans ma tête et j'imaginais comment j'aurais pu faire pour que ça marche. Mon père avait une maxime qu'il me répétait toujours quand je manquais un jeu : il faut d'abord mal paraître pour bien paraître. Sa philosophie, c'était d'essayer des choses sur la patinoire. Il ne souhaitait pas que je me contente d'exécuter un jeu simple et qui fonctionne, surtout à l'entraînement. Il préférait que je tente quelque chose de compliqué, quitte à tomber et recommencer. Mais à partir du moment où je maîtrisais la feinte en question, j'étais déjà un meilleur joueur de hockey. Je passais donc des heures en solitaire à inventer des nouvelles feintes dans le sous-sol. À douze ans, j'ai inventé un *move* incroyable que j'ai travaillé des centaines de fois mais que je n'ai utilisé pour la première fois qu'une dizaine d'années plus tard lors du match des étoiles de la Ligue américaine en 2005. Rien de compliqué, je me passe la rondelle dans les patins et je la ramène sur mon bâton mais en me positionnant pour finir ma feinte dans un angle impossible. Le gardien pense qu'il m'a battu et glisse… puis à la toute dernière seconde, je ramène la rondelle sur mon revers pour la loger dans le but ! »

« Je n'ai jamais vu un jeune être aussi créatif que lui, déclare Craig Clark. Pendant un entraînement, si je demandais aux gars d'aller contourner un cône, Michael le faisait toujours en ajoutant un élément de difficulté, de son propre chef. Au lieu de simplement tourner en arrivant au cône, il pouvait faire une feinte avec la rondelle, bouger ses mains ou déplacer son bâton en tournant », rappelle son ancien entraîneur.

Et cette facette de sa personnalité n'a pas disparu maintenant qu'il est une vedette de la LNH. À la fin de presque tous les entraînements, le numéro 13 du Canadien fait du temps supplémentaire en solitaire pour améliorer son maniement de la rondelle.

* * *

Si Michael est un passionné, son père l'est tout autant, lui qui met tout en œuvre pour que fiston réussisse. La plupart des dimanches matins, après les séances d'entraînement avec les Red Wings, ils se rendent tous les deux prendre le petit déjeuner au restaurant Golden Grill. C'est un petit rituel dominical important autant pour Michael que pour Leo. Un matin, Leo aperçoit, attablé tout près d'eux, l'entraîneur d'athlétisme de renommée mondiale Charlie Francis, tristement célèbre pour avoir entraîné le sprinteur Ben Johnson, trouvé coupable de dopage aux Jeux olympiques de Séoul en 1988. Le père de Michael fait signe à son fils et ils vont à sa table.

— Bonjour, monsieur Francis. Je me nomme Leo Cammalleri et je vous présente mon garçon Michael.

— Enchanté, monsieur. Heureux de vous rencontrer.

— Est-ce que vous entraînez encore des athlètes... des sprinters ?

— Oui. Votre fils fait de l'athlétisme ?

— Non. Mon gars joue au hockey mais je pense qu'il y a une corrélation entre l'accélération d'un sprinteur et l'explosion qu'un bon patineur doit posséder. La plupart des jeunes s'entraînent à courir sur de longues distances, mais moi je crois fermement que c'est mieux de s'entraîner à devenir sprinteur pour améliorer sa vitesse sur patin. Prendriez-vous Mike dans un de vos groupes ?

— Oui, mais pas tout de suite. Quel âge as-tu, Mike ?

— Onze ans, monsieur.

— C'est ce que je pensais. Tu es encore trop jeune pour ce genre d'entraînement. Voici ma carte, Leo, contactez-moi dans environ trois ans et on va te faire sprinter, mon jeune ami !

Leo conserve les coordonnées de Charlie Francis et, trois ans plus tard, Michael commencera un entraînement régulier de sprinteur sous les ordres de cette sommité. Quand Michael atteindra l'âge de dix-sept ans, une des élèves de Francis, la sprinteuse olympique Angella Issajenko, joint les rangs du club d'athlétisme à titre d'entraîneur et c'est elle qui travaillera désormais avec le jeune hockeyeur. À la même époque, à l'été 1999,

Michael entreprend aussi un entraînement en *power lifting* sous la supervision de l'ancien champion canadien, Raph Chelio. À voir comment Leo a entouré son fils, on comprend très bien pourquoi il n'y a pas de demi-mesure avec Michael!

BÂTI POUR LE TOURNOI PEE-WEE DE QUÉBEC

La saison 1995-1996 est marquée par un événement qui aujourd'hui encore demeure bien vivant dans la mémoire des Cammalleri: le Tournoi international pee-wee de Québec. Toutes les puissantes formations de la MTHL commencent à recruter et développer les plus jeunes avec l'objectif ultime d'amener leur groupe à maturité à temps pour triompher au tournoi de hockey mineur le plus prestigieux au monde.

Cela va de soi, les Red Wings de Toronto composés de joueurs de 1982 ne font manifestement pas exception. Depuis l'automne 1992, la troupe dirigée par Craig Clark se prépare pour gagner cette compétition dans la Vieille Capitale – surtout qu'à l'époque, le trophée de la catégorie élite internationale se retrouve presque toujours dans les mains d'un club de la MTHL et, plus souvent qu'autrement, dans celles des joueurs des Red Wings.

« L'année précédant notre présence à Québec, les Red Wings de 1981 n'avaient pas gagné le tournoi pee-wee. Mais les 1980 et les 1979 étaient revenus à Toronto avec le trophée des champions de la fameuse Coupe du Monde. À cette époque, les Red Wings étaient la plus grande dynastie du hockey mineur au Canada. Honnêtement, en gardant les choses dans leur contexte, on ressentait pratiquement autant de pression que ce que je peux vivre aujourd'hui dans la Ligue nationale », rappelle Michael, les yeux encore brillants en repensant à ces belles années de sa vie.

Ses souvenirs sont demeurés aussi intacts que précis. En janvier 1996, alors que les Red Wings de Toronto se présentent au Colisée de Québec, ils jouissent effectivement d'une réputation qui déborde largement les frontières du Canada. L'année précédente, le trophée de la Coupe du Monde avait été gagné par la formation de Syracuse, dans l'État de New York, à la suite d'un gain en finale contre les Young Nationals de Toronto, une équipe de la MTHL. Mais en 1994, les Red Wings avaient triomphé à Québec en battant les Kings Junior de Los Angeles alors qu'en 1993, ils avaient disposé des Maple Leafs Junior de Toronto pour mettre la main sur la Coupe du Monde.

« On savait ce qui nous attendait, car d'autres parents nous avaient raconté à quel point ce tournoi est différent de tous les autres. En fait, participer au tournoi pee-wee de Québec, c'est le point culminant d'une carrière au hockey mineur. Malgré l'engouement de la MTHL, jamais un tournoi de hockey présenté à Toronto ne pourrait réussir à attirer une quinzaine de milliers de spectateurs pour voir jouer des garçons de treize ans », poursuit Leo avec enthousiasme.

Mais l'expérience débute plutôt mal pour les Red Wings. Pire, la bisbille s'installe à quelques heures d'un match amical qui doit avoir lieu aux Galeries de la Capitale contre les Flames du Massachusetts, une équipe de joueurs étoile de la région de Boston. Vaincue seulement deux fois depuis le début de la saison, la puissante formation de Toronto devrait trouver chaussure à son pied. Il y a même une rumeur qui circule à l'effet que la troupe américaine pourrait facilement l'emporter. Comme la pression est déjà forte sur les Red Wings, cette histoire fait rapidement boule de neige et tout le monde dans l'entourage de l'équipe ne parle que de l'affrontement face aux Flames. Il y aura foule et on parle même de la présence de dépisteurs de la LNH dans les gradins ! Des parents vont jusqu'à demander à l'entraîneur de n'utiliser que ses meilleurs éléments vu l'importance de cet événement... Avant la partie, Craig Clark se pointe dans le vestiaire comme à l'habitude, mais il est très contrarié par tout ce qu'il a entendu depuis quelques heures.

— Hey, les *boys*, écoutez-moi deux secondes. Les Red Wings ont toujours gagné en équipe depuis le début de la saison. On a gagné des championnats ces dernières années parce qu'on joue en équipe. Là, on est rendu ici, à Québec, et il y en a qui pensent qu'ils vont nous faire gagner en jouant tout seul ! Il y en a qui veulent plus de temps de glace parce qu'ils croient qu'ils sont meilleurs que les autres. Vous savez quoi ? Si vous pensez comme ça, c'est que vous n'avez pas besoin de coach. Vous avez bien entendu, je ne vous coache pas pour ce match. Arrangez-vous tout seul et essayez de gagner.

Clark et ses adjoints tournent les talons sans en rajouter et ils vont s'asseoir dans les gradins, à l'écart des parents. Dans le vestiaire, les jeunes sont stupéfaits. Il règne un silence un peu troublant, car chacun fait un petit examen de conscience en repensant à ce qui s'est passé plus tôt dans la journée. Capitaine des Red Wings, Michael se lève et prend la parole à son tour.

— Bon... nous voilà bien arrangé. On va faire rouler nos trois trios à tour de rôle comme d'habitude. Loutch, tu vas venir avec nous et tu vas surveiller le cadran pour faire les changements de façon équitable. C'est toi qui va nous coacher contre Boston.

Loutch, c'est Luciano Aquino, le petit frère d'Anthony, l'ailier droit de Michael depuis cinq saisons. Plus jeune de trois ans, Luciano est le préposé à l'équipement, une fonction qu'il remplit avec fierté. Cette fois, son mandat sera largement supérieur à ses fonctions habituelles.

Confortablement assis dans les estrades, Clark et ses assistants voient leurs protégés vaincre les puissants Flames du Massachusetts 4 à 0 ! Les p'tits gars ont joué en équipe. La leçon a porté fruits !

Les Red Wings remportent aisément toutes les premières parties du tournoi, ce qui leur permet d'être en bonne position pour le dernier week-end d'activités. Le samedi soir, les petits Torontois feront face à un énorme défi lors du match de quart-de-finale alors qu'ils croiseront le fer avec la redoutable formation de Bratislava, en Slovaquie. Même si cet affrontement est prévu pour 22 h, le Colisée de Québec sera probablement plein puisque les adversaires des Red Wings représentent la ville où sont nés les légendaires frères Peter, Marian et Anton Statsny.

En fin d'après-midi, Leo et Michael se reposent à l'hôtel en prévision de cet affrontement tant attendu. Allongés chacun dans leur lit, ils relaxent en fixant le téléviseur sans vraiment prêter attention à ce qui défile sur l'écran. C'est l'heure du repos et c'est un moment important, car il est inhabituel de devoir disputer une rencontre si tard le soir. Perdu dans ses pensées, Leo regarde son fils pour voir s'il s'est endormi quand il réalise soudain qu'une larme coule sur sa joue. Michael ne sanglote pas. Il n'y a que cette petite larme qui glisse doucement et qui trahit que quelque chose ne tourne pas rond.

— Qu'est-ce qui ne va pas, Michael ?

— Rien du tout. Merci, papa.

— Mais Michael, tu pleures, mon homme.

— Je ne pleure pas. Je suis triste, c'est très différent. Ce soir le coach va adopter une nouvelle stratégie contre Bratislava, car il paraît que cette équipe a un des meilleurs joueurs pee-wee au monde. Paraît qu'il mesure pas loin de six pieds.

— Et qu'est-ce qui ne fait pas ton affaire là-dedans ?

— Ben, il veut que je reste dans les culottes de l'autre gars pendant toute la *game*. Faut pas que je le lâche d'une semelle.

— C'est un méchant beau défi, ça ! Je ne comprends pas ce qui ne fait pas ton affaire là-dedans. C'est une responsabilité très importante, Mike, et si tu fais une bonne job, vous aurez des chances de gagner.

— Mais pourquoi c'est pas le coach des Slovaques qui demanderait à son joueur de me surveiller moi ? Qu'est-ce qui dit qu'il est meilleur que moi ? C'est lui qui devrait essayer de me suivre.

— C'est vraiment ce que tu penses ?

— Heu… oui.

— Ben t'as peut-être raison, Mike. Sauf que c'est pas à moi que tu dois dire ça, mais plutôt à monsieur Clark. Prends le téléphone et appelle-le tout de suite.

Cette dernière phrase ne tombe pas dans l'oreille d'un sourd. D'un bond, Michael se lève, décroche le combiné et demande la chambre de Craig Clark. L'entraîneur accepte de le rencontrer dans les minutes qui suivent.

Lorsqu'il regarde Michael droit dans les yeux et qu'il voit ce regard tellement convaincant, Craig Clark n'hésite pas une seconde et il modifie son plan de match.

— Tu as raison, Michael. On va voir s'il sera capable de te suivre.

Quelques heures plus tard, les Red Wings disposent aisément de Bratislava et de son joueur vedette, un certain Marian Gaborik. Toronto triomphe 6 à 0 grâce à son capitaine Michael Cammalleri qui remporte haut la main son défi personnel avec un but et cinq mentions d'aide. Mais pas le temps de pavoiser, car la troupe rentre à l'hôtel passé minuit et dans quelques heures, il faudra tout recommencer en demi-finale contre les Young Nationals de Toronto, une autre talentueuse équipe de la MTHL.

Défaits en finale l'année précédente contre Syracuse, les Young Nationals n'ont pas l'intention de rater leur coup cette fois-ci. Depuis le début du calendrier, les Red Wings n'ont encaissé que deux revers seulement... et les deux fois contre ceux qu'ils retrouvent maintenant en demi-finale.

L'affrontement est prévu pour dix heures, ce qui ne laisse pas énormément de temps à Michael et ses coéquipiers pour récupérer. Malgré l'heure matinale, le Colisée est pratiquement plein pour ce choc des titans que les Red Wings remportent de justesse 2 à 1 pour accéder à la finale de la prestigieuse Coupe du Monde.

Le match ultime opposera donc les Red Wings de Toronto de la MTHL aux Voltigeurs de Drummondville. Tous les sièges ont trouvé preneur et l'engouement est encore plus grand avec la présence d'une formation québécoise en finale.

Bâtis avec des joueurs soigneusement sélectionnés et en préparation depuis cinq ans pour enlever les honneurs du Tournoi international pee-wee de Québec, les Red Wings se retrouvent pourtant dans le pétrin. Lorsqu'ils retraitent au vestiaire à l'issue de la deuxième période, leurs rivaux sont en avance 3 à 1.

« Leur gardien de but avait été absolument fantastique et on était découragés, se remémore l'attaquant du Tricolore en hochant la tête. Je ne veux pas leur manquer de respect, mais je pense qu'en temps normal, on aurait dû les battre quelque chose comme 5 ou 6 à 1. Mais, cette journée-là, rien ne fonctionnait, même si on dominait largement au chapitre des tirs. On travaillait pour ça depuis cinq ans. On était presque rendus à notre but et voilà qu'on était en train de vivre un cauchemar. »

Mais les Voltigeurs devront tenir le coup une autre période avant de pouvoir célébrer. Au début du troisième engagement, Michael amorce une séquence puis refile la rondelle à Johnny Dumphey qui touche la cible avec un tir dans la lucarne du côté de la mitaine. C'est 3-2.

Les Torontois continuent de bombarder le filet mais ils se butent à un gardien qui refuse de céder. Alors que le temps s'égrène et que le troisième tiers tire à sa fin, le valeureux capitaine des Red Wings, posté près de la rampe, entre le cercle de mise au jeu et la ligne bleue, intercepte une sortie de zone des Voltigeurs. Il décampe vers le filet, coupe sur sa gauche et loge le disque dans la partie supérieure du filet pour provoquer l'égalité et l'hystérie au banc de son équipe.

« Quand j'ai compté, j'ai tout de suite su qu'on allait gagner le match », se souvient Cammalleri qui garde encore en mémoire tous les moindres petits détails de cette journée grandiose.

En prolongation, Patrick Barbieri procure effectivement la victoire aux Red Wings de Toronto, qui inscrivent ainsi leur nom sur la Coupe du Monde pour une troisième fois en quatre ans.

* * *

La conquête du Tournoi international pee-wee de Québec aura été le point culminant de cette année de rêve. Michael et ses coéquipiers connaissent un parcours presque parfait lors de cette saison 1995-1996 alors qu'ils ne baissent pavillon qu'à trois reprises seulement pendant le calendrier régulier. Non satisfaits d'avoir connu un parcours sans faille à Québec, ils remportent également cinq autres tournois de façon aussi éclatante sans trébucher une seule petite fois. Le scénario se répète aussi lors des séries éliminatoires où ils ne subissent jamais les affres de l'échec.

Au printemps, Craig Clark quitte les commandes des Red Wings de 1982. Il avait pris charge de ce groupe avec un objectif clair en tête et il avait atteint son but en remportant le tournoi de Québec. Il est temps pour lui de passer à autre chose.

« Michael est le joueur d'équipe ultime, lance Clark en repensant à ces belles années à la barre des Red Wings. En cinq ans, on a gagné beaucoup de tournois et ses ailiers recevaient toujours le titre de joueur par excellence tellement Michael les faisait bien paraître. Il faisait toujours passer les intérêts de l'équipe en premier et il rendait tout le monde meilleur autour de lui sur la patinoire. »

Michael, de son côté, tourne la page de la catégorie pee-wee en sachant qu'il n'oubliera certainement pas de sitôt les aventures des deux dernières années.

En juin, il célèbre son quatorzième anniversaire de naissance. Dans quelques semaines, il passera dans les rangs bantams où la compétition risque d'être plus féroce.

LES BLUES DE BRAMALEA

Au début de la saison 1996-1997, la puissante machine des Red Wings écrase sur son passage toutes les autres formations de la MTHL. Le club est encore plus fort que la saison précédente et chaque sortie se solde par un triomphe fracassant. Le groupe de Michael est devenu un rouleau-compresseur qui pulvérise impitoyablement l'adversaire. Les victoires s'accumulent sans effort mais Michael ne s'amuse plus. Pire, il a l'impression de perdre son temps au sein de cette équipe d'étoiles.

« On avait un nouveau coach qui avait recruté quelques nouveaux joueurs et nous étions tellement forts qu'on battait le club de deuxième position par des score de 6 ou 7 à 0. »

La saison est à peine vieille d'un mois quand il exprime à Leo son intention de quitter les Red Wings.

— Papa, je suis tanné de jouer avec mon équipe. On est beaucoup trop dominants. On gagne toujours 7-0 ou 8-0 et je n'apprends rien. On gagne sans forcer. Notre gardien est prêt cinq minutes avant la *game* parce qu'il sait qu'il ne recevra pas de lancers. En plus, les gars niaisent tout le temps et plus personne ne prend ça au sérieux. Moi je veux m'améliorer. Je veux de la compétition, pas des petites parties ennuyantes où on n'a jamais besoin de se forcer.

— C'est si pire que ça ?

— Oh que oui ! En plus, tu devrais voir l'attitude des gars. Tout le monde s'en fout ! Dans le fond, ça ne donne rien de jouer parce qu'on sait déjà avant chaque partie que ça va être un massacre.

Je pense que ça fait trois ans que je n'ai pas pris une mise au jeu qui était importante…

— Ouais… Faudrait voir si on peut te faire monter de groupe. Ça serait probablement la meilleure solution, Mike.

— Sûrement, papa. C'est peut-être bizarre, mais ce que j'aimerais, c'est me retrouver dans des matchs où mon club tire de l'arrière par un but. Je ne me souviens pas de la dernière fois que c'est arrivé.

En théorie, les souhaits de Michael ne devraient pas être difficiles à résoudre. Mais quand Leo contacte le propriétaire des Red Wings, il ressent une certaine opposition de sa part qui se concrétise quand, à la fin de la conversation, il demande à ce que Michael et lui viennent le rejoindre pour une réunion avec les gérants des deux clubs bantam.

Sur le chemin du rendez-vous, Leo regarde son fils et il lui explique que c'est lui qui devra trouver le moyen de vendre sa salade. À quatorze ans, c'est à lui de prendre ses responsabilités et le paternel n'a pas oublié comment Michael avait réagi à Québec avant le match de quarts-de-finale contre Bratislava.

Les trois représentants des Red Wings sont plutôt rébarbatifs face à la demande des Cammalleri, mais l'adolescent reste sur ses positions et il ne leur donne pas tellement le choix d'accepter sa requête.

Il demeure donc au sein de l'organisation des Red Wings, mais en graduant dans l'équipe de 1981, soit avec les joueurs de quinze ans. À ce moment, la troupe se situe en quatrième place du classement général et l'opposition sera beaucoup plus forte, comme Michael le souhaitait. Qu'à cela ne tienne, il s'avère encore l'un des meilleurs éléments de sa formation.

À l'aube de ses quinze ans, il devient maintenant impératif de prendre une décision qui pourrait avoir un impact direct sur l'avenir de l'adolescent de Richmond Hill : où jouera Michael l'automne suivant ? Bantam, deuxième année ? Il sera manifestement trop fort. Les rangs midget ne séduisent pas plus les Cammalleri. La Ligue junior de l'Ontario (OHL)… C'est une option, mais le jeune homme lorgne vers les universités américaines. Reste la Ligue Tiers II de l'Ontario qui représente possiblement la meilleure alternative selon eux. C'est un circuit compétitif mais surtout très robuste où il y a des bagarres à profusion et quelques matamores de vingt ans !

Après avoir pesé le pour et le contre, Michael et son père arrêtent finalement leur choix sur la Ligue Tiers II et le jeune joueur de centre se retrouve ainsi avec les Blues de Bramalea, dirigés par Lindsay Hofford. Le contrat est à peine signé que déjà l'entraîneur sert un premier conseil à sa future recrue.

« Tu vas t'améliorer rapidement avec nous, ça je te le garantis. Mais dans deux ans, tu n'auras plus rien à prouver dans ce circuit. Alors, pour ne pas stagner dans le Tiers II et continuer à te développer, tu devras éventuellement songer à la OHL. Je sais que tu veux aller jouer dans une université américaine, mais tu seras trop jeune et tu n'auras pas terminé tes études au *high school*. Alors arrange-toi pour faire trois ans de cours pendant les deux prochaines années et, comme ça, tu vas sauter une année scolaire pour aller à l'université à dix-sept ans, un an plus tôt que prévu. Si tu veux que ça marche, commence dès cet été, mon homme », avait sagement avisé Hofford.

Et Michael est drôlement décidé pour un garçon qui s'apprête à célébrer son quinzième anniversaire. Lors de cet été 1997, l'adolescent amorce déjà des cours accélérés pour concrétiser ses plans et pouvoir quitter l'école Country Day de King City un an plus tôt que prévu.

Le jeune Cammalleri passe donc l'été sur des bancs d'école. L'automne arrivé, il suit des cours du soir ainsi que quelques autres par correspondance. S'il désire réellement mettre son plan à exécution et sauter une année de secondaire, il devra maintenir cette cadence infernale pendant deux ans.

Élève appliqué, Michael se débrouille très bien à l'école. Et dans les cours d'éducation physique, il démontre qu'il a un talent naturel pour tous les sports. Son professeur de l'époque à Country Day, Mark Burleigh, a été marqué par les habiletés extraordinaires de cet adolescent.

« Un jour, j'attendais les élèves pour mon cours et, pour m'amuser, je m'entraînais à une feinte assez compliquée au basketball. Premier arrivé, Michael m'a demandé de la refaire et il a tout de suite voulu le ballon. Il s'est exécuté et il l'a expédié directement au centre du panier du tout premier coup. C'était aussi un joueur de soccer phénoménal. Il avait une coordination que l'on ne voit que très rarement entre le cerveau et le corps. En plus, c'était un jeune homme mature et déterminé qui réussissait toujours tout ce qu'il entreprenait. »

Point de vue hockey, comme ce fut le cas avec Craig Clark qui l'a eu sous son aile pendant quatre saisons avec les Red Wings, Lindsay Hofford, le pilote des Blues, aura une grande influence sur le cheminement de Michael.

« Lindsay était tout un coach mais il était extrêmement exigeant. C'était un individu qui nous traitait durement mais justement. Je me souviens encore de mon premier match avec les Blues. C'était la première partie de la saison et les Chargers de Mississauga nous avaient infligé une correction en règle, chez nous à Bramalea. Après la défaite, il était rentré dans le vestiaire et il nous avait ordonné de ne pas retirer notre équipement. Puis il m'avait regardé, moi et trois ou quatre autres jeunes qui n'avaient pas de voiture, et il nous avait demandé d'avertir nos parents qu'ils pouvaient rentrer à la maison sans nous. Quelqu'un allait nous ramener. Et puis, nous sommes demeurés dans le vestiaire, tout habillés, pour visionner le film du match pendant les trois heures suivantes. On a revu toutes les séquences et il arrêtait la cassette après chaque jeu sans exception. Il parlait fort et il nous questionnait sur chacune des décisions qu'on avait prises pendant le match. Quand il a finalement appuyé sur *stop*, il était près de deux heures du matin. Pour lui, il n'y avait pas de différence, j'étais un de ses joueurs. Je n'étais pas un jeune de quinze ans parmi des gars de vingt ans. Et il faut aussi préciser que Lindsay était un très bon technicien et un enseignant hors pair. »

Collectivement, les Blues ne connaissent pas énormément de succès pendant cette saison de 1997-1998. L'histoire est fort différente sur le plan individuel. Costaud et trapu pour un adolescent de quinze ans, Michael n'est pas du tout intimidé par ses rivaux même s'il est le plus jeune joueur de la ligue. Ses exploits ne restent certainement pas inaperçus et dès la mi-saison, il se passe rarement une journée sans que le facteur n'apporte une nouvelle lettre d'invitation de la part d'une université américaine intéressée à lui offrir un *scholarship* dans son programme de hockey.

Le mot se passe rapidement que le jeune Cammalleri lorgne du côté des États-Unis et toutes les institutions sérieuses tentent de l'attirer dans leur équipe.

COURTISÉ DE TOUTES PARTS

Les invitations fusent de partout mais Michael a déjà une idée derrière la tête. Malgré la montagne de lettres de séduction qui ont été acheminées à leur adresse, les Cammalleri ne considèrent sérieusement que l'Université du Michigan et l'Université Michigan State. Michael et ses parents ne visitent donc que ces deux maisons d'enseignement, et de façon non officielle, car les règles ne permettent pas de conclure un pacte impliquant un élève de seulement quinze ans.

« Je suis allé voir un match des Wolverines à Michigan et j'ai dit à mon père que c'est là que je voulais jouer et nulle part ailleurs. Cette équipe est au hockey universitaire ce que le Canadien de Montréal est à la LNH. Il y avait le coach Red Berenson, les fans, l'amphithéâtre, l'histoire... J'étais sous le charme », raconte Michael avec verve.

Après la partie, le père et le fils rencontrent l'entraîneur-chef des Wolverines.

— Alors ? Comment t'as trouvé la partie et l'ambiance ici ?

— C'est fantastique ! Même que c'est décidé, monsieur. C'est ici que je veux jouer. Et même que je prends mes cours de *high school* en accéléré pour sauter une année. Je pourrais me joindre aux Wolverines dans un an et demi, à dix-sept ans.

— T'as vu le match ? C'est du gros hockey pour un jeune de dix-sept ans et malgré tout ce que j'ai entendu dire sur toi, je ne suis pas certain. Habituellement, ici on ne prend pas de gars avant dix-huit. On va te suivre avec ton club et on en reparlera, conclut Berenson qui n'avait jamais vu jouer Michael.

Quelques semaines plus tard, Gordon « Red » Berenson se déplace à Burlington pour assister à un match des Blues. Les observateurs du monde du hockey sont un peu surpris de voir le grand patron de Michigan assister à ce match. Au cours des dernières années, Lindsay Hofford avait envoyé six de ses joueurs à Michigan State, dont l'Américain Mike York qui avait fait sensation à Bramalea avant de connaître énormément de succès ensuite dans la NCAA. Dans l'esprit de tous, jouer sous les ordres de Hofford signifiait donc poursuivre avec Michigan State.

Ce soir-là, pour la première fois de la saison, l'entraîneur utilise son jeune prodige au centre. Deux semaines auparavant, Michael était demeuré au banc après un match des siens pour parler à monsieur Hofford seul à seul.

— Coach, vous me faites jouer à l'aile mais je suis bien meilleur au centre. J'ai joué là toute ma vie. C'est la première fois que je joue à l'aile

— Ah, bon ?

— Si je vous prouve que je suis meilleur qu'un gars de vingt ans, me laisserez-vous jouer au centre même si je n'ai que quinze ans ?

— Si tu es meilleur... c'est certain ! Mais tu devras me le prouver de façon convaincante.

— Mais me donnerez-vous la chance de le prouver ?

— Ben oui... On va voir à ça. Mais faudra que tu sois fiable en défensive.

— Vous allez voir, je ne vous laisserai pas tomber.

« Mike était tellement dominant au hockey mineur qu'il avait toujours le contrôle de la rondelle, relate son ancien entraîneur des Blues. À son arrivée à quinze ans, c'était déjà un joueur de centre extrêmement doué mais vu son jeune âge, j'avais décidé de le placer à l'aile, où il aurait moins de responsabilités en défensive et ça me donnait aussi la chance de l'utiliser sur le premier trio. Quand il a demandé à me parler à ce sujet, j'étais assez impressionné parce que c'est difficile pour une recrue de venir voir un coach dans mon genre pour s'exprimer. Les gars étaient toujours sur le qui-vive avec moi et ce n'est pas tout le monde qui osait m'approcher comme ça ! »

Hofford attendra trois matchs avant de finalement laisser à sa recrue la chance de jouer au centre. Le destin a voulu que ça se passe pour cette première fois sous les yeux de Red Berenson.

Menés par Cammalleri, les Blues l'emportent 5 à 3. Michael termine sa soirée de travail en participant à tous les buts des siens grâce à une récolte de trois buts et deux passes.

En sortant du vestiaire, Hofford empoigne fermement Mike par la manche de son veston. Il le fixe droit dans les yeux avec un regard habituellement précurseur de sérieuses représailles. Michael se demande ce qu'il peut bien avoir fait pour avoir ainsi soulevé l'ire de son entraîneur. Mais le coach n'est pas en colère – loin de là !

— Écoute-moi bien, Michael. Si tu continues de jouer comme ça, tu seras bien meilleur que Mike York l'a été pour les Blues, lui lance-t-il sans lâcher sa manche.

C'est tout ce que Lindsay Hofford voulait lui dire. Michael hausse les épaules pour replacer son veston et reprend sa route dans le corridor, encore sous le choc. Il n'a pas le temps d'analyser ce qui vient de se produire qu'il aperçoit Red Berenson qui l'attend dans le portique de l'amphithéâtre.

— OK ! Tu vas être prêt pour jouer avec nous à dix-sept ans !

— Je vous l'avais dit, monsieur Berenson.

— Sérieusement, si tu veux venir jouer à Michigan, on va te prendre et t'offrir un *full scholarship*, que tu arrives à dix-sept ou à dix-huit ans. Ce n'est qu'à environ quatre heure de route de chez tes parents, et tu le sais, notre programme de hockey est extraordinaire. Alors tu peux rendre ça compliqué en visitant toutes les écoles qui te courent après, ou tu fais un choix logique et éclairé tout de suite en décidant de venir avec nous, à l'Université du Michigan !

— Parfait... Heu, merci beaucoup mais je dois d'abord en discuter avec mes parents.

Bien entendu, la décision de Michael est déjà prise mais c'est important pour lui de la valider avec son père, sans compter qu'on lui fait aussi les yeux doux du côté de la Ligue junior de l'Ontario, la réputée OHL. Leo est évidemment ravi de l'offre de Berenson mais il précise à son fils que s'il désire réellement joindre les rangs des Wolverines à dix-sept ans, il devra respecter son engagement et continuer de jumeler les études et le hockey, ce qui n'est pas un défi insignifiant.

Le joueur recrue des Blues est persuadé qu'il pourra garder la cadence et il téléphone lui-même à Red Berenson pour lui confirmer que c'est à Michigan et nulle part ailleurs qu'il veut aller. À quinze ans, il a déjà une entente verbale qui le lie avec l'un des meilleurs programmes de hockey au monde.

Michael termine la saison comme il l'avait commencée, et en 46 matchs avec les Blues, il revendique 36 buts et 52 passes pour une impressionnante récolte de 88 points, ce qui lui permet d'hériter du titre de recrue de l'année de la Ligue junior Tiers II de l'Ontario.

Leo, pour sa part, laisse savoir à tous les dépisteurs que Michael a arrêté son choix et que toute forme de sollicitation est désormais inutile. Malgré tout, certaines équipes de la Ligue de l'Ontario reviennent régulièrement à la charge. Même que quelques jours avant la séance de repêchage de la OHL, Stan Butler, l'entraîneur-chef du Battalion de Brampton, s'enquiert discrètement des intentions réelles du clan Cammalleri. Son équipe jouit du tout premier choix de l'encan et avec une réponse positive, il ferait de Michael le premier joueur sélectionné dans sa ligue.

« Leo, dis-moi seulement qu'il existe une toute petite chance qu'il change d'idée en ce qui concerne Michigan et c'est lui qu'on prend. »

Le clan Cammalleri demeure sur ses positions et malgré ce refus honnête, Butler ne s'empêchera quand même pas de choisir Michael à deux reprises lorsqu'il dirigera l'équipe canadienne junior, en 2000 et 2001.

UN RYTHME DIFFICILE À SOUTENIR

Au cours de l'été 1998, Michael continuer de s'entraîner tout en prenant le plus de cours possible. Alors que les autres adolescents de son âge profitent de vacances bien méritées, lui n'a d'autre choix que de besogner sans s'accorder de répit. En septembre, il entreprendra sa dernière saison avec les Blues et il ne profite d'aucune marge de manœuvre s'il désire déménager ses pénates au Michigan dans un peu plus d'un an.

Comme Lindsay Hofford l'avait prédit, Michael aura vite fait le tour du jardin à Bramalea. À sa deuxième saison, alors qu'il n'a que seize ans, il engrange rien de moins que 31 buts et 72 mentions d'aides pour un total de 103 points en seulement 41 joutes. Ce rendement spectaculaire représente une moyenne de 2,51 points par match !

« Michael avait un talent phénoménal mais il travaillait sans cesse sur ses habiletés, raconte Hofford. Il apportait sa touche personnelle à tous les exercices en élevant le niveau de difficulté et il avait la mentalité créative qu'ont habituellement les joueurs européens. Quelques années après avoir dirigé Mike avec les Blues, j'étais entraîneur-chef des Knights de London dans la OHL et Rick Nash était venu me voir en revenant des championnats du monde junior en me suppliant de lui enseigner les feintes qu'il venait de voir Cammalleri exécuter dans son équipe avec Team Canada ! Je n'avais rien à voir là-dedans ! Et il ne faut pas oublier que Nash, ce gars qui était tant impressionné par la créativité de Mike, a été le tout premier choix au repêchage de la LNH en 2002 ! »

Si tout baigne dans l'huile sur la patinoire, c'est beaucoup plus compliqué académiquement parlant. Les mois passent et le jeune élève commence à traîner de la patte.

Un soir, même s'il est épuisé, Michael ne parvient pas à s'endormir. Dans sa tête, tout se bouscule et il réalise que la charge devient insupportable. Il saute du lit pour aller parler avec son père.

— Papa… Excuse-moi de te déranger. Ça ne marchera pas. Je ne pourrai pas finir mon école cette année. C'est beaucoup trop.

— C'est pas grave, Mike. Si tu ne peux pas finir cette année, tu iras à Michigan à dix-huit ans. Y a rien là ! Tu pourras encore jouer pour les Blues l'an prochain. C'est pas un *big deal,* mon homme.

— Tu penses ?

— Ne t'en fais pas, Mike. Je vais téléphoner à Red Berenson demain et il va comprendre tout ça.

— Ah, merci papa, conclut Mike en lui donnant une accolade avant de remonter se mettre au lit, soulagé d'avoir un père si compréhensif.

— Mais Mike, avant que t'ailles te coucher, je dois ajouter une chose à laquelle j'aimerais que tu réfléchisses, cette nuit. Si c'était facile, tout le monde le ferait. Tous les bons joueurs iraient à l'université à dix-sept ans. Allez, va te coucher maintenant et fais de beaux rêves, fiston !

Cette phrase lancée gentiment mais fermement résonne dans la tête de Michael toute la nuit. Au petit matin, il est résolu à ne plus remettre son projet en question. Il va opiniâtrement poursuivre ses cours du soir et ceux par correspondance, et quelques mois plus tard tout cela sera derrière lui et il ira à Michigan comme prévu, à dix-sept ans seulement.

« Je me souviens d'un soir, c'était après une partie avec les Blues qui avait été disputée dans le coin d'Hamilton. Je suis monté à l'étage et la porte de la chambre de Mike était entrouverte. Une petite lampe éclairait la pièce, il avait le nez plongé dans un de ses bouquins et il étudiait. J'ai continué mon chemin et une fois rendu dans ma chambre, j'avais le goût d'aller le voir et de lui dire qu'il n'était pas obligé de faire tout ça. Si je m'étais écouté ce soir-là, je lui aurais dit : "C'est assez, Mike. Tout ça n'a aucun sens." Je ne l'ai pas fait mais je sondais régulièrement le terrain auprès de lui pour savoir s'il tenait le coup », raconte Leo en ne cachant pas – avec émotion – la grande fierté qu'il ressent encore aujourd'hui en pensant à la détermination qui habitait déjà son fils à l'adolescence.

Finalement, Michael tient le coup. Brillant élève, il réussit à terminer son *high school* avec brio, tout en sautant une année.

À la fin de l'été, Leo, Ruth et Melanie l'accompagnent pour sa grande rentrée à l'Université du Michigan, située à Ann Arbour, à une cinquantaine de kilomètres à l'ouest de Detroit. Michael étudiera en communication et gestion des sports et vivra seul en résidence. Les premiers mois sur le campus s'avèrent difficiles, mais moins qu'il ne l'avait anticipé.

« J'étais, de toute évidence, le seul élève de dix-sept ans dans ma classe. Il y avait un gars de dix-huit ans, Andy Hilbert, qui a aussi joué dans la LNH, et puis il y avait deux gars de dix-neuf ans. Jed Ortmeyer, qui a aussi joué dans la LNH, suivait à vingt et un ans, et tout comme moi, il était alors une recrue avec les

Wolverines. Tous les autres étaient plus vieux. Je me souviens que lors de cette saison 1999-2000, j'avais même joué contre un gars du Maine qui était de neuf ans mon aîné. J'ai tellement appris à Michigan ! Pour le hockey, ce fut une expérience phénoménale mais j'ai aussi énormément appris sur le campus au niveau des relations humaines et de l'amitié », explique Michael avec sagesse.

Durant cette première année avec les Wolverines, Michael ne joue pas un très grand rôle au sein de l'équipe. En 39 parties, il obtient tout de même 13 buts et autant de passes pour 26 points. Puis l'année suivante, le premier joueur de centre de la formation et meilleur marqueur du club avec 59 points en 40 matchs, Mike Comrie, part se joindre aux Oilers d'Edmonton.

Le hockeyeur de Richmond Hill est alors promu sur le premier trio et il ne déçoit pas son entraîneur Red Berenson. En 42 parties, il réussit 29 buts et 32 aides pour 61 points, 3 points de moins seulement que le meilleur marqueur des Wolverines, Andy Hilbert. Ses 29 buts représentent un sommet dans le circuit et il sera élu sur la première équipe d'étoiles. Michigan parvient même à se faufiler jusqu'au prestigieux Final Four de la NCAA mais sera battu par Boston College, mené par un certain Brian Gionta.

Ce fait d'armes ajoute une certaine visibilité au jeune Cammalleri qui sera admissible au repêchage de la Ligue nationale dans peu de temps. Pendant la saison 2000-2001, deux porte-couleurs des Wolverines avaient particulièrement retenu l'attention des dépisteurs de la Ligue nationale.

En juin 2001, tout le gratin de la LNH est réuni en Floride pour le repêchage. Tôt en première ronde, le Canadien de Montréal réclame au 7e rang un gros défenseur de 6 pieds 4 pouces et 237 livres du nom de Mike Komisarek. Il vient de récolter 4 buts et 12 passes avec l'Université du Michigan. Puis au 2e tour, à la 49e sélection, les Kings de Los Angeles arrêtent leur choix sur le petit joueur de centre de 5 pieds 9 pouces et 180 livres.

« Je me disais qu'une équipe me choisirait peut-être en première ronde mais je n'avais pas d'idée précise. Quelques semaines avant le repêchage, lors des tests organisés par la LNH à Toronto, j'avais passé des entrevues avec quinze des trente clubs du circuit. Je n'avais même pas encore d'agent à ce moment-là ! La philosophie de mon père, c'est que je n'avais pas besoin d'un agent pour être repêché. Selon lui, j'allais avoir besoin d'en trouver un le temps venu de signer un contrat », raconte Michael.

Assis dans les gradins avec toute sa famille au domicile des Panthers, il voit défiler au podium des joueurs qui ont tous été ses coéquipiers ou ses adversaires lorsqu'il a fièrement endossé les couleurs du Canada aux Championnats du monde des moins de dix-sept ans ou lors des Championnats du monde junior. Au jeu des comparaisons, il évalue qu'il a toujours été bien meilleur que la plupart d'entre eux mais il comprend en même temps que bien des dépisteurs accordent énormément d'importance à la taille.

« Je n'étais pas tellement surpris quand Los Angeles a nommé mon nom. À Toronto, lors des rencontres avec les équipes de la LNH, j'étais surtout seul avec le dépisteur-chef ou alors il y avait parfois quelques adjoints présents. Pour les Kings, il y avait environ dix personnes autour de la table pour m'interviewer, dont le directeur général », rappelle-t-il.

Moins de deux ans plus tard, Michael Cammalleri disputera un premier match dans la LNH avec les Kings. Il se taillera un poste à temps plein lors de la saison 2005-2006, après avoir gagné ses galons dans la Ligue américaine avec les Monarchs de Manchester, dirigés par Bruce Boudreau.

LES CONSEILS DE MICHAEL

« Aucun parent ne devrait penser qu'il pourra amener son enfant jusqu'à la LNH. C'est le joueur qui décide jusqu'où il est prêt à aller. Le rôle du père ou de la mère, c'est de pouvoir lui procurer toutes les opportunités possibles pour son développement et de lui donner des pistes à suivre.

« C'est possible de transmettre à son enfant la passion du hockey et de lui inculquer l'importance de l'éthique de travail. Mais c'est lui qui doit avoir le désir de vouloir se surpasser et de continuer à bûcher malgré les épreuves... et il y en aura toujours au fil des ans.

« Je pense que le rôle ultime du parent est surtout d'enseigner des leçons et des principes de vie. Apprenez aux enfants l'importance du travail, d'avoir un caractère fort, de la persévérance, du leadership, de l'esprit sportif et de l'honnêteté. Ils pourront transposer ça dans leur propre vie et ce sont aussi des valeurs très importantes au hockey. Ne leur demandez surtout pas d'aller lancer des rondelles dans le sous-sol ou de courir autour du bloc !

« Les seules fois où mon père m'a réprimandé par rapport au hockey, c'est quand je ne travaillais pas assez fort. Pour lui, c'était carrément inacceptable que je ne donne pas mon plein rendement. Il avait entièrement raison et ça s'applique à tout ce que l'on fait dans la vie. Si tu veux faire quelque chose à moitié, ça donne quoi ? Aussi bien ne pas le faire du tout. »

LES CONSEILS DE LEO

« Un jour, l'entraîneur Craig Clark nous a dit quelque chose de réellement intéressant : "Je n'ai jamais rencontré un mauvais parent de joueur de hockey. Jamais." Bien entendu, un des parents l'a tout de suite rabroué en riant. Et le coach Clark a expliqué son propos : "Si un père ou une mère considère que c'est important d'amener son enfant à l'aréna pour un match ou un entraînement, c'est forcément un bon parent. Il y a un paquet de parents qui ne s'occupent pas de leur enfant ou qui ne voudraient pas se lever à l'aube, une journée de congé, pour aller à l'aréna avec leur petit. Donc, il n'y a pas de mauvais parents de joueurs de hockey." Alors, bravo si vous êtes là pour votre enfant !

« Mais c'est tellement agréable de passer du temps avec nos enfants. J'avais autant hâte que Mike d'aller à l'aréna. Nous avons rencontré de bien bonnes personnes grâce au hockey.

« Il faut être conscient que rien n'est facile dans la vie. C'est bon au hockey comme ailleurs. Parfois, des gens me disent : "Ah, tu es chanceux, toi, tu possèdes ta propre entreprise." Il est où l'élément de chance là-dedans ? C'est pareil avec le hockey. Si un jeune veut réussir, il doit être conscient qu'il aura beaucoup de sacrifices à faire. Le talent, c'est une chose. La persévérance et la ténacité sont peut-être des qualités encore plus importantes pour réussir au hockey.

« Je crois aussi qu'il est important de conserver la même attitude face à nos enfants, dans la victoire comme dans la défaite. Ce n'est pas un drame si le jeune connaît un mauvais match ou si l'équipe perd, comme il n'y a pas de raison d'être euphorique s'il joue un match du tonnerre. Il faut rester stable dans ces émotions, et ça, je pense que c'est un message important. »

MICHAEL CAMMALLERI
Né le 8 juin 1982 à Richmond Hill, Ont.
Ailier gauche
5 pi 9 po
180 livres
Repêché par Los Angeles en 2001
2e ronde, 49e choix au total

		Saison régulière				Séries			
ÉQUIPE	SAISON	PARTIES	BUTS	PASSES	POINTS	PARTIES	BUTS	PASSES	POINTS
Bramalea	97-98	46	36	52	88				
Bramalea	98-99	41	31	72	103				
U.Michigan	99-00	39	13	13	26				
U.Michigan	00-01	42	29	32	61				
U.Michigan	01-02	29	23	21	44				
Los Angeles	02-03	28	5	3	8				
Manchester	02-03	13	5	15	20				
Los Angeles	03-04	31	9	6	15				
Manchester	03-04	41	20	19	39	1	0	1	1
Manchester	04-05	79	46	63	109	6	1	5	6
Los Angeles	05-06	80	26	29	55				
Los Angeles	06-07	81	34	46	80				
Los Angeles	07-08	63	19	28	47				
Calgary	08-09	81	39	43	82	6	1	2	3
Montréal	09-10	65	26	24	50	19	13	6	19
Total LNH		429	158	179	337	25	14	8	22

GEORGES LARAQUE

L'histoire de Georges Laraque commence bien loin des patinoires et des lacs gelés du Canada.

Dans la petite ville portuaire de Cap-Haïtien, personne ne connaît le hockey. Surtout pas Eddy Laraque! Quand il décide de quitter Haïti à l'âge de vingt et un ans, ce n'est certainement pas pour découvrir les joies du patinage qu'il choisit le Québec... Brillant élève, cet ambitieux jeune homme rêve de devenir ingénieur et s'il opte pour l'École Polytechnique de Montréal en particulier, c'est parce qu'il désire retrouver Evelyne Toussain, une ravissante compatriote débarquée dans la métropole six mois plus tôt.

Eddy a certainement pris la bonne décision, puisqu'il ne tardera pas à compléter ses études puis à épouser celle qu'il avait décidé de suivre au Canada. Le couple aura trois enfants... Autant de petits sportifs.

Les jeunes Laraque n'ont cependant pas eu la vie facile, car même si le Québec se targue d'être une terre d'accueil généralement ouverte et chaleureuse, il n'en demeure pas moins qu'ils ont tous les trois fait face à beaucoup de racisme au cours de leur enfance.

C'est pour Georges, l'aîné de la famille, que la situation a été la plus dure. En plus d'être écarté en raison de la couleur de sa peau et de devoir subir des commentaires trop souvent méchants et mesquins, il a aussi été contraint de se battre avec son père pour parvenir à réaliser son rêve de jouer un jour dans la LNH.

Car Eddy Laraque aussi avait des préjugés... Mais lui, c'était contre le hockey.

* * *

Au début de l'été 1978, Georges Laraque n'a qu'un an et demi quand sa famille quitte Montréal pour aller s'installer sur la Côte-Nord.

Eddy vient d'être promu ingénieur et il a décroché sans tarder un premier contrat avec la compagnie Wabush Mines qui exploite une mine près de Sept-Îles. Le destin amène donc la famille Laraque dans ce lointain et pittoresque coin de pays, un endroit que la plupart des Québécois n'ont même jamais visité. Imaginez le choc culturel pour Eddy et son épouse Evelyne ! L'aventure sera tout de même positive pour le jeune couple et c'est à Sept-Îles que Georges donnera éventuellement ses premiers coups de lames sur la glace.

Après avoir reçu une vieille paire de patins en cadeau, Eddy avait bien essayé d'apprendre à patiner, mais l'aventure n'avait pas duré bien longtemps pour lui. Ça ne l'empêche pas d'accompagner ses enfants à la patinoire située près de la maison. Là, Georges voit les plus vieux jouer au hockey et il est captivé par ce sport rapide et excitant. Mais le petit Laraque a encore des croûtes à manger avant de pouvoir participer aux activités du hockey mineur puisqu'il n'a même pas encore célébré son cinquième anniversaire de naissance. Comme il désire plus que tout patiner, son père pense qu'il serait utile de l'inscrire en patinage artistique. Le petit bonhomme accepte, mais il déchante vite ! Dès le départ, il déclare que cette activité n'est bonne que pour les filles. Au printemps, il refuse catégoriquement de participer au spectacle de fin d'année. Pas question qu'il aille se pavaner avec les filles dans un auditorium rempli à pleine capacité.

« Mon père m'avait inscrit… mais pour apprendre à patiner, pas à faire des pirouettes ! Je me souviens de ce gros costume d'ours brun qu'on m'avait donné pour le spectacle. Il n'était pas question que j'enfile ça et que j'aille me montrer avec ça sur le dos ! », se souvient Georges en riant.

Cet hiver-là sera évidemment le seul que Georges consacrera au patinage artistique. Quelques mois plus tard, la famille Laraque déménage à Tracy, où le paternel vient d'obtenir un emploi avec la compagnie QIT fer et titane.

Enfin, Georges est assez vieux pour pouvoir s'inscrire au hockey mineur. Il y a toutefois un problème de taille: l'achat de l'équipement. Eddy travaille fort pour joindre les deux bouts afin que sa famille ne manque de rien, mais il n'est pas en mesure de payer un montant aussi important pour une activité récréative. Heureusement, l'association locale loue tout ce dont les jeunes ont besoin, et cela pour une somme dérisoire.

« Si mon fils a pu connaître une carrière dans la LNH, c'est grâce aux gens du hockey mineur de Tracy, précise Eddy, reconnaissant. Si nous avions habité une autre ville, je n'aurais peut-être jamais pu louer de l'équipement à prix modique et il est clair que nous n'aurions jamais pu nous permettre d'acheter tout ce qu'il faut pour débuter au hockey. Pour les immigrés, c'est parfois difficile de trouver de beaux appartements bien situés. Tu veux que tes enfants grandissent dans un bon quartier. Alors la meilleure solution, c'est d'acheter une maison. Mais cela coûte cher, et donc tu n'as plus aucune marge de manœuvre financière. Tu dois continuellement faire des sacrifices. J'avais une belle maison, dans un beau quartier, mais chaque fin de mois était très difficile. Il devrait y avoir des programmes semblables à celui de Tracy dans toutes les villes pour aider les jeunes qui veulent jouer au hockey. »

Déjà drôlement costaud pour son âge, Georges se débrouille bien dès ses débuts au hockey. Relativement habile sur patins, il connaît le succès grâce à un tir que l'on pourrait qualifier de surprenant pour un petit bonhomme de six ou sept ans. À cet âge, l'action se déroule sur une seule moitié de patinoire et l'aîné de la famille Laraque engrange les buts à profusion. Souvent, son lancer est imprécis, mais les petits gardiens préfèrent se tasser pour éviter d'être frappés par la rondelle!

Étrangement, certains responsables du hockey mineur de Sorel-Tracy cherchent à mettre le jeune Laraque à l'écart. Alors que Georges évolue dans les rangs novices, Marc Dumontier, l'entraîneur de Georges, avertit Eddy de la situation.

— Eddy, ton gars, il a beau n'être que novice, je ne serais pas surpris qu'il joue un jour dans la Ligue nationale. Il a un bon gabarit, un gros cœur et de très bonnes habiletés. Il a tout ce qu'il faut pour devenir un excellent joueur de hockey, sauf qu'il y a un problème. Il y a des gens ici, à Tracy, qui ne prendront jamais ton gars dans leur équipe.

— Comment ça ?

— Quand je suis allé au repêchage pour former les équipes, personne ne voulait prendre ton fils. On m'avait dit que Georges ne savait pas jouer et qu'il ne savait pas patiner. Je l'ai pris quand même et, aujourd'hui, je constate qu'il est le deuxième meilleur joueur dans l'équipe.

Si Eddy Laraque refuse catégoriquement, encore aujourd'hui, de parler de racisme, un fait demeure : le pauvre Georges ne l'a pas eu facile à Sorel-Tracy et ce ne sont pas les exemples qui manquent.

L'entraîneur novice qui sert cette mise en garde à Eddy a vu juste et le pire est à venir pour ce jeune fils d'immigrants. Dans les rangs atome, le petit Laraque vivra toutes sortes de situations très désagréables. Comme lors de ce match où il s'empare de la rondelle dans son propre territoire et qu'il déjoue tous ses rivaux pour aller marquer à l'autre bout de la patinoire. À son retour au banc, en guise de compliments, Georges se fait enguirlander par son coach qui lui explique qu'on ne joue pas de cette façon et qu'il s'est comporté en joueur égoïste, car il a gardé la rondelle pour lui. Quelques instants plus tard, un coéquipier répète exactement la même manœuvre, mais il est accueilli en héros par l'entraîneur.

« Je me demandais pourquoi Georges avait un traitement différent, se remémore Eddy. Je trouvais ça vraiment triste pour lui. Pourquoi n'avait-il pas le droit de *scorer* des buts lui aussi, comme les autres ? Ç'a toujours été comme ça à Sorel. C'était terrible. À un certain moment, il ne lançait plus et il essayait seulement de faire des passes, car son coach l'engueulait à chaque fois qu'il comptait un but. Il n'avait pas le droit de *scorer.* Georges était gros et grand pour son âge et il avait un tir très puissant. À un certain moment, il a "shooté" et son lancer a frappé le gardien en plein sur le masque. Le petit gars est tombé et il avait mal. Georges a reçu une punition pour ça… Une punition pour avoir lancé sur le gardien ! Il se faisait constamment dévaloriser. Ça m'affectait beaucoup mais pas Georges, car il aimait tellement le hockey qu'il en faisait abstraction. »

« Mon père ne veut pas parler de racisme, mais c'est quand même ça, la réalité, raconte Georges sans s'apitoyer sur son sort. Je me faisais traiter de nègre par les coachs des autres équipes, par mes adversaires, par certains coéquipiers et par les gens dans les estrades... et je n'avais que sept ou huit ans. C'est fou ce que j'ai vécu quand j'étais enfant. Mes parents n'aimaient pas venir me voir jouer au hockey à cause de ça et ils auraient préféré que j'abandonne. Mon père et ma mère me demandaient toujours pourquoi je voulais continuer à jouer. Ils craignaient qu'en grandissant dans un environnement aussi hostile je devienne un adolescent frustré et agressif.

« On était la seule famille noire à Tracy. À la maison, je pleurais souvent en cachette mais je n'ai jamais voulu montrer aux gens que leurs remarques m'affectaient. J'avais beaucoup trop d'orgueil et je ne voulais surtout pas qu'ils pensent qu'ils pourraient avoir ma peau. On me répétait sans cesse que le hockey n'était pas un sport pour moi, que ce n'était pas un sport pour les Noirs. Et plus on me disait ça, plus je me disais qu'ils finiraient par voir que j'étais capable. Ma sœur Daphné a vécu la même chose de son côté, mais en patinage artistique. »

Curieusement, Georges est frappé d'ostracisme seulement lorsqu'il se pointe à l'aréna. À l'école, le jeune Haïtien est l'un des élèves les plus populaires de sa classe.

« J'avais de très bons résultats, car j'étais beaucoup plus avancé que les autres élèves, poursuit l'ancien porte-couleur du Canadien. Comme tout le monde, je ramenais des devoirs et des leçons à la maison, mais pour mes parents, ce n'était jamais assez. Ils me faisaient faire d'autres devoirs, toujours plus difficiles que ceux qu'on me donnait à l'école. Tout ce que j'y apprenais, je l'avais déjà vu à la maison. Mon père a toujours été un premier de classe et il a étudié toute sa vie. Il a complété trois maîtrises et il voulait que ses enfants deviennent aussi instruits que lui. Même à l'aréna, il traînait toujours un livre avec lui et il cessait de lire seulement quand il se rendait compte que j'étais sur la patinoire. »

FINI LE HOCKEY POUR GEORGES

À la conclusion de son stage chez les atomes, il n'y a aucun doute que Georges peut tenter sa chance au niveau pee-wee AA avec les Riverains et il n'est pas déraisonnable de croire qu'il pourrait être un des seuls joueurs de première année à être sélectionné. Passionné par le hockey, il n'a pas cessé de s'améliorer et son imposant gabarit s'avère un atout non négligeable.

Georges vole le spectacle dès le début du camp d'entraînement et il n'a pas l'intention de ralentir la cadence ! Lors de la dernière rencontre préparatoire servant à évaluer les joueurs, il se paye même une extraordinaire performance de cinq buts et quatre passes. Mais cette prestation exceptionnelle ne vaut rien : quand il quitte le vestiaire, Georges ne fait plus partie de l'équipe. Il a été retranché.

« Je suis allé voir le coach pour avoir des explications et il m'a dit qu'il ne pouvait pas garder mon fils parce qu'il n'avait pas l'intelligence du hockey, raconte Eddy. Il n'y avait rien à faire, car ce coach était un homme très puissant dans le monde du hockey local. Il était alors le directeur technique de la région et il occupait aussi le poste de directeur des Loisirs pour la Ville de Sorel. Georges était "barré" avec lui et on ne pouvait rien dire. Georges s'est donc retrouvé avec l'équipe locale et ç'a été encore pire. Il était trop gros et trop fort. Les parents ne voulaient pas qu'il joue avec leurs enfants et je les comprenais. Georges faisait ce qu'il voulait sur la patinoire, c'était trop facile pour lui, c'en était ridicule. Il faisait deux enjambées, il marquait un but et il était content, mais il ne se forçait jamais. Et s'il rentrait accidentellement dans un adversaire, on le traitait de joueur violent et ça criait dans les estrades. Là, j'ai trouvé que c'était assez. J'ai sorti Georges du hockey pour l'inscrire en patinage de vitesse. À ce moment-là, j'ai aussi décidé que nous allions bientôt déménager sur la Rive-Sud de Montréal, où l'on retrouvait beaucoup plus d'immigrants, en me disant que ça permettrait peut-être à Georges d'être enfin accepté. »

Le jeune garçon n'est pas d'accord avec la décision de son père, mais Eddy se montre catégorique. Georges ne jouera plus au hockey que dans la rue avec ses amis.

* * *

Cet hiver-là, Georges consacre donc ses énergies au patinage de vitesse. Même s'il n'est ni très élégant ni très fluide dans ses mouvements, il représentera la région de Richelieu-Yamaska aux Jeux du Québec... tout comme sa sœur Daphné et son frère Jules-Eddy.

« J'embarquais tout le monde dans mon *station-wagon* et on partait tous ensemble. Cet hiver-là, j'ai aussi décidé de retirer Jules-Eddy du hockey et j'ai demandé à Daphné d'abandonner le patinage artistique. Quand on partait, on ne faisait alors qu'un seul voyage pour aller aux cours de patinage de vitesse. L'été, on se rendait ensemble aux matchs de soccer et tous les samedis matins on allait à Granby, où les enfants faisaient de l'athlétisme », poursuit Eddy, qui a été entraîneur de soccer au niveau inter-cité.

Georges a beau se défouler dans d'autres sports, il s'ennuie terriblement du hockey organisé. Sans le savoir, sa petite sœur Daphné contribue à garder le feu sacré pour le hockey bien vivant dans le cœur de son frère aîné lorsqu'elle lui offre la biographie de Jackie Robinson, le premier joueur de race noire à avoir percé au baseball professionnel.

« Ce petit livre-là a été une grande source d'inspiration. J'ai découvert le cheminement parsemé d'embûches de monsieur Robinson et je me suis dit que j'allais devenir le premier Noir à jouer dans la LNH. Je me reconnaissais dans son histoire et je me disais que s'il avait surmonté tout ça, je pouvais le faire moi aussi. Il est devenu mon exemple et mon modèle à suivre. Je croyais fermement que je pouvais jouer dans la LNH même si j'étais Noir, et je me disais qu'en faisant ça, il se publierait un jour un livre qui raconterait ma vie », relate Georges qui ignorait à ce moment-là l'histoire de Willie O'Ree, le premier Noir à avoir joué dans la LNH, en 1957, avec les Bruins de Boston.

PENSIONNAIRE AU COLLÈGE BRÉBEUF

Loin des injustices, des commentaires blessants et de la pression malsaine du hockey mineur sorelois, l'hiver de 1987-1988 s'écoule sans heurts chez les Laraque. Toutefois, Eddy n'a pas été en mesure de mettre de l'avant son projet de déménagement en périphérie de Montréal. Mais le paternel est un homme décidé et il n'est pas question que son fils réintègre le hockey organisé de la région de Sorel. D'ailleurs, Georges aura douze ans au cours de l'été et le passage au niveau secondaire n'est pas une mince affaire pour Eddy, qui désire que son fils puisse jouir d'une éducation de premier plan. Comme Georges est un élève brillant qui maintient une moyenne générale au-delà des 90 %, il est décidé qu'il sera pensionnaire au collège Jean-de-Brébeuf, à Montréal.

Eddy et Evelyne déposent leur aîné à l'école le dimanche soir pour le reprendre ensuite le vendredi après-midi. Bien entendu, il devient impossible pour Georges de jouer au hockey au sein d'une ligue conventionnelle. Il sera néanmoins capable d'assouvir sa passion au sein du circuit interscolaire, qui regroupe une dizaine d'autres écoles privées du Grand Montréal. Mais le calibre n'est pas très relevé pour un joueur qui possède suffisamment de talent pour se signaler au niveau pee-wee AA, car même s'il étudie en secondaire 1, Georges se signale comme le meilleur joueur de sa formation. Eddy pensait que son garçon profiterait du meilleur des deux mondes en jouant au hockey à l'école, mais c'est plutôt le contraire qui se produit : en recommençant à jouer sur une base régulière, le jeune Laraque retrouve instantanément le goût du hockey compétitif.

À la fin de l'année scolaire, il supplie son père de l'inscrire au hockey civil.

— Papa, je t'en supplie, laisse-moi jouer pour une vraie équipe, s'il te plaît...

— Mais non, Georges. C'est parfait comme ça. Tu as pu jouer toute l'année avec Brébeuf tout en te concentrant sérieusement sur tes études.

— Mais je suis en secondaire 1 et j'ai été le meilleur marqueur du club ! C'est pas normal. Cette ligue-là est vraiment trop faible et je veux jouer dans une vraie ligue. Comment veux-tu que je réussisse à jouer dans la Ligue nationale si je perds mon temps à jouer pour Brébeuf ?

— Mais non. Tu vas jouer à Brébeuf toute l'année prochaine aussi. Tu vas jouer là jusqu'à la fin de tes études. Ensuite, après ton secondaire 5, si tu es vraiment aussi bon que tu le dis, on reparlera de la Ligue nationale.

— Non, je ne veux pas. Si je reste là, je ne serai jamais bon. Il faut que j'aille à l'école publique pour m'entraîner la semaine et jouer plus souvent, et avec une meilleure équipe. Il faut que je joue AA et ce n'est possible qu'avec une école qui a un programme de sports-études.

— Ça n'arrivera pas, Georges. Tu le sais très bien, ton éducation est beaucoup plus importante que n'importe quel club AA. Et puis de toute façon, tu joues déjà au hockey avec Brébeuf.

Georges sait très bien que malgré tous les arguments imaginables, il ne parviendra jamais à faire fléchir son père. Quand il est question d'éducation, Eddy est inflexible et Georges n'a d'autre choix que d'obtempérer.

« Même si Georges n'était pas entièrement d'accord avec ma décision, raconte Eddy en souriant, le dossier a quand même été clos assez rapidement. De toute façon, je savais que c'était la bonne chose à faire et les revendications de Georges étaient vaines. En plus, à la fin de l'année, il avait reçu le Méritas du meilleur élève sportif et j'étais très fier de lui. Brébeuf, c'est là qu'ont étudié Trudeau et Bourassa... Alors, c'est quelque chose que d'avoir le privilège d'aller à cette école. »

Georges n'a pas gagné la guerre mais il a quand même réussi à remporter une grande bataille. Devant tous les arguments invoqués par son fils, Eddy est prêt à faire une concession majeure. Comme la famille habite dorénavant à Longueuil, il autorise son fils aîné à se joindre à un club bantam A de sa localité. Fiston peut ainsi porter les couleurs du collège la semaine, et évoluer avec une équipe de Longueuil chaque week-end, ce qui représente un excellent compromis.

Mais quelques semaines seulement après le début des classes, voilà que Georges revient encore à la charge.

— Dad, je ne veux plus aller à Brébeuf. Je n'aime pas ça.

— Et pourquoi tu n'aimes plus ça, Brébeuf ?

— C'est pas assez fort, le hockey. C'est pire que l'an passé. Je déjoue tout le monde et les gardiens de but ne sont pas bons. C'est poche, dad!

— Ah, mais nous avons une entente, Georges. Tu vas continuer avec Brébeuf et je ne veux plus rien entendre à ce sujet, mon garçon. C'est la dernière fois que tu m'en parles. C'est terminé. Est-ce clair?

Cette fois, fiston a bien compris. Toutefois, l'orgueil du paternel en prendra bientôt pour son rhume. Car si Georges cesse de le harceler avec le hockey, académiquement parlant, la situation se gâte drôlement. Le passage au secondaire 2 s'effectue très difficilement. À la fin de l'année scolaire, c'est la catastrophe. Georges a échoué en mathématiques et en géographie. Le récipiendaire du Méritas du meilleur élève sportif de secondaire 1 se fait montrer la porte! À Brébeuf, lorsqu'un élève n'obtient pas la note de passage dans deux matières, il est tout simplement expulsé de l'école… À moins qu'il ne prenne des cours de rattrapage durant l'été.

GEORGES A PRESQUE LE DERNIER MOT

Le prix à payer sera élevé pour Georges, car son père l'oblige à prendre des cours d'été. Découragé par les derniers résultats scolaires de son fils, Eddy a le sentiment d'avoir jeté son argent par les fenêtres et il sort Georges de Brébeuf. Pendant l'été, les Laraque se sont installés à Anjou et leur fils devra se résoudre à poursuivre ses études à la polyvalente locale. Les cours de rattrapage occuperont Georges une bonne partie de l'été puisqu'il en aura pour six semaines.

Mais le paternel n'est pas au bout de ses peines. À la fin du programme estival, le directeur de la polyvalente lui passe un coup de fil.

— Monsieur Laraque, j'aimerais vous rencontrer avec votre fils demain à mon bureau.

— Mais qu'est-ce qui se passe, monsieur le directeur?

— Je préférerais vous en parler en personne, si vous n'y voyez pas d'objection.

— Est-ce que mon fils a volé quelque chose ?

— Mais non, rassurez-vous.

— Il a échoué ses cours de rattrapage ?

— Non, le problème n'est pas là. Ne vous inquiétez pas, il pourra faire son secondaire 3 avec nous. Mais je dois vous rencontrer, car j'ai des questions à vous poser... Et à votre fils aussi. Venez ensemble, s'il vous plaît.

Très intrigué, Eddy se demande ce qu'il peut bien se passer et, de son côté, Georges n'en mène pas large, car il sait trop bien que son père peut se montrer très sévère quand ça ne fait pas son affaire. Le lendemain, dès la première heure, père et fils se rendent donc à la polyvalente pour rencontrer le directeur. Tout au long du trajet, un silence de mort règne dans la voiture. Georges est inquiet; Eddy est anxieux.

Quand ils entrent dans le bureau du directeur, le fils se fait le plus petit qu'il le peut sur sa chaise. Depuis bientôt vingt-quatre heures, il se demande ce qu'on lui reproche et il espère que son père n'explosera pas lorsque le directeur ouvrira la bouche.

— Monsieur Laraque, je veux savoir toute l'histoire.

— Quelle histoire ?

— Je veux savoir ce que Georges fait ici. Je veux connaître la raison pour laquelle il a suivi des cours de récupération pendant six semaines.

— Mais ce n'est pas compliqué : il fréquentait Brébeuf et il avait de la difficulté en mathématiques et en géo. Ils l'ont renvoyé, et là il a fallu qu'il prenne des cours d'été pour avoir ses mathématiques et sa géo de secondaire 2 avant de rentrer en secondaire 3.

– Non. Il y a autre chose. Est-ce que Georges était heureux à Brébeuf ?

— Ah, non ! Il me cassait toujours la tête en me disant qu'il ne voulait plus aller à Brébeuf parce qu'il ne pouvait pas jouer au hockey. Lui, tout ce qu'il voulait, c'était aller à l'école publique.

Un long silence suit cette dernière réponse. Pendant que le directeur esquisse un faible sourire, Eddy comprend pourquoi son fils et lui se retrouvent dans ce bureau. Georges est dans ses petits souliers. Il dirige un regard attendrissant vers son père, mais ce dernier serre les lèvres sans le regarder tandis que le directeur reprend la parole.

— Maintenant, je pense que je comprends ce qui se passe. Voyez-vous, monsieur Laraque, je voulais comprendre comment un élève avec une moyenne de 40 % se retrouve six semaines plus tard avec presque 100 %. C'est impossible. Il me fallait une explication et maintenant je l'ai.

Georges n'a pas besoin de dire un seul mot. Eddy réalise très bien qu'il s'est fait duper par son garçon. Le directeur continue de lui parler, mais ses paroles ne se rendent pas jusqu'à son cerveau. Eddy repense soudainement à une rencontre avec le prof de maths du collège Brébeuf, quelques mois plus tôt. « Je ne comprends pas ce qui se passe avec votre fils, monsieur Laraque, lui avait-il dit. Georges écoute attentivement en classe et il remet toujours ses travaux à temps et très bien faits. Par contre, il rate chacun de ses examens. Peut-être a-t-il développé une certaine forme d'anxiété ? Avec votre permission, j'aimerais lui faire rencontrer le psychologue de l'école. »

« Mon père avait tout compris dans le bureau du directeur, se rappelle Georges. Dans l'auto, sur le chemin du retour, je lui ai donc avoué que j'avais intentionnellement échoué deux cours pour avoir l'opportunité d'aller à la polyvalente et de jouer du hockey "doubles-lettres". J'ai eu peur de sa réaction, mais il m'a dit que c'était correct, à condition que je conserve une moyenne générale supérieure à 90 %. »

Au milieu de la précédente saison, les responsables du hockey mineur de Longueuil avaient gentiment avisé Eddy Laraque que son fils ne pourrait plus jouer au niveau A pour sa deuxième saison chez les bantams. Il était nettement trop fort pour le reste du peloton et son inscription ne serait acceptée que s'il tentait sa chance au AA. Évidemment, Eddy leur avait expliqué que dans sa famille, les études avaient toujours eu préséance sur le hockey et qu'il n'entendait pas changer l'ordre de ses priorités aujourd'hui ou demain. De toute façon, en étant pensionnaire à Brébeuf, Georges ne pourrait plus jouer dans les rangs AA, étant donné que des séances d'entraînement et parfois même des matchs se déroulaient en plein cœur de la semaine.

Georges avait donc délibérément échoué ses mathématiques et sa géographie pour être exclu de Brébeuf…

« Dans ma tête, je savais que je devais absolument sortir de Brébeuf et jouer un hockey de meilleur calibre. Mais j'ai payé le prix pour ça. Mon père était tellement furieux quand il voyait mes résultats qu'il m'a battu souvent cet hiver-là… Et dans une famille haïtienne, c'est à coup de ceinturon qu'on frappe les enfants récalcitrants », confesse Georges.

La stratégie fonctionne donc et il se retrouve à l'école publique, tel qu'il l'avait souhaité. Sauf que n'ayant jamais évolué au niveau AA de sa vie, Georges "passe sous le radar" et, bien entendu, il n'est pas invité au camp de sélection du bantam AA. Il se retrouve néanmoins dans un niveau de compétition plus fort que la saison précédente puisqu'il est sélectionné dans la catégorie CC.

Georges a eu ce qu'il désirait mais, en même temps, il est conscient que son père ne voulait que son bien et il se sent coupable d'avoir essayé de le berner de la sorte. À vrai dire, il se sent honteux…

L'OPINIÂTRETÉ DE GEORGES FINIT PAR PAYER

Les camps d'entraînement des clubs bantam s'amorcent presque en même temps que Georges effectue officiellement sa rentrée à la polyvalente d'Anjou. Tout se déroule bien et Eddy est heureux de constater que son rejeton a finalement compris qu'il ne modifiera pas sa ligne de pensée en ce qui a trait à l'importance de l'éducation.

Georges effectue une entrée fracassante au niveau bantam CC. Après seulement 4 matchs, il a déjà amassé 16 points. Des statistiques semblables ne peuvent passer inaperçues et Alain Faucher, l'entraîneur-chef de l'Express AA de Bourassa, l'invite à se joindre à sa formation.

« Mon père déteste que je raconte cette histoire, dit Georges en riant de bon cœur. Quand je lui ai demandé la permission de monter avec l'équipe AA, j'ai essuyé de sa part un refus catégorique. Pour lui, c'était une décision non négociable, car pour jouer dans ce calibre, ça demande un engagement plus sérieux que dans le CC et il ne voulait pas que mes études en soient affectées. J'ai décidé d'aller jouer avec l'Express quand même, mais en cachette. »

À ce moment-là, Eddy ne suit pas le hockey avec beaucoup d'assiduité et le subterfuge de son fils fonctionne. Toutefois, après quelques semaines, le club doit prendre part à un tournoi à Trois-Rivières, ce qui implique que Georges devra rater une journée d'école, et là, il doit tout déballer au paternel s'il veut pouvoir partir avec ses coéquipiers. Le persévérant jeune homme indique donc à son père qu'ils devront arriver plus tôt, lors du prochain entraînement, et qu'il doit lui aussi s'y présenter, car le coach désire le rencontrer. En arrivant à l'aréna, quelques jours plus tard, un entraîneur attend effectivement Eddy... mais ce n'est pas celui de l'équipe de Georges !

— Bonjour, monsieur Laraque ! Je me nomme Alain Faucher et j'aimerais vous parler de votre fils.

— Mais vous n'êtes pas le coach de Georges !

— Oui et non. Je suis l'entraîneur-chef du bantam AA, l'Express de Bourassa, et je voudrais savoir pourquoi vous ne voulez pas que votre fils joue dans mon équipe.

— Moi, monsieur Alain, je suis un immigrant, et le hockey, je m'en fiche complètement. C'est un loisir. Par contre, l'éducation, ça c'est important. Je veux que mon fils réussisse à l'école et le meilleur moyen, c'est en se contentant de jouer du hockey récréatif.

— Monsieur Laraque, votre fils est beaucoup trop fort pour jouer bantam CC. Il joue pour mon club au niveau AA depuis la deuxième semaine du calendrier et il a toujours été mon meilleur joueur sur la glace.

— Comment ça ? Qu'est-ce que vous venez de dire ? Vous avez fait jouer mon fils bantam AA sans m'en parler ? Savez-vous que je pourrais vous amener en cour pour avoir fait une chose semblable ?

— Ne vous fâchez pas. C'est ma décision et, d'après le peu que je connais de vous, vous semblez être une personne calme et compréhensive. J'ai demandé à Georges son avis et il m'a dit que vous alliez le tuer s'il venait jouer pour mon club, et j'avais promis de ne rien vous dire. Mais vous ne pouvez pas empêcher un si bon joueur de jouer bantam AA. Alors voilà, je voudrais simplement avoir l'autorisation de laisser Georges jouer dans mon équipe.

— C'est non. Et ce sera toujours non. J'espère que vous n'êtes pas surpris.

— Non, je ne suis pas surpris, mais comprenez que votre fils doit venir à ce tournoi-là. De plus, je suis certain qu'il va se faire repêcher junior majeur... Écoutez, voici ce que je vous propose. Je vous garantis que si Georges obtient une seule note en bas de 80 %, je le mettrai dehors de l'équipe moi-même. Je m'engage personnellement à faire un suivi rigoureux et à tout faire pour que ça fonctionne. D'ailleurs, j'ai déjà onze joueurs dans mon club qui étudient dans un collège privé, alors soyez rassuré, on veut que nos jeunes réussissent à l'école. Si jamais il doit étudier pour des examens ou qu'il a des devoirs à faire, jamais je n'empêcherai un de mes joueurs de s'absenter d'un entraînement ou même d'un match.

— Hum... ça pourrait marcher. Mais jouer au niveau AA coûte très cher et je n'ai pas d'argent à dépenser pour ça.

— Écoutez, si vous dites oui, tout est déjà arrangé. Vous aviez payé pour qu'il joue CC et c'est notre décision de le prendre dans la AA, par conséquent on va s'occuper de l'aspect financier. Vous n'aurez pas un sou de plus à débourser.

Les deux hommes scellent ce pacte par une poignée de mains. Tout le monde y trouve son compte et la balle se retrouvera dorénavant dans le camp de Georges qui ne jouira d'aucune marge de manœuvre, car son père surveillera attentivement ses performances académiques.

Eddy ne regrettera jamais cette journée où il a fait preuve d'une certaine ouverture d'esprit face à la détermination sans bornes de son fils aîné.

« Alain a tout simplement changé le cours de la vie de Georges. Sans son intervention, mon fils ne joue pas bantam AA cette année-là et il ne se fait jamais remarquer », admet-il avec franchise aujourd'hui.

L'entraîneur Faucher, lui, ne regrettera jamais d'avoir insisté de la sorte auprès de ce père de famille inquiet.

« Georges arrivait de Longueuil et il avait participé au camp d'entraînement du bantam CC. Je l'avais tout de suite remarqué mais on m'avait expliqué que son père voulait qu'il soit classé dans une catégorie récréative. Pour être honnête, son coup de patin était plutôt moyen mais, pour le reste, toutes les habiletés étaient là, quoique ce soit d'abord son physique qui m'ait attiré. J'ai toujours aimé diriger des grosses équipes et à ce moment-là Georges faisait 6 pieds 2 pouces et il pesait 180 livres ! En plus, il avait tout un lancer et un bon sens du jeu. Il avait tout ce qu'il fallait pour jouer dans le bantam AA mais il fallait développer son patin et je n'étais pas tellement préoccupé par cet aspect, car c'était un petit gars très travaillant qui voulait s'améliorer », se souvient son ancien entraîneur.

SUCCÈS INSTANTANÉS AU BANTAM AA

Eddy découvre rapidement qu'il y a un monde de différences entre les ligues récréatives où jouait auparavant Georges et l'esprit de compétition que l'on retrouve au niveau bantam AA. Mais tout se déroule à merveille pour son fils et il réalise rapidement qu'il a pris une bonne décision en acceptant le marché proposé par Alain Faucher.

Du côté académique, Georges se débrouille très bien. D'ailleurs, à ce chapitre, tous les joueurs de Bourassa doivent rendre des comptes à leur entraîneur. Chaque fin de session, les jeune doivent apporter leur plus récent bulletin et paradent à tour de rôle devant Alain Faucher pour montrer et, au besoin, justifier leurs résultats scolaires.

Point de vue hockey, Georges s'améliore rapidement et sa progression est fulgurante. Collectivement, l'Express connaît une saison de rêve. Georges et ses coéquipiers enlèvent les honneurs des tournois de Trois-Rivières, de Saint-Georges-de-Beauce et de Montréal-Est, en plus de terminer au premier rang de la Ligue Montréal Métro et de remporter le championnat des séries éliminatoires du circuit. Le parcours de l'Express de Bourassa se terminera en finale des championnats provinciaux, par une défaite crève-cœur en prolongation face à la formation de Sherbrooke.

« Quand monsieur Laraque a accepté que son fils vienne jouer pour nous, il a fallu que Georges comprenne qu'il devrait faire des sacrifices, car il partait de loin, explique Alain Faucher qui n'a que des bons mot sur son ancien protégé. Je lui ai expliqué que s'il était prêt à mettre les bouchées doubles, on lui montrerait pas mal de choses en un an. C'était un *long shot,* mais il a travaillé très fort pour améliorer son coup de patin. Dans Bourassa, nous n'avons pas un gros bassin de joueurs, alors nous avions beaucoup d'heures de glace de disponibles et on en profitait pour s'entraîner trois ou quatre fois par semaine avec le bantam AA. C'était aussi un petit gars très loyal et c'était un joueur d'équipe. Je me souviens qu'à l'occasion d'un match contre le Norois, un de leurs joueurs avait commencé à "brasser" et il était même venu à notre banc pour nous baver. Il criait même après nous, les coachs ! Georges a sauté sur la glace, il est allé le voir calmement, il lui a juste parlé et, curieusement, le jeune du Norois a arrêté de nous narguer d'un coup sec ! »

Sorti de nulle part, l'adolescent d'origine haïtienne se tire très bien d'affaire et il fait écarquiller bien des yeux. Au bout de quelques semaines seulement, un père bienveillant recommande à Eddy de dénicher un agent afin de veiller aux intérêts de son fils, car, selon lui, une belle carrière l'attend. L'homme en question lui propose de rencontrer Gilles Lupien, un agent souvent présent aux matchs et qui jouit d'une bonne réputation.

Eddy croise justement l'ancien défenseur du Canadien quelques jours plus tard et il s'empresse de l'aborder à ce sujet. Gentiment, Lupien lui explique que son garçon ne jouera jamais au niveau junior et encore moins dans la LNH, car il est beaucoup trop lent. Eddy ne sait plus trop quoi penser. Mais il ne se questionnera pas tellement longtemps, car peu de temps après, un inconnu vient à sa rencontre avant une joute à laquelle prend part son fils. L'homme se nomme Fred Simpson, il est agent de joueurs et il offre à monsieur Laraque de prendre Georges sous son aile.

— Si vous acceptez de me faire confiance, je vais m'occuper de la carrière de votre gars.

— Je ne sais pas trop... Des gens m'ont dit que mon fils n'ira jamais loin.

— Moi, je vous dis que Georges va être repêché par une équipe junior et qu'il va jouer dans la LNH. Je vais faire tout ce que je peux pour qu'il y arrive. D'ici là, vous n'aurez plus une cenne à payer pour Georges. Je vais m'occuper de tout. Je vais commencer par lui acheter un meilleur équipement. Ensuite, on va l'inscrire à des écoles de hockey pendant l'été pour améliorer son coup de patin.

— Parfait monsieur Fred! Apportez-moi les documents, je vais regarder ça et on va signer avec vous.

« Fred Simpson ne représentait que Patrick Côté et moi. Nous étions deux jeunes étiquetés "bagarreurs" avec un potentiel pour la LHJMQ. Mais nous étions deux rejets et personnes ne voulait nous représenter! », rigole Georges en revenant sur cette histoire.

« Nous étions convaincus que Georges allait se faire repêcher par un club junior majeur, explique Alain Faucher. C'était tout un athlète. Il était dans une forme extraordinaire, il avait un méchant lancer, il était très fort physiquement et il avait toute une carrure. Tous les dépisteurs venaient me voir pour me poser des questions sur lui. La plupart me demandaient s'il se débrouillait avec ses poings mais je n'en savais rien, car c'est évidemment interdit de se battre au niveau bantam. Toutefois, physiquement, il en imposait énormément. »

Outre Georges, un autre joueur de l'Express de Bourassa connaîtra aussi une très belle carrière junior. Il s'agit du défenseur Alain Nasreddine, qui portera éventuellement les couleurs du Canadien de Montréal le temps de quelques matchs. Six de leurs coéquipiers opteront pour des universités américaines.

REPÊCHÉ PAR LES LYNX

L'entraîneur Faucher connaît très bien son hockey. Guidé par sa vaste expérience et son flair, il ne s'était pas trompé puisque, à l'été 1992, son protégé est repêché en cinquième ronde par les Lynx de Saint-Jean.

À seize ans, contre toute attente, Georges impressionne suffisamment pour que Norman Flynn, l'entraîneur-chef des Lynx, décide de le garder avec sa formation.

« Comme nous étions basés à Saint-Jean-sur-Richelieu, j'avais le privilège de pouvoir utiliser le collège militaire pour mes camps d'entraînement, raconte Flynn. Martin Simard, le responsable du conditionnement physique qui travaillait avec les recrues de la base, nous donnait un précieux coup de main chaque année. Même s'il n'avait que seize ans, Georges a pulvérisé les records de force physique de l'équipe à son arrivée. Je me souviens très bien, il avait poussé 700 livres au *leg-press* ! Le haut de son corps n'était pas tellement développé, mais il avait des jambes vraiment très puissantes. Nous avions un Français avec les Lynx, un certain Richard Aimonetto, et il détenait notre record de vitesse pour la course. Personne ne lui arrivait à la cheville mais à sa première année au camp, Georges l'a battu à plate couture, sans même être essoufflé au fil d'arrivée. C'était une véritable gazelle et il était dans une forme physique exceptionnelle ! Simard, le gars de l'armée, m'a dit qu'il n'avait jamais vu un jeune de cet âge courir le mille aussi rapidement. »

Il y a cependant un petit bémol : au début du camp de sélection, Eddy refuse de signer une lettre déchargeant de toutes responsabilités l'équipe et la LHJMQ si son fils d'âge mineur joue avec une demi-visière.

« Mon père voulait tout contrôler et il ne voulait absolument pas signer la lettre. J'étais le seul gars avec une grille complète et je ne pouvais quand même pas jouer junior majeur comme ça. Ça aurait été une vraie honte, surtout que j'étais un *tough*. Norman Flynn et Samuel Groleau, un vétéran, avaient parlé à mon père pour lui expliquer que j'avais ma place dans l'équipe mais qu'il fallait que je porte une demi-visière. Mes parents venaient de divorcer et j'ai dit à mon père que ma mère, elle, signerait, et il a répondu qu'il bloquerait tout ça tant que je n'aurais pas 18 ans. C'était le drame total et là, je me disais que je ne réaliserais jamais mon rêve... Mon père anéantissait presque toutes mes chances de jouer un jour dans la LNH », raconte Georges, encore un peu révolté aujourd'hui en y repensant.

« Georges a joué les premières joutes préparatoires avec sa grille, rappelle Flynn. Ce n'était pas encore un bagarreur, puisqu'il venait d'arriver dans la ligue, mais il aimait se chamailler.

Comme il n'était pas très rapide, il arrivait souvent deuxième dans le coin et il ne se gênait pas pour frapper ses rivaux. C'était le genre de jeune qui ne voulait pas se faire piler sur les pieds et il aimait s'imposer physiquement. Il avait de bonnes mains et un très bon tir, alors on pensait à peut-être le garder avec nous à seize ans. J'avais prévenu Georges et son père qu'il devait être prêt à se faire narguer en raison de la couleur de sa peau. Je savais de quoi je parlais, car j'avais dirigé des joueurs noirs et ils n'avaient pas eu la vie facile sur la patinoire. Considérant le style de jeu de Georges, il était également clair qu'il se ferait doublement écœurer s'il persistait à jouer avec une grille. J'étais prêt à le prendre dans mon club à condition que son père signe la décharge et qu'il joue avec une demi-visière... Mais monsieur Laraque ne voulait rien savoir, alors nous avons envoyé Georges au midget AAA. Finalement, ce n'était pas une mauvaise décision, car il devait améliorer son coup de patin. »

Le jeune Laraque se rapporte donc au Canadien de Montréal-Bourassa de la Ligue de développement midget AAA, où il connaîtra une des saisons les plus frustrantes de sa carrière, car c'est loin d'être l'harmonie entre lui et l'entraîneur-chef Pierre Pagé. L'espoir des Lynx termine aussi loin que neuvième marqueur de son équipe avec 8 buts et 20 passes en 37 parties.

La saison suivante, Eddy n'a pas le choix. S'il ne signe pas le fameux formulaire, son fils ne pourra pas jouer dans la LHJMQ et ça sera vraisemblablement la fin de sa carrière. À dix-sept ans, Georges Laraque mesure 6 pieds 3 pouces et il pèse 224 livres. Il est le joueur le plus costaud des Lynx de Saint-Jean-sur-Richelieu et il aura rapidement des comptes à rendre auprès des matamores de la LHJMQ.

Lors des rencontres préparatoires, le nouveau redresseur de torts des Lynx laisse tomber les gants à quelques reprises et il ne perd aucun combat. La recrue gagne en confiance et commence même à se sentir invulnérable.

« Quand Georges est arrivé à Saint-Jean, souligne l'ancien entraîneur-chef des défunts Lynx, j'avais déjà une couple de gros bonhommes qui étaient capables de brasser la cabane ! Je n'avais pas besoin de lui comme *tough*, car j'avais Rony Valenti, Nathan

Morin et Martin Lamarche pour jouer ce rôle-là. Mais je voyais que le *kid* aimait ça, alors j'ai demandé à mes vétérans de le prendre sous leur aile et de lui montrer comment se "pogner". Georges était fort physiquement mais il n'était pas habile avec ses poings. Les gars lui ont donné des cours et il a commencé à bien se débrouiller. »

Fort comme un bœuf, doté d'un excellent lancer et de mains très respectables, Georges est maintenant capable de se battre et de s'en tirer honorablement. Son coach voit en lui un grand potentiel et, avant le début de la saison, il rencontre le père et le fils pour leur faire réaliser que de belles choses pourraient se produire si Georges y met du sien.

« C'était clair que les clubs de la LNH allaient penser comme nous, se remémore l'ancien entraîneur, et se dire qu'avec un gabarit semblable Georges pourrait devenir un élément intéressant pour un club de hockey, malgré son coup de patin déficient. Grâce à sa charpente et à sa force, il avait déjà un atout que plusieurs n'auraient jamais. Il devait toutefois devenir un peu plus méchant, car Georges était beaucoup trop bonasse ! C'est juste s'il ne distribuait pas des bonbons pis de la "gomme balloune" aux autres joueurs ! C'était un gros bébé et je me souviens que je lui avais dit : "Georges, c'est beaucoup plus que des billets de loterie que tu as dans les mains. T'as des chances de devenir millionnaire ben plus que tous les gars qui achètent des tickets au dépanneur, mais va falloir que tu deviennes plus *mean* pour passer à la caisse." »

« Norman me répétait souvent ça, parce que je n'étais ni un enragé ni un joueur salaud. Il fermait son poing droit et frappait dans la paume de son autre main, serrait les dents, me regardait avec les yeux plissés et il devenait tout rouge. Les veines de son cou commençaient à enfler et il me disait en levant le ton : "Faut que t'apprennes à être plus *mean*, Georges ! Imagine si t'étais capable d'être juste un peu méchant ?" Il croyait vraiment que si je devenais plus méchant, je jouerais dans la LNH et il me le répétait souvent », ajoute Laraque, en prenant soin de préciser qu'il se battait puisque c'était son job, mais qu'il n'aimait pas du tout jeter les gants.

Environ un mois après le début de la saison, il devient évident que les Lynx connsaissent des difficultés financières et l'équipe n'est plus en mesure d'honorer le contrat de Norman Flynn. Après avoir été incapable d'encaisser quelques chèques de paye, Flynn démissionne et il est remplacé par John Parris.

Lors d'un match disputé à Laval face au Titan, Georges annonce à ses coéquipiers qu'il se farcira le dur à cuire Sylvain Blouin, dont la réputation n'est plus à faire dans les villes du circuit Courteau. Pendant la période d'échauffement, une grosse voix l'interpelle du banc du Titan. C'est l'entraîneur-chef Michel Therrien qui lui crie :

« Laraque, tu fais ton gros *tough* mais t'as peur de "pogner" Blouin, mon gros t... Écoute ben, ma petite *rookie*, y va t'en cr... toute une si t'as le *guts* de l'essayer. »

La tactique du pilote du Titan fonctionne. Plus il crie et plus Georges veut inviter Blouin à sa battre avec lui. Mais celui qu'il veut défier en est à sa troisième saison dans la LHJMQ. La saison précédente, il a amassé 373 minutes de punitions et il est de deux ans son aîné.

« C'était épeurant de jouer dans le Colisée de Laval qui était surnommé *The house of pain*. Ça puait dans notre vestiaire, il faisait chaud et il n'y avait pas de thermostat et très peu d'éclairage. J'avais 17 ans et je n'avais rien vu de semblable... mais je voulais vraiment "pogner" Blouin », explique Georges.

Quand l'affrontement débute, Georges passe de la parole aux actes. La foule du Colisée de Laval se lève d'un bond. Ce qui devait arriver arrive... Blouin sert toute une correction à la recrue des Lynx. Le nez cassé, Georges s'écroule sur la patinoire dans une mare de sang.

« Je me suis fait détruire ! Au début du combat, c'était pas pire. En fait, j'encaissais pas mal de coups. Et puis un de ses coups de poing m'a atteint directement au nez. Ça m'a éclaté une veine, mon nez pissait le sang et je suis tombé sur les genoux, devant lui. Mentalement, ça m'a tué. Après ce combat, je me suis dit que je ne me battrais plus jamais de ma vie. J'avais peur de mon ombre et j'ai été au moins vingt parties sans me battre après ça. »

Eddy ne sait pas dans quel état d'esprit se trouve alors Georges, mais il sent le besoin d'intervenir, car son adolescent ne ressemble plus au joueur si prometteur dont le réputé Marc Lachapelle parlait régulièrement dans le *Journal de Montréal.*

Après une partie, le paternel estime qu'il est devenu impératif que son fils comprenne qu'il doit accepter ce genre de comportement sur la glace. Les Laraque ne sont pas des gens violents, mais Eddy est capable de faire la part des choses.

— Comment ça va, Georges ?

— Bof…

— Pis, ton nez ?

— Ah… ça a fait vraiment mal, mais là ça va mieux.

— Alors ? C'est quoi, ta décision ?

— De quoi tu parles, Dad ?

— Il faut que tu prennes une décision, là.

— Une décision ? Je ne comprends pas du tout de quoi tu parles. Quelle décision ?

— À propos du hockey, Georges. Le hockey est une guerre. Est-ce que tu veux aller à la guerre ou est-ce que tu veux rester chez toi, dans les jambes de ta mère ? C'est quoi, ton choix ? Si tu veux aller à la guerre, tu restes pis tu arrêtes d'avoir peur des autres. Sinon, on s'en va chez nous et c'est tout.

Les paroles d'Eddy ne tombent pas dans l'oreille d'un sourd. Encouragé par la réaction de son père, un homme pourtant pacifique, Georges commence alors à s'entraîner sérieusement en gymnase, ce qu'il n'avait jamais fait avant. Tant qu'à aller à la guerre, aussi bien avoir des munitions : il s'inscrit aussi à des cours de boxe.

Lors de cette première saison dans la LHJMQ, Georges amasse 11 buts et autant de mentions d'aide pour 22 points en 70 matchs, en plus de passer 142 minutes au banc des punitions.

À la fin de cette première saison dans les rangs junior, Fred Simpson paye une école de hockey à son jeune protégé. Georges passera l'été à s'entraîner sous les ordres du célèbre Claude Ruel, au complexe Quatre-Glaces, à Brossard.

« Ce monsieur-là m'a complètement transformé comme joueur, explique Georges. Je suis devenu meilleur dans tout, à commencer par mon coup de patin. Il était exigeant et il nous poussait toujours à nous surpasser. J'étais déjà en forme, car je courais beaucoup et je jouais encore au soccer à ce moment-là, mais c'est le premier été où je me suis entraîné au hockey et la différence a été énorme dans mon développement. Simpson m'avait aussi envoyé faire du *power skating* avec Mario Vincent pour que je sois capable de suivre la *game* et que je ne sois pas qu'un simple *tough.* »

Les efforts de Georges rapportent. L'année suivante, en 1994-1995, toujours avec les Lynx, il participe à 62 rencontres et il touche la cible à 19 reprises en plus de se faire complice de 22 buts et de passer 259 minutes au cachot.

Au milieu du calendrier, un soir de décembre, le téléphone sonne chez les Laraque. C'est Gilles Lupien. Il désire offrir à Eddy ses services à titre d'agent – offre que le père de famille s'empresse de décliner avec grand plaisir :

— Mais monsieur Lupien, vous ne vous souvenez pas que je suis allé vous voir pour que vous preniez Georges ? Vous m'aviez alors dit qu'il n'était pas bon. Maintenant, vous vous rendez compte de votre erreur mais il est trop tard. C'est comme si j'avais courtisé une fille et qu'elle m'avait dit non et qu'une fois marié elle viendrait me demander de divorcer pour aller avec elle ! Êtes-vous fou ? C'est une insulte, ça, monsieur Lupien !

Et il raccroche en espérant ne plus jamais entendre parler de cet agent.

Il faut dire que le nom du policier des Lynx circule à travers toute la ligue et qu'il attire la convoitise de toutes les équipes de la LNH puisqu'il sera admissible au prochain repêchage, qui aura lieu en juin à Edmonton. Pas une semaine ne se passe sans que Marc Lachapelle parle du jeune matamore dans le *Journal de Montréal,* tandis qu'à RDS, Stéphane Leroux fait aussi régulièrement son éloge.

Selon certaines rumeurs, il serait même possible que le gros attaquant des Lynx soit réclamé dès la première ronde. Plusieurs dépisteurs estiment qu'en plus d'être impressionnant avec ses poings, Georges pourrait peut-être se développer suffisamment pour devenir un *power forward* de premier plan. Les Red Wings l'auraient paraît-il dans leur mire. Finalement, les Oilers transigent pour améliorer leur sort afin de le réclamer dès le début de la deuxième ronde. Il sera le 31e choix au total lors du repêchage de 1995.

PAS PRÊT POUR LA LNH

Comme l'été précédent, Georges prend les bouchées doubles alors qu'il s'entraîne simultanément avec Claude Ruel à Brossard et avec Mario Vincent à Ville-Saint-Pierre. Quand il arrive au camp d'entraînement des Oilers, il est dans une forme resplendissante. Tout se déroule à merveille et il épate la galerie. On commence même à raconter que le jeune hockeyeur de 18 ans pourrait amorcer la saison avec le grand club à Edmonton...

Vers la fin du camp, lors d'une partie préparatoire face aux Sharks de San Jose, Georges se retrouve à côté du vétéran Dave Brown pour une mise au jeu. Le bagarreur de 6 pieds 5 pouces amorce sa 13e saison dans la LNH. Avant que l'officiel ne dépose la rondelle, le dur à cuire des Sharks donne de petits coups de bâton sur les jambières de Georges. Pas besoin d'une invitation plus claire. L'attaquant québécois devra laisser tomber les gants s'il ne veut pas passer pour une poule mouillée. Georges raconte :

« J'avais tellement peur de Dave Brown que je voyais presque mon gardien entre mes jambes tellement j'avais la tête baissée ! C'est pas des farces, je l'entendais respirer et je me souvenais qu'il avait déjà défait la face à Stu Grimsom ! Il n'était pas question que je me batte avec lui ! Mais les Sharks avaient aussi un autre *tough* sur la patinoire : Fredrik Oduya, qui venait de finir sa carrière junior avec les 67's d'Ottawa, dans la Ligue de l'Ontario. Dès que la rondelle est tombée, je suis parti vers Oduya et je l'ai mis KO d'un seul coup de poing ! La foule s'est levée d'un bond et j'ai eu droit à une ovation debout ! Je n'avais joué que deux minutes et tout le monde parlait de moi ! »

Le lendemain, l'entraîneur-chef Ron Lowe invite le jeune bagarreur dans son bureau et, contre toute attente, il lui propose de commencer la saison à Edmonton, avec les Oilers.

« J'ai dit à Ron Lowe que j'aimais mieux retourner jouer junior parce que je ne me sentais pas prêt pour la LNH. La vraie raison était plus simple : j'avais la chienne ! Je me disais que si je restais dans la LNH, il faudrait que je me batte contre des gars comme Dave Brown et je ne me voyais pas affronter des monstres comme lui. Sylvain Blouin ne jouait plus dans la LHJMQ et je savais que je serais LE *tough* du junior, alors ma décision n'était pas compliquée à prendre », admet Georges avec sincérité.

Pendant cet été de 1995, la franchise des Lynx déménage à Rimouski pour devenir l'Océanic. Georges et deux coéquipiers ne sont pas inclus dans la vente et ils se retrouvent avec le Titan, à Laval. Le pugiliste format géant amorce la saison en lion en enregistrant 8 buts et 13 passes en seulement 11 parties. Puis il passe au Laser de Saint-Hyacinthe, où il rejoint de nouveau Norman Flynn, son ancien entraîneur avec les Lynx de Saint-Jean. Au moment de la transaction, il est toutefois blessé à un genou et il rate quelques semaines d'activité.

« Norman m'adorait et il m'a encore aidé énormément cette année-là, à Saint-Hyacinthe, même si je n'ai pas joué beaucoup à cause de ma blessure. Quand je suis arrivé avec le Laser, je n'étais pas en forme et Norman m'a fait travailler fort pour que je retrouve ma *shape*. Il restait sur la glace presque chaque jour avec moi pour me faire faire du temps supplémentaire. On se battait pour être des séries et la rumeur voulait que je serais bientôt échangé. Dave Morin, le propriétaire de l'équipe, m'avait même demandé si j'avais une préférence entre Hull ou Granby pour une éventuelle transaction ! Je ne voulais rien savoir de Granby, car c'était une gang de racistes. Leur préposé à l'équipement passait son temps à me traiter de nègre et j'haïssais alors Michel Therrien, car c'était à cause de lui que Blouin m'avait sacré une volée, lors de ma première année. Je ne voulais rien savoir d'aller là-bas. J'étais certain de me retrouver à Hull assez vite », résume Georges.

Mais en coulisses l'affaire est déjà réglée. Il n'est nullement question que Georges prenne le chemin de l'Outaouais.

« Les dés étaient pipés cette année-là, dans la LHJMQ, explique Flynn. Le propriétaire de Saint-Hyacinthe était de connivence avec les frères Morissette. En vendant les Lynx à

Rimouski, Léo-Guy avait fait une bonne affaire et il avait acheté le club de ses frères, à Laval. Ces derniers avaient pris cet argent-là et avaient acheté Granby en amenant avec eux le noyau de l'équipe, qui était composé de Francis Bouillon, Daniel Goneau et Jean-François Brunelle, qui, eux, n'avaient pas fait partie de la vente. Une fois la saison commencée, les Prédateurs avaient obtenu Benoît Gratton et Jason Doig, deux des meilleurs joueurs du Titan. Pour éviter que la collusion soit trop évidente, il avait été prévu que Georges ne ferait que transiter par chez nous avant d'aboutir à Granby. »

GEORGES PASSE AUX PRÉDATEURS

La matinée du 10 janvier 1996, date limite des transactions, les joueurs du Laser partent en direction de l'Abitibi en prévision d'un match contre les Foreurs, à Val-d'Or. Les événements qui se sont déroulés cette journée-là font aujourd'hui partie du folklore de la LHJMQ. Norman Flynn raconte :

« Quand on était allé chercher Laraque, j'étais content. On avait donné pour lui deux bons jeunes joueurs mais Georges pouvait nous aider à court terme et on a gagné plus souvent quand il est arrivé. C'était un des *heavyweights* les plus respectés de la LHJMQ. Mais le matin du 10 janvier, avant qu'on parte pour Val-d'Or, notre directeur général Sylvain Danny me téléphone pour m'informer que ça va bouger dans la journée. À ce moment-là, j'ai pensé qu'il allait chercher des renforts, car on jouait bien et je pensais qu'on avait des chances de faire du chemin en séries. »

À mi-chemin du trajet, l'équipe fait escale à Mont-Laurier et en profite pour dîner. À 11 h 40, le pilote des Lynx reçoit un coup de fil de son patron, Sylvain Danny.

— Ne partez pas tout de suite pour Val-D'Or, j'ai des offres pour Laraque.

— Quoi ? Des offres pour Laraque ? Qui veut Laraque ?

— Hull, Granby… Beauport aussi. T'en penses quoi, Norman ?

« Là, je me suis mis à lui nommer des noms. À Beauport, ça prendrait untel pis untel. À Granby, essaie d'aller chercher Goneau ou Bouillon, même chose avec Hull où je donnais des noms de vétérans établis. Je pensais qu'on irait chercher des gros noms, car Georges valait cher sur le marché. Le téléphone sonne à midi pile, l'échange était fait. »

— C'est fait, Norman. J'ai fait un *trade* avant le *deadline.*

— Ah ouais... Alors, qui est parti ?

— Laraque s'en va.

— Qu'est-ce que t'as eu pour Georges ? Quelque chose de gros, j'imagine ?

— Y s'en va à Granby pis nous autres on ramasse Jean-François Autin pis Marc Benoît.

— Sais-tu qui c'est, ces deux gars-là ? Autin joue junior A pis Benoît est pas habillé les trois quarts des *games*... Tu viens de me débarrasser de mon *tough* pour deux gars que j'suis même pas sûr qu'ils sont capables de jouer dans mon club. C'est quoi ça, cet h... de *trade*-là de m... ?

— Ouais, mais attends un peu. On a eu beaucoup d'argent en plus... Beaucoup d'argent !

— Ah, bravo ! Ça c'est bon en t..., ça, de l'argent ! Quand je vais mettre ça sur mon *powerplay*, ça va m'aider à gagner des *games* en maudit, ça, de l'argent ! Sais-tu ce que tu viens de faire là ? Je vais te le dire... Tu viens de démolir l'équipe ! »

Même si ce n'est pas la volonté de Georges, ni celle de son entraîneur, c'est avec les Prédateurs de Granby que Laraque finira sa carrière junior. Toujours attablé au restaurant, Norman Flynn est tellement furieux qu'il demande un sac à ordures à la serveuse. Il quitte les lieux en maugréant et il se dirige vers l'autobus de l'équipe. Il tend le sac au préposé à l'équipement.

— Tiens, prends ça et sacre-moi le stock de Laraque là-dedans.

Flynn regarde le pauvre adolescent encore sous le choc et lui donne l'heure juste.

— Excuse-moi, Georges, c'est pas contre toi que je fais ça. Je suis désolé, je ne peux rien contre la décision de nos propriétaires...

« Georges était la dernière pièce du puzzle pour les Prédateurs. Un *deal* en dessous de la table avait été manigancé depuis un bon bout de temps, et là, c'était l'accomplissement final du plan des frères Morissette. Toute la ligue était sous le choc à l'annonce de ce *trade*-là. Même Alain Vigneault, qui dirigeait les Harfangs de Beauport, m'avait téléphoné, car lui aussi était fâché. Il aurait été prêt à payer le gros prix pour aller chercher un gars comme Georges », raconte Flynn qui l'a encore sur le cœur.

Le pauvre Georges se retrouve tout seul avec son sac à ordure à attendre patiemment que quelqu'un vienne le cueillir à Mont-Laurier. Finalement, au terme d'une attente interminable, le défenseur Bard Sorlie se pointe en compagnie des gens de sa pension de Granby et le groupe prend immédiatement la direction de Drummondville, où les Prédateurs affronteront les Voltigeurs dans peu de temps. Quand ils arrivent finalement au Centre Marcel-Dionne, il ne reste qu'une minute à écouler à la deuxième période. Le nouveau venu descend au vestiaire saluer ceux avec qui il finira la saison ainsi que son nouvel entraîneur, Michel Therrien.

— Salut, Georges ! On est vraiment contents de t'avoir avec nous à Granby et on a payé cher pour t'avoir.

— Merci.

— Ça serait l'*fun* que tu t'habilles et que t'embarques avec les *boys* en troisième période. J'ai mis ton nom sur le *line-up* avant la *game* parce que j'espérais te voir ici avant que ça finisse.

— Je viens de faire à peu près dix heures de route et j'ai pas de jambes. Je ne suis pas certain que c'est une très bonne idée.

— C'est pas grave. Tu resteras assis sur le banc pis, si tu te sens bien, je te donnerai une couple de *shifts*.

Quand il saute sur la patinoire avant le début de la période, son meilleur ami, Joël Thériault, des Voltigeurs, vient à sa rencontre. C'est le policier à Drummondville et il lui mentionne rapidement qu'il n'aura pas le choix de se battre contre lui, car des dépisteurs de Washington sont sur place pour le voir jouer.

« Là, j'étais vraiment fâché. On ne s'était jamais battus ensemble et là il voulait profiter de la situation, car il savait que j'étais fatigué. Je venais juste d'arriver avec ma nouvelle équipe. Granby avait payé le gros prix pour aller me chercher et je ne pouvais pas perdre un combat comme celui-là. En plus, le match était présenté à la télé et je savais que Marc Lachapelle était présent. C'était le pire scénario possible pour moi. Ce n'est pas arrivé souvent dans ma carrière mais cette fois-là, je me suis battu fâché et j'ai gagné contre mon meilleur chum et ça a brisé notre amitié », résume Georges, qui a cependant immédiatement gagné le respect de ses nouveaux coéquipiers.

LA COUPE MEMORIAL AVEC LES PRÉDATEURS

Les Prédateurs ont travaillé en coulisse pour faire l'acquisition de Georges Laraque dans un but bien précis : battre les Olympiques de Hull, ce qui ne s'était pas encore produit depuis le début du calendrier. L'équipe de l'Outaouais mise sur un jeune colosse de 18 ans de 6 pieds 7 pouces qui se nomme Peter Worrell. À sa deuxième saison dans le circuit, il s'impose déjà comme l'un des meilleurs bagarreurs de la LHJMQ et il intimide toutes les formations. D'ailleurs, lors de cette saison 1995-1996, Worrell passe 464 minutes au banc des punitions. Si Georges est à Granby, c'est pour que ses coéquipiers se sentent en sécurité et que les Prédateurs ne se considèrent plus battus d'avance quand ils affrontent les Olympiques.

Pour toutes sortes de raisons (surtout des blessures à Georges), Laraque et Worrell n'en sont jamais venus aux coups jusque-là dans leur carrière. Il ne reste qu'une partie entre les deux formations avant le début des séries et cet affrontement servira de baromètre puisque Hull et Granby sont les deux équipes favorites pour représenter le Québec au tournoi de la coupe Memorial. Dans les jours précédant cette rencontre, on ne parle que du duel à venir entre Laraque et Worrell. Le match aura lieu à Granby et Georges ne peut se permettre d'être déclassé par son rival.

Le matin de la joute, avant l'entraînement, Michel Therrien le convoque dans son bureau.

— J'ai pensé à ça, Georges, et ce soir je ne veux pas que tu te battes contre Worrell.

— Ben voyons donc ! Ça a pas de sens… Cr…, c'est pas pour ça que vous êtes venus me chercher ?

— Ouais... c'est justement pour ça. Déjà qu'on est ébranlés psychologiquement chaque fois qu'on joue contre eux, si jamais tu perds, ça va être pire. Ça va défaire l'équipe et on va être brûlés contre eux quand on va les affronter en séries.

— T'es-tu malade ? Tu me niaises-tu ? Je te le dis tout de suite, c'est impossible que je perde.

— Es-tu sûr de ça ?

— Mets-en que j'suis sûr de mon affaire ! Voyons donc, Mike, c'est sûr que je vais avoir le dessus sur Worrell !

— Bon, ben dis-le aux gars.

Après l'entraînement, le coach prend la parole et dit aux joueurs que Georges a quelque chose à leur annoncer.

— À soir les *boys*, Worrell, je vais le détruire !

Et Georges fracasse son bâton contre la glace. La réaction est instantanée. Les joueurs, gonflés à bloc, se mettent à crier. Dans son coin, à l'écart, Michel Therrien affiche un petit sourire de satisfaction.

« Worrell intimidait nos joueurs depuis le début de l'année et je n'en avais pas un seul qui était capable de riposter. En fait, il n'y en avait qu'un seul dans toute la ligue qui pouvait lui tenir tête et c'était Georges, explique son ancien entraîneur des Prédateurs. Cette fois-là, je voulais le motiver, car ce n'était pas dans sa nature de remplir son rôle de bagarreur. Il savait qu'il devait se battre et qu'il était le meilleur, mais je voulais m'assurer qu'il serait vraiment prêt pour affronter Worrell. J'avais fait un peu de *reverse psychology* avec Georges ! »

Quelques heures plus tard, l'homme fort des Prédateurs gagne ce combat tant attendu. C'est la foire sur la patinoire et Granby l'emporte sur Hull pour la première fois de la saison. Un gain décisif autant sur la feuille de pointage que dans la guerre psychologique que se livrent les deux clubs. Pour Georges et ses coéquipiers, ce sera le début d'une longue et belle aventure qui se terminera par la conquête de la coupe Memorial quelques semaines plus tard.

« Au niveau junior, Georges était beaucoup plus qu'un simple bagarreur, rappelle Therrien. Il terminait ses mises en échec, il allait dans les coins, devant le filet, et c'était un assez bon patineur. Je pouvais même l'utiliser sur un premier trio. En séries, il s'était sectionné un tendon au bras et il devait jouer avec un plâtre et, par conséquent, il lui était impossible de se battre à la coupe Memorial. Ça ne m'a pas empêché de l'utiliser quand même. »

« Michel Therrien m'a vraiment aidé à devenir un *winner* et à tout faire pour gagner, poursuit Georges. Pour lui et les frères Morissette, une défaite c'était la fin du monde. Quand on perdait, il était tellement à fleur de peau que je me demandais tout le temps s'il n'allait pas se mettre à brailler ou même lâcher le club ! »

L'automne suivant, Georges se présente à son deuxième camp avec les Oilers et on l'assigne à la Ligue américaine. À cette époque, Edmonton partage l'équipe des Bulldogs de Hamilton avec le Canadien de Montréal. Même s'il ne dispute pas une seule rencontre dans la LNH, les choses se déroulent à merveille pour le pugiliste québécois, qui apprend beaucoup sous les ordres de l'entraîneur-chef Norm Mullikan.

À sa première année professionnelle, il remporte plusieurs combats et il démontre aussi qu'il peut jouer au hockey en amassant 14 buts et 20 passes en 73 rencontres, en plus de passer 179 minutes au cachot. L'aventure dure jusqu'à la fin du printemps, les Bulldogs s'inclinant en finale de la coupe Calder face aux Bears de Hershey.

« Je ne m'étais pas fait rappeler une seule fois par les Oilers, mais ç'a quand même été une année de rêve, car j'ai appris énormément cette année-là à Hamilton. Les gars étaient plus gros que dans le junior, mais je m'étais établi comme dur à cuire dans la ligue et j'étais fier de mes statistiques offensives. »

La saison suivante, les Oilers retranchent encore Laraque mais ils font appel à ses services à onze reprises. Chaque fois qu'il fait partie de la formation, Georges se contente surtout de réchauffer le banc. Un soir qu'Edmonton accueille les Sabres de Buffalo et qu'il profite encore d'une position privilégiée pour regarder la partie assis parmi ses coéquipiers, Rob Ray, des Sabres, part la foire en fin de rencontre alors qu'il engage le combat avec les vedettes de l'équipe : Doug Weight et Bill Guerin.

« Il s'était battu avec les deux en même temps ! Après le match, les gens des médias sont venus me voir pour me demander ce que j'en pensais et je me suis mis les pieds dans les plats en disant que Ray n'était qu'un peureux, et que s'il avait eu des couilles, il se serait battu avec moi. Ç'a été ma première bévue avec les journalistes ! Le lendemain, ma déclaration était dans tous les journaux et l'histoire a vite fait le tour de la ligue ! »

Quelques jours plus tard, Georges est cédé aux Bulldogs, dans la Ligue américaine, et c'est presque un soulagement pour lui, car les Oilers visiteront les Sabres un mois plus tard, à Buffalo. Naïf, il est persuadé que toute cette affaire tombera dans l'oubli. Mais le jeune hockeyeur avait négligé un détail très important : moins d'une heure de route sépare Hamilton de Buffalo. Quatre jours avant la visite des Oilers, on annonce à Georges qu'on compte sur lui pour le match contre les Sabres ! En vérité, Ron Lowe désire voir ce que le jeune a dans le ventre.

« Tout le monde était content... sauf moi ! Je n'ai pratiquement pas dormi pendant quatre jours. J'avais la chienne, c'était incroyable ! On ne parlait que de ça dans les journaux la veille et Rob Ray s'était moqué de moi et il avait dit qu'il me réglerait mon cas. La journée du match, j'ai été incapable de dormir au moment de la sieste de l'après-midi. J'avais peur, j'étais en sueur, je pensais que j'allais mourir. Un vétéran comme Rob Ray était fâché contre moi et je l'avais cherché en le provoquant dans les journaux. J'étais tellement terrorisé que quand le combat a commencé, je pense que je lui ai donné 35 coups de poing de suite avant qu'il me touche ! Je l'ai démoli et c'est ce qui a fait mon nom ! J'ai établi ma réputation de bagarreur et ça m'a fait monter à temps plein dans la LNH. »

Georges Laraque jouera finalement 11 saisons dans la LNH où il disputera 695 rencontres en plus de prendre part à la finale de la Coupe Stanley à deux reprises. En plus d'imposer le respect et d'être un des bagarreurs les plus craints de sa génération, il aura terminé sa carrière avec 53 buts, 100 mentions d'aide et 1126 minutes de punition.

LES CONSEILS DE GEORGES

« Je crois que tous les parents devraient diriger leur enfant dans le sport. Plus un enfant aime le sport et plus il prend de bonnes habitudes. Selon moi, les jeunes sportifs développent de meilleures amitiés aussi. Habituellement, leurs copains ne traînent pas dans la rue et ils ne sont pas attirés par les drogues, car ils sont disciplinés.

« Le sport t'incite à avoir un meilleur mode de vie et à être en meilleure santé. Les sportifs s'entraînent, ils mangent mieux, dorment mieux. Pourquoi ? Quand tu as une *game* le lendemain, tu penses à ce que tu dois faire pour bien performer au lieu de flâner dans la rue et de faire des conneries.

« Encore plus important : aidez vos enfants à réaliser leurs rêves. Il ne faut jamais dénigrer le rêve d'un enfant même s'il n'est pas réaliste. Il faut les supporter et continuer de les aider à cheminer. Il faut aussi que les jeunes s'amusent et il ne faut pas les traiter comme s'ils étaient déjà de petits pros. Quand tu arrives dans le hockey professionnel, le *fun* est fini : tout devient business. Tu deviens un objet, un morceau de viande. Le *kid* qui ne s'est jamais amusé va étouffer plus vieux, et même s'il finit par atteindre la LNH, il va se rendre compte qu'il n'aura jamais eu de plaisir dans la vie.

« Moi, les plus belles années de ma vie, je les ai vécues quand je jouais junior. Je faisais 40 dollars par semaine, sans pression, je jouais pour l'amour du sport. Dans le junior, personne ne te juge sur ta paye. »

GEORGES LARAQUE
Né le 7 décembre 1976 à Montréal, Québec
Aillier gauche
6 pi 4 po
245 livres
Repêché par Edmonton en 1995
2e ronde, 31e choix au total

		Saison régulière					Séries			
ÉQUIPE	SAISON	PARTIES	BUTS	PASSES	POINTS	PUN.	PARTIES	BUTS	PASSES	POINTS
Mtl-Bourassa	91-92	28	20	20	40	30				
Mtl-Bourassa	92-93	37	8	20	28	50	3	1	2	3
St-Jean	93-94	70	11	11	22	142	4	0	0	0
St-Jean	94-95	62	19	22	41	259	7	1	1	2
Laval	95-96	11	8	13	21	76				
St-Hyacinthe	95-96	8	3	4	7	59				
Granby	95-96	22	9	7	16	125	18	7	6	13
Hamilton	96-97	73	14	20	34	179	15	1	3	4
Edmonton	97-98	11	0	0	0	59				
Hamilton	97-98	46	10	20	30	154	3	0	0	0
Edmonton	98-99	39	3	2	5	57	4	0	0	0
Hamilton	98-99	25	6	8	14	93				
Edmonton	99-00	76	8	8	16	123	5	0	1	1
Edmonton	00-01	82	13	16	29	148	6	1	1	2
Edmonton	01-02	80	5	14	19	157				
Edmonton	02-03	64	6	7	13	110	6	1	3	4
Edmonton	03-04	66	6	11	17	99				
AIK Solna	04-05	16	11	5	16	24				
Edmonton	05-06	72	2	10	12	73	15	1	1	2
Phoenix	06-07	56	5	17	22	52				
Pittsburgh	06-07	17	0	2	2	18	2	0	0	0
Pittsburgh	07-08	71	4	9	13	141	15	1	2	3
Montréal	08-09	33	0	2	2	61	4	0	0	0
Montréal	09-10	28	1	2	3	28				
Total LNH	695	53	100	153	1126	57	47	4	8	12

DAVID PERRON

L'histoire de David Perron est tout simplement phénoménale. Admirateur sans bornes de Mike Ribeiro et d'Alex Kovalev, il s'est vite efforcé d'imiter ses idoles en maniant habilement la rondelle et en tentant de multiplier les feintes étourdissantes. L'affaire a pratiquement tourné à l'obsession pour l'adolescent de Fleurimont, en Estrie. Chaque jour, David et son frère aîné Pascal passaient des heures et des heures à copier leurs héros et à inventer de nouvelles manœuvres.

Mais ce que les frères Perron ne savaient pas encore, c'est qu'en raison de leur style flamboyant, des joueurs comme Ribeiro et Kovalev s'attirent des ennuis, même encore aujourd'hui dans la LNH. Ce sont des artistes qui refusent de rentrer dans le moule, et leur façon peu orthodoxe de jouer met souvent l'équipe dans le pétrin. Leurs jeux électrisants soulèvent la foule mais font damner les entraîneurs qui aimeraient les voir exploiter leur talent différemment. Si au cours de leur carrière professionnelle Ribeiro et Kovalev ont régulièrement « passé dans le tordeur », la situation n'a pas été différente pour les deux frères Perron. Bien au contraire. En Estrie, David et Pascal sont devenus de véritables mal-aimés du hockey : les entraîneurs et les dirigeants du hockey mineur les considéraient comme des têtes enflées à l'ego démesuré... des adolescents qu'il fallait absolument « casser ». À quinze ans, on a même refusé à David la permission de jouer au hockey et il n'a pas disputé un seul match de la saison parce qu'il gardait possession de la rondelle trop longtemps et qu'il jouait de façon égoïste ! À seize ans, après une année complète au purgatoire, il a finalement été admis au sein d'une équipe midget B...

Les responsables du hockey mineur de Fleurimont avaient toutefois raison sur un point: David et Pascal étaient effectivement très entêtés. Il n'était pas question qu'ils changent leur façon de jouer et encore moins qu'ils abandonnent le hockey. Au-delà de son immense talent, c'est d'abord et avant tout cette grande détermination et cette passion démesurée qui ont permis à David Perron de traverser toutes ces injustices sans jamais baisser les bras et de poursuivre son rêve de se retrouver un jour dans la LNH et d'y briller... comme Mike Ribeiro et Alex Kovalev.

* * *

À la fin de l'été 1991, quand François Perron et son épouse Brigitte quittent la maison pour se rendre à l'aréna de Fleurimont, ils ne se doutent pas une seule seconde de toutes les aventures rocambolesques qu'ils vivront au cours des prochaines années. Pour le moment, leur seule préoccupation c'est d'aller inscrire leur fils Pascal à l'aréna pour sa toute première saison de hockey. C'est une journée importante pour le garçon de six ans qui rêve de ce moment depuis quelques semaines. Assis sur la banquette arrière aux côtés de son grand frère, le petit David, avec toute la belle naïveté d'un enfant de trois ans, croit fermement qu'il sera lui aussi enrôlé au sein d'une équipe. Mais il éclate en sanglots lorsqu'il réalise que pour le moment, seul Pascal aura la chance de jouer au hockey. Oui, souvent la vie se montre cruelle lorsque l'on n'a que trois ans...

David aura néanmoins la chance de chausser régulièrement les patins en compagnie de son frère puisque devant l'intérêt marqué de ses fils, François décide quelques mois plus tard d'aménager une patinoire dans la cour arrière de la maison familiale. L'endroit devient rapidement un lieu très fréquenté par Pascal et ses jeunes coéquipiers mais aussi par le cadet de la famille qui s'invite à chaque partie. À force de suivre continuellement les plus vieux, David s'améliore suffisamment pour pouvoir amorcer sa «carrière» dans le hockey mineur dès la saison suivante. Même s'il n'a que quatre ans, en raison de son savoir-faire, on lui permet de joindre le groupe des MAHG 1 (Méthode d'apprentissage du hockey sur glace) habituellement réservé aux enfants plus vieux d'un an.

En plus de poursuivre leur apprentissage au sein des structures du hockey organisé, David et son frère continuent de chausser les patins presque chaque jour de l'hiver. En patinant assidûment sur la patinoire familiale, ils s'améliorent considérablement et c'est surtout le cas du cadet de la famille qui se mesure quotidiennement à des garçons à qui il concède trois bonnes années. Pascal n'est pas en reste et il tire très bien son épingle du jeu dans les rangs novices A. Durant l'été 1994, François et Brigitte inscrivent leur plus vieux à l'école de hockey de Stéphan Lebeau. Ancien porte-couleurs du Canadien et gagnant de la coupe Stanley en 1993, Lebeau vient de passer une première saison dans l'uniforme des Mighty Ducks d'Anaheim. Parmi les conseils qu'il prodigue aux enfants, Pascal retient surtout qu'il serait profitable de dribbler avec une rondelle ou une balle au moins cinq minutes par jour. Cette recommandation ne tombe pas dans l'oreille d'un sourd et comme l'aîné entraîne toujours son frangin dans toutes ses activités, les jeunes Perron passent dorénavant beaucoup de temps à manier la rondelle sur toutes les surfaces planes qui se trouvent à leur disposition.

« J'avais été impressionné par Stéphan Lebeau. Il se plaçait au centre de la patinoire et il jonglait avec la rondelle en la gardant collée contre sa palette comme Sidney Crosby le fait aujourd'hui. Il avait des feintes incroyables et ça nous impressionnait drôlement. En revenant à la maison, on est descendus dans le sous-sol et on a tout de suite essayé de l'imiter. On est remontés seulement quand on a été capables de maîtriser le mouvement », se souvient la vedette des Blues.

Comme il fait la pluie et le beau temps chez les MAGH, David gradue chez les novices A à sept ans. À ce moment, le plus jeune des frères Perron joue avec et contre des garçons de huit et neuf ans. Il ne vole pas la vedette, mais il n'a pas l'air fou pour autant avec des plus vieux que lui et il tient son bout. « Si c'était à refaire, j'aurais demandé à ce qu'il joue dans le novice B. Quand je regarde ça avec du recul, je me dis que ça ne donne rien de brûler des étapes. David s'en tirait bien dans le A mais il aurait été plus à sa place dans le B et il se serait probablement développé plus vite », analyse son père François en replongeant dans ses souvenirs.

PAPA DERRIÈRE LE BANC

L'année suivante, François s'implique plus activement alors qu'il accepte un poste d'entraîneur-adjoint au sein de l'équipe de David qui évolue toujours dans la catégorie novice A. Le petit bonhomme de huit ans commence déjà à faire parler de lui, car il contrôle le jeu à sa guise. Mais, l'étiquette de joueur égoïste commence aussi à lui être accolée. Après sept ou huit parties, l'entraîneur-chef Jacques Lemieux et Serge Collins, son autre adjoint, rencontrent François pour discuter de son fils.

— Je sais que c'est un peu délicat, mais il faudrait que tu parles à David.

— Vous voudriez que je lui parle de quoi, au juste ?

— Ben… On trouve qu'il ne fait pas assez de passes. Le hockey, c'est un jeu d'équipe et il faudrait qu'il passe la rondelle plus souvent.

— Pas de problème ! Je vais parler de ça avec David, les gars.

Mais François n'en glissera pas un mot à son fils. Sur le chemin du retour, il revoit les dernières parties dans sa tête. Il a beau être le père de David, dans son esprit, le fiston semble distribuer la rondelle autant que les autres jeunes. Tout de même, il se demande s'il perçoit la situation de façon objective. Il sera facile d'en avoir le cœur net puisque du haut des gradins Brigitte filme tous les matchs de ses fils, qu'ils soient ou non sur la patinoire. Une fois à la maison, François sort donc un calepin et il décide de noter toutes les tentatives de passes de la dernière partie.

« On regardait toujours les matchs de Pascal et de David en revenant chez nous. C'était un petit moment agréable, on s'assoyait en famille et ça nous amusait de revoir les beaux jeux. C'était pour le plaisir et on ne se servait pas de ça pour effectuer des correctifs, car honnêtement, je n'avais pas les compétences ni les connaissances nécessaires pour ça, explique le paternel. Mais je me suis dit que grâce aux séquences vidéos, j'allais toujours bien voir si c'était moi qui étais dans le champ avec cette histoire-là ! Je commence donc à compter les passes de David ainsi que celles de tous les autres joueurs et, à ma grande surprise, c'est mon gars qui en avait réussi le plus ! Comment pouvaient-ils bien oser venir me dire ça ? Pour être bien certain de mon coup, j'ai donc visionné une autre partie et c'est encore David qui avait fait le plus de passes dans toute l'équipe. »

Avec de telles statistiques en poche, François pourrait clore le débat très rapidement mais il ne sait pas trop comment gérer cette affaire sans créer de remous. Dans le fond, c'est assez banal, mais en même temps, il ne comprend pas pourquoi on se permet de tels reproches à l'endroit de David. Pour éviter que son fils modifie sa façon de jouer, François ne lui dit rien et lorsqu'il rencontre ses collègues à la partie suivante, il se permet de leur mentir en leur disant qu'il a bien avisé son garçon de ne plus recommencer sans quoi il regardera un match dans les estrades pour voir à quoi ça ressemble des petits joueurs qui se font des passes !

« Je n'ai jamais rien dit à David. Pourtant, trois ou quatre parties plus tard, Jacques et Serge m'ont souligné à quel point ils trouvaient que mon fils avait bien réagi à mon message ! Je n'en revenais pas. Je leur ai alors proposé de trouver un parent qui prendrait le temps de calculer toutes les passes tentées pendant les prochaines parties. Ils ont adoré l'idée... et à chaque match, c'est mon gars qui avait le plus de passes ! J'étais bien content d'avoir réglé ça sans faire de vagues, mais j'étais aussi pas mal content de leur avoir cloué le bec. »

Pendant ce temps, François continue d'entretenir sa patinoire dans la cour arrière. Chaque soir d'hiver, ses fils et lui passent des heures et des heures à jouer ensemble au hockey.

La saison suivante, David retourne pour une dernière fois chez les novices. Il avait cette année-là tenté sa chance au camp d'entraînement de l'atome BB et il avait prouvé qu'il avait hors de tout doute sa place au sein de cette formation. L'entraîneur avait cependant jugé que la venue d'un joueur novice aurait pu créer un climat malsain dans son équipe et il avait bien expliqué la situation aux Perron.

Le problème, c'est que chez les novices, David est nettement trop fort pour les autres enfants. Lors de cet hiver 1997-1998, le jeune capitaine de l'équipe de Fleurimont inscrit une centaine de buts et environ 70 passes et, grâce à lui, son équipe conserve une fiche immaculée de 44 victoires et aucun revers. Un verdict nul de 2 à 2, à East Angus, sera le seul petit point échappé en cours de route. « Je m'en souviens tellement de ce match-là, rigole David en y repensant. On s'était fait refuser trois ou quatre buts et après la partie, on avait appris que l'arbitre était le père d'une fille qui jouait pour l'autre équipe ! On les avait affrontés pas longtemps après en finale du tournoi de Fleurimont et on avait gagné 8 à 1. »

En plus de dominer ainsi avec sa formation, il fait sensation dans l'atome B où il dispute un bon nombre de matchs comme joueur de remplacement. Et comme ç'a été le cas chez les novices, David ne perd pas une seule partie de la saison avec les plus vieux.

L'INFLUENCE D'UN LIVRE

Les journées passent et l'hiver défile rapidement pour David et Pascal qui s'améliorent constamment comme joueurs de hockey. François ne se contente pas de regarder passer la parade et il essaie toujours d'épauler ses fils, mais ses connaissances du hockey sont plutôt limitées. Il veut bien guider ses enfants mais il se questionne souvent sur les bonnes façons de s'y prendre. Le destin vient à sa rescousse via son ami Christian Lord qui lui fait cadeau d'un livre, *La vraie victoire*, écrit par Denis Taillefer.

« Ce livre-là m'a aidé énormément en tant que coach mais aussi en tant que père de famille. Tous les parents et tous les jeunes devraient lire ça et il devrait être imposé à tous les entraîneurs du hockey mineur. C'est rempli de conseils et de trucs pour aider les enfants et éduquer les parents. C'est tout un outil pour les entraîneurs aussi. Je me souviens que j'y avais lu un truc intéressant pour s'assurer que les joueurs soient bien réveillés avant un match. C'était un petit jeu avec un ballon. Je me demandais bien ce que Jacques allait en penser parce que c'était quand même un exercice étrange. Mais il a été très réceptif, on l'a essayé et ça a bien fonctionné. »

Inspiré par ce bouquin, François s'implique un peu plus dans son rôle d'entraîneur-adjoint et il apporte des idées neuves. Avant que les petits novices sautent la glace pour la finale du tournoi de Saint-Éphrem-de-Beauce, François fait éteindre les lumières dans le vestiaire. Du cœur de la pénombre, un faisceau lumineux jaillit soudainement. L'entraîneur-adjoint tient une lampe de poche dans ses mains et il éclaire une bannière accrochée sur le mur au fond de la chambre. C'est la banderole remise aux gagnants du tournoi Noviçorama de Fleurimont, remporté il y a quelques semaines. Un peu plus d'une heure plus tard, les jeunes paradent fièrement sur la patinoire avec le trophée remis aux nouveaux champions du tournoi. À la fin de la saison, l'équipe de David ajoute à sa collection les titres des tournois de Rock-Forest et de Magog en plus de remporter le championnat de la saison régulière, les séries éliminatoires et les championnats régionaux. David avait volé la vedette de cette dernière compétition en se distinguant surtout lors de la rencontre de demi-finale disputée face à la formation d'Acton-Vale. Lors de ce match, les petits joueurs de Fleurimont avaient retraité au vestiaire avec un retard de 2-0 après les deux premières périodes mais le jeune Perron a pris les choses en main lors du retour sur la patinoire. David a marqué deux fois pour provoquer l'égalité puis il a scellé l'issue de la confrontation en complétant son tour du chapeau en prolongation.

« Je n'ai oublié aucun détail de ce match-là ! Je me souviens clairement qu'avant que je marque mon premier but, l'entraîneur de l'autre équipe avait crié à son joueur de centre d'essayer de gagner la mise au jeu d'un côté précis. Moi, j'avais poussé la rondelle dans le même sens que lui en sachant que j'allais pouvoir la reprendre tout de suite, raconte David en mimant le geste. Ça a fonctionné et je suis tout de suite parti vers le *net*. Je me rappelle aussi que quand on est arrivé en prolongation, je me suis souvenu que mon père disait toujours que les arbitres sont beaucoup plus permissifs dans de telles circonstances. Je m'en suis permis plus et c'est vrai qu'il n'y avait pas eu de punitions ! »

LE DÉBUT DES DISPUTES

Après avoir connu autant de succès chez les novices, David gradue au niveau atome où il réussit à se tailler une place avec l'équipe AA de l'Estrie. L'entraîneur Yves Charron ne sélectionne que deux joueurs de première année: David et le défenseur Carl Chabot. Il faut dire que cette formation d'élite rassemble les meilleurs joueurs d'un vaste territoire qui regroupe principalement les villes de Rock-Forest, Sherbrooke, Magog, Fleurimont et Bromptonville. Les deux jeunes garçons ne le réalisent probablement pas, mais c'est tout un exploit qu'ils viennent d'accomplir. « Honnêtement, je vais vous dire la vérité, j'étais plus content que David fasse l'atome AA à sa première année que lorsqu'il a mérité un poste avec les Blues de Saint Louis », lance François sans rigoler.

« Si mon père dit ça, c'est qu'aujourd'hui, il a compris. Dans le temps, il ne comprenait pas. Ce que je veux dire, c'est que toute la famille, on voyait ça beaucoup trop gros à l'époque. Quand tu prends du recul, tu constates que dans le fond, ce n'est pas si important ce genre de détail-là », ajoute David qui avait néanmoins connu une bonne saison mais en rien comparable à ce qu'il avait vécu l'année précédente. Il s'améliore tout de même beaucoup en évoluant dans un niveau de compétition aussi relevé.

La saison suivante, l'équipe est prise en charge par Denis Bourque, un entraîneur de Rock-Forest. Une de ses premières décisions est de nommer David capitaine. Les attentes sont élevées envers David mais en même temps, le petit bonhomme commence à perdre le plaisir de jouer au hockey. Il n'a que onze ans et pourtant la passion s'amenuise.

« Quand tu es rendu dans le AA, ça devient forcément plus sérieux. Dans ta tête d'enfant, tu commences à te dire que c'est rendu gros, le hockey. Tu as deux entraînements par semaine et les week-ends tu vas jouer assez loin. Le résultat, c'est que tu te retrouves avec pas mal moins de temps libre pour aller jouer au parc avec tes amis. Tout est bien structuré mais la notion de plaisir commence à disparaître. Cette année-là, j'avais tout de même terminé au premier rang des marqueurs de l'équipe, mais en même temps, j'avais moins de *fun* qu'avant. »

« La plupart du temps, Pascal s'entraînait avec le pee-wee les lundis et mercredis alors que David et ses coéquipiers de l'atome s'entraînaient les mardis et jeudis. Les fins de semaine, on s'arrangeait plus facilement parce que les gars jouaient habituellement un après l'autre. On avait beau se partager le travail, Brigitte et moi, on commençait à être essoufflés ! Cet hiver-là, j'ai donc décidé qu'il n'y aurait plus de patinoire dans notre cour », explique François.

Après deux bonnes saisons dans l'atome AA, David gradue chez les pee-wee et c'est là qu'il se fera réellement sa réputation de joueur rebelle et incontrôlable. Au début de l'adolescence, David tarde à grandir. Bon joueur mais jamais aussi dominant que les dernières années, il est donc écarté lors de la sélection finale pour la composition du pee-wee AA et il devra se joindre à la formation BB de Fleurimont-Sherbrooke qui est pilotée par Marc Vaillancourt. La rengaine du joueur égocentrique refait alors surface quelques semaines après le début de la saison. Après une partie, l'entraîneur-chef et ses adjoints prennent David à l'écart pour lui parler dans le lobby de l'aréna.

— David, on a quelque chose à te dire, mon grand. C'est à propos d'Éric Magnan. Il est venu me voir pour me dire qu'il est tanné de jouer avec toi parce que tu ne lui fais pas de passes. Il est tellement tanné que si tu continues comme ça, il va te donner une claque sur la gueule.

Sur le chemin du retour, David ne semble pas dans son assiette mais il ne dit pas un mot de cette histoire à sa mère. Ce mutisme s'explique facilement puisque ce même Éric Magnan se trouve aussi à bord de la voiture des Perron. Les deux garçons sont de bons amis et il était déjà convenu qu'Éric passerait la nuit dans la famille de son coéquipier. Quelques heures plus tard, François et Pascal arrivent à leur tour à la maison et dès qu'il peut bénéficier d'un moment de tranquillité, David s'empresse de déballer cette étonnante histoire à son père.

— Es-tu certain que Marc ne te faisais pas une *joke* ? D'après moi, il t'a sûrement fait une petite farce pour te taquiner.

— Non, non ! C'était pas une *joke*, papa. Michel Leclerc aussi était là avec Marc. Ils ne me niaisaient pas.

— OK, mon homme. Fais-toi-z'en pas avec ça. Je vais jaser avec ton coach pour éclaircir ça.

Ce n'est pas la première fois que ce genre d'incident se produit avec son plus jeune et à nouveau François médite sur la façon appropriée de régler cet imbroglio. L'affaire est délicate, car elle implique deux enfants et s'il questionne Éric, ce dernier se sentira peut-être pris entre l'arbre et l'écorce. François décide tout de même d'en avoir le cœur net et il décide de sonder doucement leur invité. Comme il s'y attendait, Éric nie avoir tenu des propos semblables en ajoutant que s'il avait un problème avec son ami, il ne serait certainement pas chez les Perron. Voilà une chose de réglée. François n'est toutefois pas le type de père à se contenter d'en rester là et c'est ce genre d'attitude qui lui a sans doute valu une réputation douteuse auprès des dirigeants du hockey mineur de l'Estrie. Il n'est pas question pour lui d'enterrer cette histoire et c'est pourquoi il appelle Jacques, le père du petit Éric. Au bout du fil, François explique la situation à son interlocuteur puis lui demande la permission de tenir une brève réunion avant le match du dimanche après-midi avec les deux enfants et l'entraîneur. Chez les Perron, on n'aime pas les zones grises et vaut mieux crever l'abcès le plus rapidement possible, quitte à écorcher quelques egos.

En arrivant à l'aréna, François demande donc à Michel, le gérant de l'équipe, d'aller chercher l'entraîneur-chef et son adjoint. Les quatre hommes se regroupent dans l'étroit corridor, pas trop loin du vestiaire, et François fait aussi venir David et Éric. Quelques secondes plus tard, le dossier est clos et les deux garçons retraitent au vestiaire pour commencer à se préparer en vue de leur partie. L'entraîneur, lui, est rouge. Rouge de colère ou rouge de honte ?

— Bon là, asteure que c'est réglé avec les jeunes, veux-tu ben me dire c'est quoi cette h... d'histoire-là, Vaillancourt ?

— C'était une farce, François.

— Ben, tes farces sont pas drôles pis elles sont assez mal placées, merci. C'est pas correct de se servir des enfants comme ça.

Dans ce que l'on pourrait appeler la petite mafia du hockey mineur québécois, François vient de se faire un nouvel ennemi.

« Il y a plusieurs fois où j'ai dit aux enfants de laisser faire après des chicanes de ce genre-là. Mais je trouvais ça totalement inacceptable qu'un adulte en position d'autorité mente comme ça en utilisant des enfants. Les autres gars qui étaient là ont trouvé que j'avais exagéré en demandant un meeting et ils m'avaient dit que j'aurais pu parler au coach seul à seul. Au contraire, je voulais régler ça devant eux pour qu'ils sachent comment il agissait », explique François qui n'a jamais hésité à se tenir debout pour défendre ses fils et ses convictions, quitte à voir sa réputation en prendre un coup.

DAVID SE DÉCOUVRE UNE IDOLE

Pendant cette même saison avec le pee-wee BB, David franchit une étape importante de son enfance en faisant le saut à l'école secondaire. Si plusieurs élèves du primaire sont déchirés quand vient le temps de sélectionner un nouvel établissement scolaire, ce n'est pas le cas du jeune Perron qui rêve d'aller étudier à la polyvalente Triolet de Sherbrooke, où est instauré un programme de sports-études en hockey. En allant à cette école, il pourra s'amuser sur la patinoire chaque jour. Son frère Pascal, qui avait lui-même choisi cette option, l'avait d'ailleurs vite convaincu des bienfaits de jumeler études et hockey.

« Il y avait deux équipes. Les gars de secondaire 1 et 2 étaient jumelés et les autres niveaux se retrouvaient au sein d'une autre formation. On s'amusait pas mal et je ne sais pas trop pourquoi, à la fin de cette saison-là, la passion du hockey est revenue tranquillement. Je n'ai jamais cessé d'aimer le hockey mais je n'étais plus obsédé comme avant. En jouant à l'école, dans un cadre moins strict, j'ai comme redécouvert le plaisir de m'amuser sur une patinoire », philosophe l'attaquant des Blues.

Au même moment, David découvre aussi les joies d'un nouveau sport, le roller-hockey. Au cours de l'été 2001, la municipalité de Fleurimont inaugure une surface de jeu en ciment pas très loin du domicile familial des Perron. Les deux frères entreprennent leurs journées par une ronde de golf et les terminent invariablement au parc où, chaque soir, ils rejoignent leurs amis pour une partie improvisée. Trois ans séparent les deux frangins, mais la différence d'âge semble inexistante. Ils sont toujours ensemble. Ils aiment les mêmes choses et ils pensent de la même façon. Si dans bien des familles l'aîné tente de dicter les règles, Pascal a toujours intégré le petit frère dans ses activités.

Lors de ces longues soirées où ils se consacrent au roller-hockey, Pascal et David renouent avec le plaisir de contrôler la rondelle. Au parc, rien n'est structuré et leur plus grand plaisir est d'essayer de conserver la rondelle le plus longtemps possible sans la perdre. C'est un peu comme si c'était les frères Perron contre le reste du monde. Et pour battre le reste du monde, Pascal et David n'ont qu'une seule alternative : ils doivent multiplier les feintes et inventer constamment de nouvelles combines pour rester en possession de cette rondelle si précieuse et tellement convoitée.

Pendant cet été 2001, les deux frérots se découvrent aussi une nouvelle idole alors qu'ils assistent à quelques rencontres du populaire tournoi « À bout de souffle », instauré par l'ancien porte-couleurs du Canadien Yanic Perreault. Originaire de Sherbrooke, le joueur de centre québécois a mis cette compétition sur pied en 1994 et le concept a vite attiré la crème des hockeyeurs de la Belle Province. La formule est simple : le match se joue à quatre contre quatre durant trente-cinq minutes, sans arrêt de jeu. Au fil des ans, l'événement est devenu un rendez-vous incontournable pour les amateurs de hockey de l'Estrie et, encore aujourd'hui, plusieurs joueurs de la LNH viennent passer une semaine de leur été dans ce coin de pays.

Lors de même été 2001, un jeune espoir du Canadien de Montréal impressionne drôlement les frères Perron. Ils avaient déjà entendu parler de Mike Ribeiro qui avait fait la pluie et le beau temps dans la LHJMQ, avec les Huskies de Rouyn-Noranda et avec les Remparts de Québec. Depuis deux ans, le joueur de centre d'origine portugaise se balade entre les Citadelles de Québec de la Ligue américaine et le Tricolore. Il est clair pour tous que Ribeiro possède un talent hors du commun, mais Alain Vigneault et son successeur Michel Therrien lui reprochent quelques lacunes en défensive et aussi son manque d'ardeur au tra-

Ses tout débuts au hockey mineur
avec l'organisation locale
de Richmond Hill,
en banlieue de Toronto.

Michael commence à attirer
l'attention avec les Kings AAA
de Vaughan.

Capitaine des puissants Red Wings de Toronto de la MTHL,
Michael remporte le tournoi pee-wee de Québec en 1996.

François et Brigitte Perron ne se doutaient pas que leur petit David ferait autant parler de lui en Estrie… puis dans la LNH !

Lors de l'été 1994, David a six ans quand il rencontre Stéphan Lebeau à son école de hockey.

David et son frère Pascal gardent des souvenirs impérissables de la saison 2002-2003, la seule de leur vie où ils ont joué ensemble.

Au mois d'août 2007, quelques semaines après avoir été repêché par les Blues, David représente le Canada dans une série contre la Russie.

Georges à l'âge de cinq ans, alors qu'il effectue ses débuts au hockey mineur.

En 1990-1991, Georges connaît une saison du tonnerre avec l'Express bantam AA de Bourassa.

À treize ans, Georges est déjà plus grand et plus costaud que la moyenne des garçons de son âge.

Lors de la saison 1995-1996, Georges ne joue que 11 parties avec le Titan de Laval, mais trouve le moyen d'accumuler 21 points et 76 minutes de punitions.

Bagarreur le plus craint de la LHJMQ, il était la pièce manquante aux Prédateurs de Granby qui visaient la conquête de la Coupe Memorial.

En juin 1996, une équipe de la LHJMQ remporte la Coupe Memorial pour la première fois en 25 ans. Georges a raison d'être fier et de sourire.

Les débuts de Scott au hockey mineur. Il passe ses deux premières saisons avec l'équipe locale, le Boys Club d'Anchorage.

Il goûte d'abord à la compétition au niveau élite avec les North Stars d'Anchorage.

Au printemps 1996, Scott et ses coéquipiers des All Stars d'Anchorage remportent la finale des championnats nationaux.

Au fil des ans, le petit Gomez accumule médailles et trophées de toutes sortes, parfois dans des circonstances pittoresques !

En 1997, il prend une décision importante et fait le saut dans la Ligue junior de l'Ouest avec les Americans de Tri-City.

Lors de l'été 2000, grâce à Scott, la Coupe Stanley parade en Alaska pour la première fois de son histoire.

Malgré le froid de l'Alaska, Scott en a passé des journées à la patinoire du coin, à Tikishla Park.

L'été, Scott retourne vivre en Alaska où il s'implique énormément dans la communauté. Sa fondation vient en aide à beaucoup de jeunes.

vail. Toutefois, aucun porte-couleurs du Canadien ne possède un aussi grand talent à l'état brut. Malgré sa frêle stature, Ribeiro glisse et se faufile gracieusement entre ses rivaux. Tout en contrôlant la rondelle, il virevolte élégamment dans tous les sens pour éviter les mises en échec puis il repère un coéquipier à qui il sert une passe savante et la foule l'applaudit... Ou alors il finit pas perdre le disque et l'adversaire contre-attaque rapidement et le coach le cloue au banc!

David et Pascal, eux, sont hypnotisés par les feintes ahurissantes de ce joueur prodigieux qui, dans le contexte du tournoi « À bout de souffle », a tout simplement l'air d'un magicien sur patins.

« Il était vraiment incroyable! se souvient David. J'ai voulu m'inspirer de lui, car moi aussi j'avais une très bonne vision du jeu. Je n'étais pas le plus rapide et j'aimais ralentir le jeu comme lui. Pendant les matchs, j'étais capable de garder la rondelle et d'attendre pour ensuite trouver un de mes coéquipiers qui venait de se démarquer. C'est avec cette mentalité-là que j'ai amorcé ma deuxième saison chez les pee-wee. Moi je me trouvais *hot*, mais mon coach Denis Bourque n'aimait pas ça! J'avais fait le pee-wee AA à ma deuxième année et je me souviens entre autres d'une fois où on évoluait en désavantage numérique et que j'avais conservé la rondelle pendant au moins quarante-cinq secondes. J'avais pris la *puck* dans notre zone et j'avais patiné avec vers le centre. Puis au lieu de dégager, j'étais revenu dans notre zone en accélérant et j'avais ensuite patiné jusqu'à l'autre bout avec la rondelle sans que personne ne me l'ôte. Rendu dans le territoire adverse, j'avais niaisé encore une couple de secondes avec le *puck*. Je virais dans tous les sens et aucun joueur n'avait pu me la voler. Quand je suis rentré au banc, j'étais pas mal fier de moi mais le coach m'a engueulé. Y aurait fallu que je "dumpe" la *puck* dans le fond et que l'autre équipe contre-attaque. »

Après ce match, le jeune hockeyeur de treize ans s'interroge.

— Le coach a pas aimé ça, papa, quand j'ai gardé la *puck* en désavantage et il m'a dit qu'il ne m'embarquerait plus quand on aurait une punition si je recommençais ça. Me semble que j'ai bien joué, pourtant...

— Oui, c'est ben correct d'après moi, David. Mais c'est pas moi le coach. Si tu veux jouer en désavantage numérique, ben écoute pis fais ce qu'il te demande. En désavantage numérique, y a rien de mal à "dumper" la *puck* dans le fond.

Ce n'est pas la réponse qu'espérait le fiston. « J'ai pas écouté mon père ! Je me suis dit que de toute façon y avait personne qui était capable de me soutirer la rondelle et j'ai donc continué à faire à ma tête. Le coach a arrêté de me faire jouer en désavantage puis il a commencé à m'écœurer en me criant après et en cessant de m'employer dans les situations importantes. À la fin de l'année, je ne jouais plus beaucoup mais j'ai quand même fini premier marqueur de l'équipe. Moi, j'étais heureux en jouant de cette façon-là et je recommençais à vraiment aimer le hockey. Cet hiver-là, j'ai recommencé à aller jouer dehors sur la patinoire du parc où je m'entraînais pendant des heures à manier la rondelle en me la passant dans les patins et en essayant d'inventer des nouvelles feintes. Je me foutais bien de ce que ce coach-là pouvait penser de ma *game* », avoue David en toute candeur.

LE DÉBUT DES VRAIS PROBLÈMES

Après cette saison qui se termina en queue de poisson, David se défoule en jouant au roller-hockey presque chaque jour de l'été. Pascal et lui s'inscrivent à un important tournoi qui se tiendra à Ascot, en banlieue de Sherbrooke. Selon ce qu'on dit, la compétition sera relevée et en acceptant de se joindre à une équipe, les frères Perron décident de se préparer adéquatement.

« On est allés s'entraîner avec les gars et on est devenus comme des drogués du roller-hockey ! On enfilait nos rollerblades tous les soirs et on allait jouer trois, quatre ou même cinq heures de temps au parc. On a été chanceux parce qu'il a fait très beau cet été-là. Je n'avais pas encore mon permis de conduite et ma mère nous trimballait d'un parc à l'autre pour qu'on s'entraîne, raconte Pascal. David était trop jeune pour être accepté dans le tournoi parce qu'il n'avait que quatorze ans. Il pensait par contre qu'il allait quand même pouvoir jouer et il venait donc s'entraîner avec nous tous les soirs. Moi j'avais dix-sept ans, comme la plupart de mes chums dans l'équipe. On a joué contre des clubs d'adultes et on a mangé des méchantes volées », poursuit-il en riant.

« C'était fou ! Les fins de semaine, on partait à 10 h, on revenait à la maison pour dîner. On repartait après le repas et on répétait le même scénario pour le souper. Les week-ends, on devait bien passer sept ou huit heures par jour en roller-blades. On était tous deux membres d'un club de golf mais cet été-là, on a peut-être joué trois ou quatre fois tout au plus », ajoute David.

Au cours de cet été 2002, Hockey-Québec change la grille d'âge pour toutes les catégories. David gradue chez les bantams comme prévu mais il sera un joueur de deuxième année à ce niveau. En théorie, il devrait avoir sa place au sein de la formation bantam AA de l'Estrie. Au début du mois d'août, David se présente donc à Bromptonville très confiant pour le camp de perfectionnement.

« À l'école, dans le sports-études, on jouait déjà "contact". Contrairement à la plupart des gars, j'étais donc déjà habitué à jouer avec la mise en échec. Il y avait aussi mon été de roller-hockey qui m'avait énormément amélioré. C'était incroyable ! Je dominais réellement le groupe. »

Quelques semaines plus tard, lorsque arrive enfin le moment du véritable camp d'entraînement, David est persuadé qu'il sera le meilleur joueur de son équipe et possiblement de toute la ligue. Mais une mauvaise surprise l'attend alors qu'il est retranché dès la toute première série de coupures.

« J'étais assommé. J'avais terminé meilleur marqueur du peewee AA et je m'étais amélioré au moins deux fois plus que tout le monde pendant l'été. Et voilà que je suis coupé sans avoir pu disputer une seule partie hors-concours. J'avais eu le temps de participer à seulement deux ou trois séances d'entraînement. Pour la première coupure, le coach Dany Lamontagne nous avait dit de regarder une feuille sur la porte après l'entraînement. Ceux dont le nom y figurait continuaient le camp. Les autres étaient retranchés. J'avais beau chercher mon nom, je ne l'ai jamais trouvé. C'était étonnant que je sois déjà coupé du groupe mais en même temps je m'y attendais. Avant l'exercice, le coach nous avait expliqué qu'il avait demandé l'aide d'un entraîneur expérimenté pour l'éclairer dans ses sélections. L'homme en question, c'était Pierre Gagné. Il avait coaché Pascal au pee-wee AA et il jouait la trappe à ce moment-là avec des jeunes de onze et douze ans! Il demandait toujours à ses joueurs de "dumper" la *puck* rendu à la ligne bleue... Je savais qu'avec lui mes jours étaient comptés!»

Même si David avait vu venir le coup, il ne pensait jamais que ce mauvais pressentiment se matérialiserait si promptement. Quand il réalise que son nom n'apparaît pas sur la liste, ses yeux se remplissent d'eau. L'adolescent de quatorze ans retient ses larmes du mieux qu'il peut. Ses copains Éric Magnan et Pierre-Luc Lemieux sont sidérés mais ils ne savent pas vraiment quoi dire à David, surtout qu'à cet âge, les garçons sont habituellement très peu bavards...

En sautant dans la voiture de ses parents, David explose. Ses larmes ont un goût de rage. Il serre les poings. Il ne comprend pas du tout ce qui vient d'arriver.

«On ne savait pas quoi lui dire, raconte François. J'avais beau chercher les mots appropriés, je ne trouvais rien. Je regardais mon fils et je me disais intérieurement que c'était la dernière fois que quelqu'un allait le faire pleurer comme ça. J'aurais pu aller brasser dans les bureaux parce que cette décision-là n'avait aucun sens. Mais ça aurait donné quoi? Je me suis dit: OK, vous ne voulez pas de lui. Il va aller jouer BB et vous allez tous avoir l'air fou.»

PAS QUESTION DE CHANGER DE STYLE

David se rapporte donc à la formation BB. Il se distingue dès la première partie préparatoire en orchestrant habilement quatre buts. Chaque fois, c'est le même scénario: David patine avec la rondelle, freine, repart en accélérant, ralentit, pivote, revient sur ses pas et passe directement la rondelle sur la palette de son coéquipier Steve Crête qui n'a qu'à compléter la manœuvre en poussant la rondelle dans une ouverture béante.

«Je n'étais pas pour changer mon style de jeu parce que j'avais été coupé du AA. J'essayais de copier Mike Ribeiro en étant fluide sur la patinoire. J'essayais de travailler sur ma vision du jeu et le maniement de la rondelle. J'étais plutôt petit à cette époque mais je travaillais fort et j'allais dans les coins. »

Les matchs préparatoires se poursuivent et David continue de s'imposer. Dans cette équipe, il retrouve aussi Jacques Lemieux qu'il connaît très bien puisqu'il a joué sous ses ordres dans les rangs novices. L'entraîneur-chef l'encourage et tout indique que David dominera cette catégorie d'âge. Mais la lune de miel ne dure pas bien longtemps.

« Jacques avait un adjoint du nom de Luc Laflamme et lui, il détestait ma manière de jouer. Quand j'étais sur la glace et que je gardais la rondelle, il me criait toujours après et tout le monde l'entendait dans l'aréna, car il avait une grosse voix qui portait énormément ! »

Non seulement les gens l'entendent, mais les insultes commencent aussi à pleuvoir des gradins.

— Passe la *puck*, Perron !

— Maudit mangeux de *puck* !

— Envoye, Perron, donne-la ta maudite rondelle !

David commence à trouver la situation difficile... mais pas autant que Brigitte et François. Depuis quelques semaines, Pascal vit le même genre de drame avec son équipe midget AA. Les deux frères sont toujours ensemble. Ils pensent de la même façon et ils jouent de la même façon. À peine une douzaine de matchs sont écoulés au calendrier régulier, et l'aîné en a déjà ras le bol. Il quitte son équipe en plein milieu d'une partie en pleurant. Ça faisait un bail que Pascal y pensait. Comme David, il entendait les gens gueuler dans les gradins depuis le début de la saison. Autant au niveau midget que bantam, plusieurs parents ne veulent même plus adresser la parole aux Perron. Incapable de supporter toutes ces insultes lancées contre ses fils, Brigitte préfère rester à la maison plutôt que de continuer à quitter les arénas en larmes après chaque partie.

« C'était vraiment cruel. Même des grand-mères criaient après Pascal. J'avais toujours adoré m'asseoir avec les autres mamans pour bavarder, mais c'était rendu que je préférais maintenant me placer à l'écart du groupe de parents pour ne plus les entendre », raconte Brigitte avec tristesse.

Pendant qu'il est sur la patinoire, Pascal ne réalise pas ce que vivent ses parents dans les estrades. De toute façon, la vie n'est pas plus rose pour lui.

« On avait un méchant malade comme coach. Ce gars-là ne faisait qu'une chose : me crier après et me traiter comme du poisson pourri. Je me souviens même d'une fois où il me criait encore de passer le *puck* et ça faisait au moins un bon sept ou huit secondes qu'on avait "scoré". J'étais capable d'endurer ça, mais les joueurs ont ensuite commencé à embarquer là-dedans aussi. Avant un match, pendant que je mettais du *tape* sur mon bâton, notre gardien arrive et me dit que c'est inutile de "taper" mon hockey, car de toute façon je ne fais jamais de passe. J'en suis venu à me dire que je n'étais pas tellement désiré dans ce club-là. »

Meilleur marqueur de la ligue avec une vingtaine de points à sa fiche, Pascal décide de lâcher son équipe pendant un affrontement face à Drummondville qui se déroulait à Bromptonville.

« Une semaine plus tard, Marcel Nadeau, le président du hockey inter-cité, a proposé de tenir une rencontre de réconciliation. On y est allé par courtoisie, car Pascal ne voulait plus rien savoir du gars qui dirigeait le midget AA. On a expliqué nos points de vue et le coach a fait la même chose en ajoutant que de toute façon, Pascal n'était pas le bienvenu dans son club », explique François.

Finalement, il est décidé que l'adolescent ne reviendra pas jouer pour son équipe et qu'il se dirigera plutôt vers le niveau midget A. À vrai dire, Pascal est heureux de cette décision, car il rejoint ainsi ses copains.

Pendant que son frère aîné traverse ces moments difficiles, David continue de nager en eaux troubles au bantam BB. La situation va de mal en pis alors que Laflamme en fait sa tête de Turc à chaque partie et que David, de son côté, continue de n'en faire qu'à sa guise. C'est ainsi que deux semaines après avoir vu Pascal claquer la porte, c'est au tour de David de déserter son équipe. Quand il annonce sa décision à son père, François est tout simplement abasourdi.

— Papa, je veux faire comme Pascal et aller jouer avec Fleurimont.

— Quoi ? As-tu bien pensé à ton affaire, David ? T'es bantam BB… pis ça va très bien ton affaire, mon homme.

— Ouais, mais Pascal a du *fun*, lui au moins. Veux-tu savoir si j'ai du *fun*, moi ? Pas pantoute. Je suis tanné de me faire crier après tout le temps et peu importe ce que je fais, c'est toujours d'la m… avec eux autres.

— Ouais, ça va ben nos affaires… Les deux Perron qui débarquent de leur club. J'me demande bien ce que vont dire les gens du hockey mineur quand ils vont apprendre la nouvelle. Prends quand même le temps d'y penser comme il faut, David. Je ne vais pas faire les démarches tout de suite. Je vais téléphoner à Jacques pour lui dire que tu vas manquer l'entraînement et ça va te donner une couple de jours de plus pour réfléchir à ton affaire.

Mais David ne reviendra pas sur ses positions. Il va imiter son grand frère.

« À ce moment-là, je suis persuadé qu'on était les deux personnes les plus connues et les plus haïes de Sherbrooke », lance Pascal le plus sérieusement du monde.

« Ce que les gens du hockey mineur ne comprenaient pas, c'est que Pascal et moi on était toujours ensemble. On ne faisait qu'une chose dans la vie et c'était de jouer au hockey. On jouait dans le sous-sol, à la patinoire en patin ou en roller-blades et on regardait toutes les *games* qu'on pouvait trouver à la télé. On s'entraînait ensemble et on avait la même philosophie, c'est-à-dire tricoter avec la rondelle et attendre le jeu parfait. C'était donc normal que je lâche le BB quand j'ai vu que Pascal avait recommencé à s'amuser au niveau local. Ce que j'ai trouvé grave, c'est que tout le monde a pensé que c'est notre père qui avait décidé ça pour nous. Les gens ont parlé à travers leur chapeau sans même connaître la vraie histoire », poursuit la vedette des Blues.

Pour la deuxième fois en deux semaines, François se résigne à contacter Laval Ménard, le président du hockey mineur de Fleurimont. Il se doute bien qu'il ne recevra pas l'accueil le plus chaleureux du monde ! Et effectivement, son interlocuteur est stupéfait quand il apprend qu'un autre Perron largue son équipe. Le dossier traîne quelques jours puis Ménard règle le cas à l'amiable et tout le monde y trouve son compte.

— Écoute François, c'est bizarre votre affaire. Tes deux gars ont lâché leurs clubs respectifs en dedans de deux semaines. Vous pouvez pas commencer à faire ça.

— T'as raison, Laval. La seule chose que je peux te dire, c'est de rencontrer les coachs et de parler avec eux. De mon bord, Pascal a pris une décision, et David a décidé de faire pareil.

— C'est un peu compliqué, votre histoire, François. La saison est déjà commencée dans le bantam A et tous les coaches se chicanent pour avoir David dans leur club. C'est normal parce qu'il va réellement dominer la ligue. On a donc décidé de lui faire sauter une année et de le placer dans la même équipe que ton autre gars, dans le midget A.

— Wow ! Ben ça, c'est une bonne nouvelle. Merci beaucoup ! On va avoir juste un club à suivre, c'est fantastique.

« Ç'a été la plus belle année de ma carrière ! C'était la première fois que je jouais avec Pascal et on a vraiment passé une saison extraordinaire. C'était fou cet hiver-là ! On jouait au parc tous les soirs et on y passait aussi toutes nos fins de semaine », n'a pas oublié David, qui jouait pourtant au niveau midget A...

Preuve que le plaisir de jouer doit aussi être pris en considération, même et peut-être surtout quand on est adolescent.

LA DÉCOUVERTE DE KOVALEV

Pascal et David passeront le plus clair de leur temps ensemble au cours de cette première saison où le destin s'est chargé de les réunir dans le même club. Non seulement se retrouvent-ils dans la même équipe, mais en plus ils consacrent chaque minute libre à leur passion. Ils jouent au hockey à la patinoire du parc ou dans le sous-sol de la maison familiale, à Fleurimont. Ils s'entraînent en s'encourageant mutuellement et ils regardent aussi bonne quantité de matchs de la LNH à la télévision.

« Au printemps 2003, les Penguins de Pittsburgh misaient sur une méchante bonne équipe. On les avait suivis une bonne partie de l'hiver et je capotais pas mal sur Jaromir Jagr. À un certain moment, David et moi on a remarqué qu'il y avait un joueur encore plus spectaculaire que Mario Lemieux et Jagr. Il jouait dans l'ombre des deux vedettes mais il contrôlait la rondelle comme un dieu. C'était un joueur russe : Alex Kovalev. On capotait sur lui parce qu'il déjouait tout le monde ! », lance Pascal avec enthousiasme.

Il ne serait pas du tout exagéré de dire que David est littéralement fasciné par le flamboyant joueur des Penguins. Une rapide recherche sur Internet lui permet de dénicher un petit livre d'une cinquantaine de pages, écrit par le père de Kovalev, qui relate le cheminement de son fils jusqu'à la LNH. Dans cet ouvrage, David apprend que sa nouvelle idole lançait des centaines de rondelles chaque jour de congé. À la demande de fiston, François achète donc 100 rondelles conventionnelles et aussi 100 autres beaucoup plus lourdes. Le paternel se voit également dans l'obligation d'ériger un immense « mur de protection » afin d'éviter que les projectiles aillent choir dans la cour du voisin. Les installations servent jusqu'en 2009, puis, après sa deuxième année avec les Blues, David déplacera son but dans le garage afin de pouvoir travailler ses tirs, beau temps, mauvais temps.

« David était obligé de se "taper" les mains chaque jour pour pouvoir lancer des *pucks*. Il avait beau se mettre des bandages, il avait les mains en sang à force de "shooter" des rondelles à répétition. Il avait des ampoules partout sur les mains », se rappelle sa mère Brigitte.

« Pascal et moi on "shootait" au moins 400 rondelles par jour. On avait des cibles et on lançait chacun 200 rondelles normales puis 200 autres pesantes. C'était assez fou ! On dribblait aussi énormément. On avait vu Kovalev faire des feintes et on essayait de faire les mêmes *moves* que lui. On se disait : ben voyons, ç'a pas de bon sens ! Comment est-ce qu'il peut faire ça ? Il exécutait ses mouvement très rapidement et nous on essayait de faire comme lui pis ça ne marchait pas. On ne se décourageait jamais et on continuait à s'entraîner même si ça ne marchait pas plus ! Mais on finissait finalement par l'avoir un peu et on continuait de s'améliorer », explique David.

Quelques mois plus tard, les deux frères Perron (avec Pascal en tête) se forment une équipe et s'inscrivent au tournoi « À bout de souffle ». François paye les frais d'inscription et achète des chandails pour les jeunes qui s'entraînent fort une bonne partie de l'été. Parce qu'il n'a que quatorze ans, David n'est pas admissible à cette compétition et c'est du haut des gradins qu'il voit son frère et ses copains se faire écraser à chacune de leur sortie.

PERSONA NON GRATA À FLEURIMONT

David et Pascal viennent de connaître un hiver épatant. Tout avait mal commencé pour eux au début de la précédente saison mais leur initiative de quitter leur équipe d'élite presque en même temps a été salutaire et le plaisir s'est prolongé pendant la période estivale. Toutefois, en prenant la décision de poursuivre son hiver avec une formation de catégorie « locale », David a disparu de l'écran radar. Il n'est donc pas très étonnant que les dirigeants des Cantonniers de l'Estrie ne l'invitent pas au camp de sélection du midget AAA. De son côté, il ne démontre aucun intérêt pour les formations midget AA et BB puisque son frère et lui ont déjà eu maille à partir avec les hommes qui dirigent ces équipes. David ne s'en fait pas une seconde et il prévoit qu'une autre belle année l'attend au sein d'une formation midget A.

Si les péripéties de début de saison sont de l'histoire ancienne pour les frères Perron, les dirigeants du hockey mineur de Fleurimont n'ont pas oublié que moins de douze mois plus tôt, les jeunes ont osé faire défection de leur formation AA et BB.

« Je m'étais entraîné pendant tout l'été et j'étais vraiment dans une forme incroyable. Mon tir était devenu plus puissant, j'avais de meilleures feintes et je maniais la rondelle avec encore plus de facilité. J'étais vraiment plus fort que les autres gars. Afin d'évaluer les joueurs pour former les groupes, on jouait des matchs entre nous et les coachs arbitraient. C'était pas drôle, je faisais ce que je voulais sur la glace sans me fatiguer et les autres gars se reposaient au banc, la langue à terre ! À la deuxième partie intra-équipe, mon entraîneur de l'année précédente m'est tombé dessus parce que je ne changeais pas assez souvent. On s'est chicané un peu à cause de ça mais je n'avais aucune idée de ce qui m'attendait par la suite. »

Le mardi soir suivant, François revient du travail et David l'attend, penaud, assis à la table de la cuisine. Laval Ménard, le président du hockey mineur de Fleurimont, vient de téléphoner chez les Perron. La conversation ne s'est pas éternisée. Juste le temps d'apprendre à David qu'il n'était pas autorisé à jouer au hockey cet hiver-là. Pour aucune équipe. Peu importe le calibre. François est abasourdi. Son fils a sûrement mal interprété les propos de son interlocuteur et il décide d'aller aux sources en donnant un coup de fil à la personne en charge.

— Salut, Laval. C'est François Perron. C'est quoi cette affaire-là, que mon fils David ne pourra pas jouer au hockey cette année ?

— Écoute, François, on n'a pas le choix. Y a pas un seul coach qui veut l'avoir dans son équipe.

— Ben voyons donc ! Qu'est-ce que tu racontes ? Depuis quand les coachs prennent des décisions pareilles ? Midget A, c'est pas supposé être du hockey récréatif ? Comment les coaches peuvent obliger le hockey mineur de bannir un p'tit gars ?

— Ben là, François, va falloir un jour que tu t'ouvres les yeux...

« Quand j'ai raccroché le téléphone, je me suis dit que cette décision n'avait aucun sens. Un jeune en frappe un autre sur la tête avec son bâton et il est suspendu pour cinq parties. Et pour en arriver à une sanction comme ça, le jeune se retrouve devant le comité de discipline pour expliquer son geste puis une note est mise à son dossier. Moi, mon gars était banni pour toute une saison, et c'était une décision qui était déjà prise et bien arrêtée. Me semble qu'ils auraient pu rencontrer le jeune et essayer de lui faire comprendre ce qui n'allait pas », raconte François en secouant la tête.

Mais les Perron ne sont pas au bout de leur peine. Ils n'ont pas le temps de digérer cette décision qu'il faut déjà quitter la maison afin de se rendre à la première réunion du programme sports-études qui a lieu le même soir à 19 h. Lorsque David et François arrivent au rendez-vous, ils réalisent vite que là aussi, quelque chose cloche.

« Dans le coin, toutes les personnes qui gravitent dans le monde du hockey se connaissent et il faut croire qu'ils avaient décidé de régler le cas de David, continue le chef du clan Perron.

Au sports-études hockey, on était attendu par trois gars: le responsable du programme, un dénommé Bourgault, son entraîneur Richard Lacroix et Dave Thériault, son entraîneur de l'année précédente. On s'assoit avec eux et Bourgault est le premier à prendre la parole. Il se lève, prend un petit tableau et dessine un rectangle.

— Voyez-vous ce que j'ai dessiné sur le tableau? C'est un cadre, ça. Pis lui, va falloir qu'il rentre dans le cadre, comme les autres. C'est comme ça que ça marche.

— Quoi? De quoi vous parlez? Rentrer dans quel cadre?

— C'est que là, ça commence à faire. Ton gars, il embarque sur la glace, pis il déjoue un, deux, trois, quatre pis cinq autres joueurs. Plus personne ne veut jouer avec lui. Même que les joueurs de l'autre bord arrêtent de jouer parce qu'il ne passe pas la *puck*.

— Mais c'est ben stupide, cette affaire-là! Les joueurs de l'autre bord ont juste à se forcer, pis à lui ôter la maudite rondelle! Ça devrait être facile puisque David ne fait pas de passe. Me semble que c'est ça le jeu: essayer d'ôter la rondelle à l'adversaire?»

La conversation se poursuit sur le même ton et tout le monde finit par s'expliquer. Finalement, David peut conserver sa place mais il est clair qu'il devra marcher sur des œufs… et qu'il devra essayer de rentrer dans le fameux cadre.

«Je savais qu'ils ne le mettraient pas dehors du programme parce que les coachs du sports-études nous ont toujours dit qu'il n'y avait aucune tactique collective de préconisée. Pour eux, la priorité c'était le développement individuel et les petits gars ne jouaient que des parties amicales comme au hockey libre. En plus, bien honnêtement, ils voulaient aussi mes 1400 dollars de frais d'inscription! Reste quand même qu'en montant dans la voiture, j'ai été obligé de mettre les pendules à l'heure avec mon fils.»

— Ouais… On a un h… de problème, là, David! Tu as déjà perdu le hockey mineur, je pense que tu devrais essayer de te concentrer sur ton sports-études pis t'arranger pour que ça marche.

— Ben là, pourquoi ça marcherait pas ?

— C'est ben évident qu'ils se sont tous arrangés ensemble. C'est pas une coïncidence, ces deux affaires-là aujourd'hui.

Après discussion avec son fils, François ne cherche pas à faire renverser la décision de Laval Ménard et des autres dirigeants du hockey mineur de Fleurimont. Pas question qu'il s'abaisse à faire des courbettes et qu'il commence à lécher des bottines alors que son rejeton n'a commis aucun crime. Lors de cet hiver 2003-2004, David « le mangeux de *puck* » Perron ne jouera donc pas une seule partie de hockey organisé.

De septembre à mai, il chausse les patins tous les jours, mais à l'école, dans des matchs sans signification, et très souvent aussi à l'aréna Bonaventure, à Montréal, où il y a des séances de hockey libre quotidiennes. Quand il n'y a pas de plage horaire destinée au hockey libre, les frères Perron se rendent tout de même à l'aréna de Fleurimont pour les séances de patinage ouvertes au public, où ils sont souvent les seuls adolescents du groupe. Aussitôt que le temps le permet, c'est la patinoire du quartier dès le retour à la maison, après l'école. Le reste des temps libres est consacré à lancer des rondelles dans la cour ou à dribbler avec une balle dans le sous-sol. Il y a deux moments seulement où David n'a pas un bâton de hockey dans les mains : la nuit dans son sommeil et à l'école pendant les cours.

Il y a aussi les rendez-vous du vendredi soir alors que François et ses amis jouent dans une ligue de garage de 22 h à 23 h. David et Pascal accompagnent toujours leur père… mais pas pour assister à ses prouesses ! Après les parties, en attendant le paternel, les deux frères Perron sautent sur la patinoire. Pendant que François étire le plaisir dans le vestiaire, les frangins passent leur plus beau moment de la semaine en s'accaparant la glace à eux seuls.

DE RETOUR… MAIS DANS LE MIDGET B

Après la suspension imposée par Ménard et son groupe, qui aura tenu une année complète, David espère pouvoir réintégrer le hockey mineur à l'automne 2004. « Le mangeux de *puck* » de Fleurimont a purgé sa peine et la page devrait donc être tournée.

David ne se présente même pas aux camps d'entraînements du midget AA, BB ou CC. Tout ce qu'il souhaite, c'est recommencer à jouer au hockey avec ses amis. Il se pointe donc au camp de sélection de sa municipalité où l'on détermine qui jouera midget A et midget B.

« Je l'ai mis en garde avant qu'il parte pour son premier entraînement. Je lui ai rappelé que les dirigeants l'auraient à l'œil et qu'il se ferait sacrer dehors s'il faisait la moindre petite affaire croche ! Mais David en était conscient de toute façon et il a bien fait les choses au camp. Il se faisait "slasher" et il ne répliquait pas. Il faisait sa petite affaire sans dire un mot », explique François.

Évidemment, David domine de façon ahurissante. Mais sa réputation le précède toujours. C'est ce qu'on appelle l'effet Pygmalion et c'est un véritable fléau dans le monde du hockey mineur et du sport en général. Par exemple, un jeune est turbulent au niveau atome, vers l'âge de dix ans. Puis avec le temps son comportement change au fil des mois il gagne en maturité pour devenir un joueur exemplaire vers quatorze ans, chez les bantams. Si un entraîneur arrive de l'extérieur et qu'il ignore ce qu'on dit sur le jeune, il va le juger et l'évaluer selon ce qu'il voit. Si, au contraire, l'entraîneur bantam gravite dans le giron depuis quelques années, le jeune en question sera catalogué trouble-fête et personne ne s'apercevra qu'il n'est plus du tout le même individu qu'il était à l'âge de dix ans. L'effet Pygmalion s'applique surtout lorsque l'on parle de comportement ou d'aptitude intellectuelle, car ce qui ne demande pas de jugement, comme par exemple la puissance du lancer, demeure plus facilement perceptible quand il y a de l'amélioration. Le phénomène inverse est aussi vrai mais moins puissant.

Victime de sa réputation, David n'est donc pas choisi lors de la sélection des équipes midget A, ce qui n'a bien entendu aucun sens. François s'informe auprès de Stéphane Dion, le nouveau président du hockey mineur de Fleurimont, qui l'envoie à son vice-président Jean Desrosiers. Ce dernier convient de rencontrer le père et le fils pour parler de la situation survenue douze mois auparavant. C'est le jour de la marmotte ! Le temps passe et ce n'est finalement qu'une semaine plus tard que les Perron peuvent obtenir audience devant le responsable.

« On aurait dit qu'ils étiraient le temps pour que je me décourage et que j'arrête de jouer au hockey. Ça, c'est mon impression personnelle. Mais à voir la façon dont ils traitaient un dossier pourtant très simple, c'est comme s'ils se disaient que le problème se réglerait facilement si je lâchais par moi-même », confie David.

Mais il continue d'attendre, et son père et lui se retrouvent finalement devant Desrosiers.

— Merci d'être venus. C'est important qu'on se voie pour parler de l'année passée.

— Coudon, c'est quoi le problème avec l'année passée ? David a été suspendu un an. Y a pas joué une *game* pendant douze mois. C'est pas réglé le problème ? Qu'est-ce que vous voulez de plus ? Niaisez-moi plus avec ça....

— Si ton gars veut jouer, va falloir qu'il joue dans le B. C'est ça ou vous retournez encore chez vous cette année.

François laisse échapper un long soupir et il se tourne vers son fils.

— Ça te dérange de jouer dans le B ?

— Non. Ça me dérange pas.

Et avant que le duo de rebelles ne parte, Desrosiers ajoute une dernière condition :

— On manque de coachs dans le midget B. Faudrait aussi que tu prennes l'équipe de ton fils...

— As-tu un problème avec ça, David ?

— Ben non !

— Parfait ! Ç'a l'air que personne est capable de le coacher, on va voir si je suis capable, moi !

François entreprend donc sa carrière d'entraîneur-chef et il demande à Pascal de l'assister dans ses nouvelles fonctions. Le père des Perron hérite d'un groupe de treize avants et défenseurs et d'un gardien. Il décide de demander à son fils d'aller jouer à la défense où il n'y a que quatre postes disponibles, comparativement à trois trios à l'attaque.

« Je me suis dit que, comme ça, David reviendrait sur la glace à tous les deux tours. Il a accepté tout de suite et je me suis dit qu'on allait leur donner tout un show, lance François en riant. Je suis persuadé qu'ils pensaient que j'allais me planter, mais l'idée de placer David à la défense a tout changé. À l'avant, il aurait capoté en jouant une fois sur trois et je n'aurais surtout pas voulu me faire accuser de favoritisme en le faisant jouer sur deux trios. On me surveillait !

« J'avais eu une bonne idée de ce qui pouvait m'attendre avant même le premier entraînement, quand j'avais téléphoné aux parents pour leur parler de leur fils et me présenter comme nouvel entraîneur. Un des premiers noms sur ma liste était celui de Denis Verronneau et il m'avait demandé comme ça, tout bonnement, qui était dans l'équipe de son fils Daniel. Je lui ai donné les noms des autres gars. Quand j'ai dit "David Perron", il y a eu un silence au bout du fil. "Pauvre François, tu vas avoir du trouble avec ça." "Pourquoi tu dis ça ?" "J'en ai entendu parler pis c'est un petit gars à problème. J'te dis que t'as pas fini avec lui." "Mais le connais-tu personnellement ?" "Non, mais pas besoin. J'te dis que y'en a fait du trouble, lui. Tout le monde sait ça à Fleurimont. Y a jamais personne qui a réussi à la casser, celui-là." "Écoute ben, Denis. De un, je suis son père. De deux, tu reviendras me voir au milieu de l'année quand tu pourras avoir ta propre opinion. Pis de trois, t'aurais dû écouter mon nom de famille quand je me suis présenté tantôt !" »

François amorce donc sa carrière d'entraîneur-chef en sachant parfaitement qu'il marchera sur des œufs jusqu'au printemps ! L'expérience s'avérera toutefois concluante. Son équipe connaît beaucoup de succès et tout le monde s'amuse. David enfile les buts à la tonne et lorsqu'un défenseur s'absente, il demeure souvent sur la glace pour presque toute la durée de la partie pendant que les deux autres arrières alternent. La formation dirigée par François s'incline en finale du tournoi de Fleurimont, remporte celui de Coaticook et baisse pavillon en demi-finale des championnats provinciaux qui se déroulent à Rouyn-Noranda au printemps 2005.

Au milieu de la saison, Denis Verronneau prend François à part pour lui parler et lui confesser qu'il s'est royalement trompé sur son fils.

— Les rumeurs sur ton gars n'étaient pas fondées, François. Ça fait maintenant une couple de mois que je le connais et je peux te dire que David est très poli et très gentil. Mon fils Daniel me dit qu'il s'entend avec tout le monde. Franchement, je peux rien dire contre lui !

Les professeurs de David, eux, auraient toutefois eu raison de se plaindre. Le spectaculaire joueur du midget B est nettement moins flamboyant à l'école, où on le voit d'ailleurs de moins en moins souvent.

« Cette année-là, quand il était en secondaire 5, il a probablement battu des records d'absence à l'école. Il y a des jeunes qui sèchent des cours pour aller niaiser au centre-ville et les parents n'ont aucune idée de ce qui se passe. Moi, je savais où il était parce que c'est moi qui allais le reconduire à la patinoire ! », confesse Brigitte en se dépêchant d'ajouter que son fils pouvait se prévaloir d'un tel privilège à condition de toujours conserver une moyenne générale supérieure à 80 %.

« Une journée typique, c'était sports-études le matin. Ensuite, c'était le hockey libre en milieu d'après-midi suivi par du patin libre tout de suite après et, le soir, David venait jouer au parc jusqu'à ce que ça ferme », ajoute Pascal en rigolant.

À peu près à la même époque, le téléphone sonne chez les Perron. C'est le matin du 1er janvier 2005. Lorsque la sonnerie retentit, tout le monde pense qu'il s'agit d'un parent ou d'un ami qui appelle pour souhaiter la bonne année. Mais ce n'est pas le cas. L'homme qui se présente à l'autre bout du fil est un inconnu qui se nomme François Montmigny. Dépisteur pour les Panthères de Saint-Jérôme du circuit provincial junior AAA, il souhaite rencontrer Pascal le plus tôt possible. Jour de l'An ou pas, Montmigny sera là à midi. Sans détour, il explique que sa visite a pour but de convaincre Pascal d'aller poursuivre sa saison avec les Panthères.

Dépisteur au niveau junior depuis 1974, Montmigny assiste à plus de 300 parties par année. Quand vient le temps d'évaluer un joueur, il sait de quoi il parle et le talent de Pascal ne fait aucun doute selon lui.

« J'avais vu Pascal lors d'un match junior A, à Fleurimont, et j'ai tout de suite remarqué ses habiletés et son excellent coup de patin. Je me suis demandé ce qu'un joueur aussi talentueux pouvait bien faire dans cette équipe et j'ai décidé d'aller l'observer une autre fois, mais sur une patinoire étrangère. Je me suis donc rendu à Coaticook et il avait encore été très très bon. Mais entre ces deux parties, le hasard a voulu que je tombe sur un match de midget B qui suivait un affrontement de midget AA. Wow! Là, j'ai vu tout un joueur de hockey. Un autre Perron... David, celui-là. C'était un défenseur extraordinaire et je ne comprenais pas pourquoi il n'était pas au midget AAA, à Magog. Il contrôlait le jeu à sa guise, attirait trois ou quatre adversaires et refilait la rondelle à un coéquipier qui était toujours libre. Ça n'avait aucun sens qu'il ne soit pas avec les Cantonniers ou, au pire, avec le midget AA. Le plus drôle, c'est que je n'ai jamais fait le lien entre les deux Perron », raconte François Montmigny qui réalisera qu'ils sont frères lorsqu'il se présentera à leur domicile ce jour de l'An de 2005.

Pascal, qui s'aligne avec le junior A de Fleurimont, ne veut pas abandonner son équipe comme ça, en plein milieu de l'année. Même s'il est flatté par cette proposition, il préférerait aller à Saint-Jérôme au début de la saison suivante.

« C'est bizarre! François Montmigny habitait à environ cinq minutes de la maison et on ne l'avait jamais croisé avant. Il se foutait complètement de la mauvaise réputation des Perron. Lui, sa job, c'était de trouver les meilleurs joueurs disponibles et il considérait que Pascal pourrait aider Saint-Jérôme. Quand j'ai vu ça, je lui ai demandé s'il voulait essayer David aussi », se souvient François.

Montmigny est persuadé que Pascal et David auront un impact immédiat avec les Panthères. En dehors de l'Estrie, personne ne les connaît, et dans leur patelin, on les fuit comme la peste! Nul besoin donc de gaspiller des choix lors de la séance de repêchage de la ligue. Il suffira de leur faire signer un contrat de joueur autonome dès que toutes les équipes auront complété leurs sélections. Curieuse coïncidence, le repêchage de la Ligue junior AAA du Québec aura lieu à l'aréna de Fleurimont!

« Je voulais les cacher et j'avais demandé aux parents de ne parler à personne. Comme prévu, aucune équipe ne les a réclamés, de sorte qu'aussitôt le tout dernier joueur choisi, j'ai téléphoné à François Perron pour qu'il nous emmène ses gars à l'aréna ! On était plutôt fiers de notre coup. Je me foutais complètement de leur réputation. Au hockey, c'est le talent la chose la plus importante... et ça, ils en avaient tous les deux ! », résume l'ancien dépisteur des Panthères.

LES FRÈRES PERRON QUITTENT L'ESTRIE

Motivés par l'idée de se retrouver ensemble avec les Panthères de Saint-Jérôme, Pascal et David s'entraînent sérieusement pendant tout l'été. En plus de lancer des rondelles dans la cour arrière, ils ajoutent un programme de musculation à leur routine et ils se rendent trois fois par semaine à l'aréna Bonaventure pour jouer au hockey libre. L'amphithéâtre est situé à quelques kilomètres de l'aéroport Trudeau à Dorval, ce qui veut dire que la pauvre Brigitte se tape plus de 1000 kilomètres par semaine pour que ses fils aient l'opportunité de patiner là-bas.

« Il y avait un bloc de 10 h 15 à 11 h 55 et ensuite un autre de 12 h 15 à 14 h 15. On restait là pour les deux séances. Ça nous donnait presque douze heures de hockey par semaine. Mais le plus l'*fun* là-dedans, c'est qu'on s'est fait de bons amis au hockey libre. À Fleurimont, les gens détestaient notre façon de jouer, mais à l'aréna Bonaventure les gars "trippaient" sur nous ! On jouait pourtant de la même façon, mais là-bas, on n'était victime d'aucun préjugé. La première semaine, les gars pensaient qu'on arrivait tous les deux du junior majeur ! Ils ne voulaient pas croire que je venais de finir ma saison dans la midget B ! La gang nous appréciait. On avait du plaisir et on avait toujours hâte d'y aller C'était devenu un rituel, on s'y rendait invariablement les lundis, mercredis et vendredis de chaque semaine », raconte David en riant.

« Je savais que je ferais le club à Saint-Jérôme. Pendant l'hiver, mon coach du sports-études m'emmenait m'entraîner avec l'équipe junior AAA de l'Estrie et je me débrouillais très très bien, même si je jouais seulement midget B. Mais je ne voulais rien savoir d'aller dans cette équipe-là. C'était encore le même clan... Je ne souhaitais qu'une chose et c'était de pouvoir changer d'air », poursuit-il.

Pascal et David ne font pas traîner les choses. Ils épatent la galerie dès leur arrivée à Saint-Jérôme et ils deviendront rapidement des rouages importants des Panthères. De son côté, François Montmigny passe pour un génie puisque Pascal connaît une excellente saison avec 8 buts et 31 passes en 44 parties alors que le jeune David impressionne encore plus avec une étonnante production de 24 buts et 45 passes pour une récolte de 69 points en 51 matchs. De telles statistiques lui valent le titre de recrue par excellence au sein de la Ligue junior AAA du Québec pour la saison 2005-2006.

« Les frères Perron auraient eu encore plus de points, mais après Noël, notre propriétaire a commencé à les cacher. Plusieurs dépisteurs d'universités américaines venaient les voir jouer et quand ça venait à ses oreilles, il exigeait que David et Pascal jouent sur le troisième ou le quatrième trio. C'était important pour son portefeuille de les ravoir la saison suivante. Alors, il ne voulait absolument pas qu'ils changent de circuit », ajoute Montmigny en prenant soin d'ajouter que le comportement des deux frangins a été irréprochable lors de leur séjour à Saint-Jérôme.

Les Tigres de Victoriaville cherchent aussi à mettre David sous contrat. Le jeune joueur de dix-sept ans aimerait bien avoir la chance d'évoluer sous les ordres de Stéphan Lebeau, mais le désir de poursuivre sa saison avec Pascal l'emporte. Ce ne sera que partie remise pour l'aventure de la LHJMQ.

« On était en juin quand François Montmigny arrive chez nous en coup de vent. Il était fou de joie. Pascal et moi on s'entraînait dans le sous-sol et on l'entendait en haut. Je venais tout juste d'être repêché par Lewiston en sixième ronde, 101e au total, et il venait nous apprendre la bonne nouvelle. J'étais content mais ce n'était quand même pas la fin du monde ! Je ne savais même pas où c'était, Lewiston ! »

Au cours de la même soirée, Serge David, le dépisteur-chef des MAINEiacs, joint David au téléphone pour lui apprendre ce qu'il sait déjà depuis quelques heures. Résidant d'Acton-Vale, Serge David connaît bien la famille Perron.

« Dans les rangs novice et atome, ma fille Geneviève avait joué avec David dans des tournois AAA d'été, explique l'ancien dépisteur-chef de Lewiston. À cet âge, David était une véritable bombe et je l'ai ensuite un peu perdu de vue, à partir des rangs pee-wee. Puis j'ai entendu dire qu'il avait arrêté de jouer dans les catégories "doubles lettres" pour s'amuser, dans le récréatif. Évidemment, comme je vis aussi en Estrie, j'ai entendu parler de toutes les rumeurs concernant son attitude rebelle, sans parler de ce qu'on rapportait aussi sur son père. Un bon jour, un de mes amis m'a dit que je devrais vraiment aller le voir jouer. Selon lui, David dominait encore autant qu'à l'époque où je l'avais côtoyé au niveau atome. Je me suis donc rendu à Saint-Jérôme et même si l'entraîneur des Panthères ne l'utilisait pas beaucoup, il m'avait démontré des habiletés vraiment incroyables à chacune de ses présences sur la patinoire. Comme je connaissais son *background* et ses parents, je n'ai pas hésité une minute et j'ai décidé qu'on allait le repêcher. Les cancans colportés au sujet de la famille Perron ne me dérangeaient pas du tout, car je les avais bien connus au hockey AAA et je savais que c'était de très bons parents. En ce qui concerne David, j'avais toujours vu en lui un jeune homme qui avait un très bon comportement. »

C'est bien beau d'avoir sélectionné le jeune hockeyeur de Fleurimont, mais seul Serge David l'a déjà vu jouer au sein de l'organisation de Lewiston. Il cherche donc à savoir s'il y a moyen d'observer leur nouvel espoir durant l'été, car l'entraîneur-chef Clément Jodoin aimerait bien constater de visu comment il se débrouille afin de l'évaluer avant l'ouverture du camp. C'est ainsi que par un bel après-midi de juillet, les deux hommes se présentent à l'aréna Bonaventure pour assister à une partie de hockey libre !

— Venir s'entraîner comme ça, à deux heures de la maison, trois fois par semaine, ça démontre que le jeune en mange, du hockey. Ce petit Perron-là, c'est un vrai passionné de la *game*, lance Serge David à son patron pour renforcer sa décision d'avoir choisi ce joueur en sixième ronde.

Serge tient aussi à préciser qu'ils ont quitté l'aréna au bout de seulement dix minutes, le coach Jodoin étant déjà convaincu du talent exceptionnel de leur nouvelle acquisition !

LE PASSAGE À LEWISTON

Repêché en 6e ronde, David se rend à Lewiston au milieu du mois d'août 2006. Il se dit que si après deux jours d'entraînement il évalue que ses chances sont plutôt minces de rester là-bas, il retournera à Saint-Jérôme. Puisque des collèges américains lorgnent de son côté, il ne doit pas demeurer plus de 48 heures à un camp de la LHJMQ pour conserver son admissibilité au programme amateur de la NCAA. Mais il n'aura pas besoin de mettre son plan B à exécution.

« Honnêtement, je n'ai jamais vraiment pensé retourner à Saint-Jérôme. En fait, j'étais très confiant. Après la première journée, je savais déjà que Clément Jodoin me garderait dans son équipe. Je me souviens que lors du tout premier exercice, j'avais "scoré" à chacun de mes 12 ou 15 premiers tirs. Je me demandais quand un des gardiens allait arrêter un de mes lancers ! Je m'impressionnais moi-même ! »

David décide donc de demeurer à Lewiston. Il obtient une mention d'aide lors de son premier match préparatoire, ce qui le conforte dans l'idée qu'il pourra très bien se mettre en évidence dans ce circuit. Le scénario se répète à la partie suivante, et ensuite c'est l'explosion. Lors du troisième affrontement, le joueur originaire de Fleurimont amasse deux buts et autant de passes puis il enchaîne ensuite avec une performance de deux buts et une passe durant la partie suivante. À la conclusion du calendrier préparatoire, David Perron a récolté huit buts et cinq passes en seulement sept rencontres, ce qui lui vaut de terminer au troisième rang des marqueurs de la LHJMQ, derrière les vétérans Angelo Esposito, des Remparts de Québec, et Jordan Clendenning, du Titan d'Acadie-Bathurst.

Avec de telles statistiques, le joueur recrue de dix-huit ans trouve facilement sa niche avec les MAINEiacs et il amorce la campagne au centre du troisième trio.

« J'ai passé les 50 premières parties de la saison sur ce trio même si j'étais le meilleur marqueur de l'équipe et c'était très bien comme ça. Je n'avais aucune raison de me plaindre de la façon dont Clément Jodoin m'utilisait ou gérait mon temps de glace. Tous les joueurs de l'équipe l'aimaient. Je n'en revenais pas ! Il était toujours calme dans le vestiaire et même si on perdait, il ne criait jamais. Les entraînements étaient toujours agréables et j'avais autant de plaisir à jouer au hockey que quand j'étais tout jeune. Je ne pense pas que j'aurai un jour la chance de jouer à nouveau pour un aussi bon entraîneur que Clément », poursuit l'ancienne vedette des MAINEiacs.

« J'avais vu David à l'aréna Bonaventure, raconte Clément Jodoin, et c'est clair qu'il était extrêmement doué. La première chose que je lui ai dite quand il est arrivé à Lewiston, c'est que je ne voulais rien savoir des histoires qui le concernaient et que les cancans ne m'intéressaient pas. Sa mauvaise réputation ne m'impressionnait pas du tout. Je n'ai jamais eu le moindre petit problème avec lui. Il s'est fondu dans le moule et il a toujours respecté les règles d'équipe. On s'entraînait deux heures par jour et David restait toujours une heure de plus sur la patinoire. Il exerçait ses mains, ses mains et encore ses mains ! Ce n'est pas venu tout seul, son habileté, c'est l'acharnement au travail qui l'a amené à réussir. Ce gars-là n'est pas devenu aussi bon par chance. C'est le travail et la passion qui ont fait la différence. Chez les juniors, il était dominant. Son sens de l'anticipation était nettement supérieur à la moyenne mais ce qui m'impressionnait le plus chez lui, c'est qu'il ressortait toujours du coin avec la rondelle. Il remportait toutes ses batailles et ça, c'est rare. »

Perron conclut la saison 2006-2007 au sommet des marqueurs de Lewiston avec 39 buts et 44 passes pour une production totale de 83 points en 70 matchs, et il poursuit sur cette lancée en séries alors qu'il engrange 28 points en 17 parties pour aider son équipe à remporter la Coupe du Président et ainsi aller représenter le Québec à la coupe Memorial.

Comme David célèbre son dix-neuvième anniversaire de naissance à la fin du mois de mai, il ne s'attend pas à se retrouver dans la mire des dépisteurs de la LNH qui convoitent des joueurs de dix-huit ans. Mais lorsque la première liste de la centrale est publiée, il constate que son nom figure au quatrième rang des plus beaux espoirs de la LHJMQ, et tout juste avant le repêchage il se situe au huitième échelon de la liste nord-américaine.

David est invité à rencontrer les recruteurs de vingt-six équipes de la LNH, dont le groupe de Trevor Timmins, du Canadien de Montréal, qui détient deux choix en toute première ronde.

« Je savais que Montréal ne voulait rien savoir de mon fils. Je ne l'avais pas dit à David, mais j'avais surpris une conversation impliquant leur dépisteur Denis Morel, à la fin de l'hiver. J'assistais à un match des MAINEiacs à l'étranger, debout en haut des gradins, et quelques dépisteurs étaient venus s'appuyer contre la rampe, près de moi, sans savoir que j'étais le père de David. Morel, le dépisteur du Canadien, avait dit aux autres de ne pas perdre de temps à regarder Perron, car il ne jouerait jamais dans la LNH », n'a pas oublié François, qui raconte cette anecdote avec un petit sourire en coin.

AVEC LES BLUES À DIX-NEUF ANS

À Columbus, lors du repêchage de 2007, les Blackhawks de Chicago sont les premiers à monter sur le podium et ils sélectionnent la jeune sensation Patrick Kane. Le petit Américain de 5 pieds 10 pouces vient de terminer au premier rang des marqueurs de la Ligue junior de l'Ontario avec 145 points.

C'est une année très importante pour Montréal qui possède deux sélections en première ronde. Bob Gainey et ses acolytes se présentent au micro une première fois pour repêcher le douzième joueur de l'encan. Comme à son habitude, Trevor Timmins choisit un produit d'une école américaine en sélectionnant un gros défenseur du nom de Ryan McDonagh. Au *high school*, le jeune homme originaire de Saint Paul Minneapolis vient de se distinguer avec 40 points en 26 parties. Le recruteur-chef du Canadien ne tarit pas d'éloges à son égard, pourtant la direction lancera la serviette avec ce joueur seulement deux ans plus tard.

Au 20e rang, les Penguins de Pittsburgh font d'Angelo Esposito le tout premier Québécois sélectionné. Il a obtenu 79 points en 60 rencontres avec les Remparts de Québec, mais il en avait amassé près de 100 la saison précédente à seulement dix-sept ans.

Edmonton suit en 21e place puis c'est à nouveau au tour du Canadien de choisir. Encore une fois, Timmins jette son dévolu sur un Américain. Cette fois, Montréal sélectionne Max Pacioretty, un attaquant qui vient d'inscrire 21 buts et 42 passes en 63 parties au *high school*. Le jeune homme mesure 6 pieds 2 pouces et pèse 192 livres. Il a le profil d'un attaquant de puissance de premier plan. Le recruteur-chef du Tricolore jubile.

Assis dans les gradins, David Perron attend son tour et il n'est pas déçu. De toute façon, tout s'est déroulé si rapidement pour lui depuis douze mois! Les recruteurs du Canadien n'ont pas encore fini de se frotter les mains que déjà son nom retentit dans l'amphithéâtre. Les Blues de Saint Louis font de lui le 26e joueur à être appelé lors de cette cuvée de 2007.

Le conte de fée n'est pas terminé pour David puisqu'il ne retournera jamais à Lewiston pour y rejoindre les MAINEiacs comme prévu. Impressionnant au camp d'entraînement des Blues, il force l'entraîneur-chef Andy Murray à le garder à Saint Louis. À dix-neuf ans, le mal-aimé du hockey mineur de Sherbrooke déjoue tous les pronostics en accédant à la Ligue nationale par la grande porte... Pas si mal pour un jeune homme qui, à peine quelques mois auparavant, avait été renié dans son propre patelin. Nul n'est prophète en son pays!

LES CONSEILS DE DAVID

« Je pense que la chose la plus importante, c'est de toujours mettre l'accent sur la notion de plaisir chez les enfants. Je m'amusais beaucoup dans les rangs novice et atome, mais ce sentiment de bonheur associé au hockey a considérablement diminué en arrivant chez les pee-wee. J'ai vraiment retrouvé le vrai plaisir de jouer vers quatorze ou quinze ans, et à ce moment-là, je savais que personne ne viendrait m'ôter ça. J'avais du plaisir à jouer à ma façon et je savais que c'était ça qui comptait. Encore aujourd'hui, je repense à ce que certains de mes anciens entraîneurs m'ont dit ou m'ont fait et ça me motive.

« Le pire, c'est quand j'entends des ragots sur mon père. C'était mes décisions à moi. Il y a des parents qui s'impliquent dans le hockey mineur seulement pour faire monter leur fils, tout comme d'autres n'hésitent pas à mettre de l'argent pour les mêmes raisons. Moi, mon père veillait à ce que je joue au hockey et que je m'amuse en jouant.

« Ce que j'aimerais le plus dire aux jeunes, c'est de ne jamais lâcher et de ne jamais abandonner leur rêve. Mais pour ne jamais lâcher, il faut que la notion de plaisir soit toujours présente. Dans mon cas, j'aimais tellement ça m'entraîner à lancer des rondelles, à dribbler et à patiner que je voyais ça comme une récréation.

« C'est comme pour le golf : le joueur qui ne va jamais au champ d'exercice ne va pas s'améliorer beaucoup même s'il joue chaque jour 18 trous. Quand Fleurimont m'a banni du hockey pour un an, c'est comme si je n'avais pas joué une seule ronde de golf cette année-là. Par contre, j'ai passé l'équivalent de journées entières sur le vert d'exercice et au "champ de pratique". À la fin de l'année, j'étais devenu un bien meilleur joueur que tous les autres.

« Souvent, tu crois que tu as cessé de t'améliorer, mais c'est faux. Quand tu continues de travailler, tu continues de t'améliorer. La seule différence, c'est que ça paraît moins parce que tes standards sont toujours de plus en plus élevés. Quand je m'entraîne à lancer des rondelles, si je n'en ai pas 90 % qui atteignent la cible, je suis frustré et je recommence. C'est un échec. Mais il y a deux ans, je réussissais 70 % et j'étais content. Je pense que beaucoup de jeunes lâchent alors qu'ils sont en réalité beaucoup plus près de leur but qu'ils ne le croient.

« Dans le fond, même si ça a l'air bizarre, je devrais remercier toutes ces personnes qui ont voulu me détruire quand j'étais jeune. Au fond, c'est à cause d'elles que je suis devenu ce que je suis aujourd'hui. Je n'en veux à personne, car ces gens-là ont fait ce qui était le mieux pour leur petite personne et c'est comme ça que fonctionne la société aujourd'hui. Ils ont essayé de me faire mal mais ça n'a pas marché et le résultat c'est qu'aujourd'hui, je suis une personne plus forte et pas grand-chose ne peut m'affecter. Et eux, ils font des détours pour ne pas me croiser ! »

LES CONSEILS DE FRANÇOIS ET BRIGITTE

« J'aimais mieux le hockey quand mes gars étaient plus jeunes parce que c'était une activité qui réunissait toute la famille. Ça me permettait de passer du bon temps avec les gars quand je jouais avec eux dehors. On avait tellement de plaisir ! J'étais proche de Pascal et David et j'étais à leur écoute. Je comprenais donc ce qu'ils vivaient et je savais faire la différence entre ce qui était le meilleur pour eux... et non pas ce qui aurait été le meilleur pour moi. Je trouve que beaucoup trop de parents placent leur propre rêve avant celui de leur enfant. »

« C'est vrai ça, ce que dit mon père, renchérit David. Quand j'étais jeune, il agissait toujours de la même façon avec moi, peu importe que j'aie compté trois buts ou que je n'aie rien fait de la *game*. Du moment que j'étais heureux, c'est tout ce qui importait pour lui. Clément Jodoin était comme ça aussi, toujours d'humeur égale. Contrairement à ce qui se faisait dans toutes les autres équipes junior, il ne nous imposait jamais de couvre-feu. Il nous faisait confiance mais il nous prévenait que si on le décevait, on paierait pour. »

« J'ai un autre conseil pour les gens du hockey mineur, reprend François avec sagesse. Dans le fond, comme parent, tout ce qui importe vraiment, c'est que notre jeune ait la chance de jouer et qu'il soit traité de façon équitable. Aux niveaux novice, atome et pee-wee on devrait jouer avec seulement dix joueurs et un gardien par équipe, quitte à ce que les parties soient plus courtes. Comme ça, il n'y aurait plus de chicane avec les parents. On n'entendrait plus de "Ah, mon gars joue moins !" ou encore de "Mon fils ne joue jamais en avantage numérique !", car tout le monde "jouerait égal". »

DAVID PERRON
Né le 28 mai 1988 à Sherbrooke, Québec
Centre
6 pi
200 livres
Repêché par Saint Louis en 2007
1re ronde, 26e choix au total

		Saison régulière				Séries			
Équipe	**Saison**	**Parties**	**Buts**	**Passes**	**Points**	**Parties**	**Buts**	**Passes**	**Points**
St-Jérome	05-06	51	24	45	69	8	4	5	9
Lewiston	06-07	70	39	44	83	17	12	16	28
St Louis	07-08	62	13	14	27				
St Louis	08-09	81	15	35	50	4	1	1	2
St Louis	09-10	82	20	27	47				
Total LNH		225	48	76	124	4	1	1	2

SCOTT GOMEZ

L'histoire de Scott Gomez ressemble étrangement à un film de Disney. Un fils d'immigrants mexicains et une Colombienne qui n'a jamais connu sa mère partent chercher du travail en Alaska où ils se rencontrent par hasard lors d'une soirée dansante, tombent amoureux et décident quelques années plus tard de fonder une famille. Dans cette contrée aussi glaciale qu'éloignée, ils élèvent trois enfants : deux filles et un fils qui deviendra une vedette du hockey riche et célèbre.

Voilà ce qui pourrait servir de trame de fond à une grande production hollywoodienne à succès, mais à cela, il faut aussi ajouter que Scott Gomez deviendra non seulement un pionnier en étant le premier joueur d'origine hispanique à atteindre la LNH, mais qu'il sera également le premier joueur originaire de l'Alaska, un des rares États américains où vivent moins d'un million de personnes.

* * *

À la fin des années 1940, menés par Maurice Richard, les Canadiens de Montréal font la pluie et le beau temps dans la Ligue nationale. Pendant que le Rocket et ses coéquipiers de la Sainte-Flanelle engrangent les coupes Stanley, loin du Québec et des passions enflammées que soulève le hockey, Salvador et Maria Gomez, les grands-parents de Scott, font le pari de quitter leur ville de Guadalajara, au Mexique. Ils partent avec leurs cinq enfants et franchissent la frontière américaine en douce pour s'établir dans le sud de la Californie. Là, ils cueilleront les récoltes dans les champs en espérant jouir de meilleures conditions de vie que dans leur pays d'origine. Une fois installés clandestinement aux États-Unis, ils auront deux autres fils dont Carlos, qui voit le jour en 1952. Quelques semaines à peine après la venue de ce dernier-né, les autorités de l'immigration renvoient cependant toute la famille Gomez au Mexique.

De retour dans leur pays, Salvador et Maria s'installent à Tijuana où la famille continue de s'agrandir avec la venue de trois autres enfants. Le couple compte désormais neuf garçons et une fille. En 1958, sa tante, Esperanza Cordova, prend le petit Carlos sous son aile et l'emmène vivre avec elle à San Diego où il grandira. Quatre ans plus tard, son père Salvador rend l'âme. Carlos n'a que dix ans. Les années passent, ses frères viennent le rejoindre à tour de rôle. En 1967, il découvre le hockey en assistant à des matchs des Gulls, une équipe de la Ligue de l'Ouest qui aligne un joueur spectaculaire, Willie O'Ree, le premier Noir à avoir évolué dans la LNH. Carlos se débrouille un peu au baseball, au basketball et au football et, même s'il ne joue pas au hockey, il devient vite un amateur de ce sport rapide et excitant.

En 1972, le jeune Carlos a vingt ans quand il quitte la Californie pour aller rejoindre son frère Juan en Alaska. L'aîné des enfants Gomez avait quitté la Côte ouest américaine sept ans plus tôt pour dénicher du travail à la suite du puissant séisme qui avait entièrement détruit la ville d'Anchorage, le 27 mars 1964. D'une puissance de 9,2 sur l'échelle Richter, ce tremblement de terre avait été le plus puissant de l'histoire en Amérique du Nord. Tout est donc à reconstruire en Alaska et il y a du boulot pour tous.

Bon travailleur, Carlos trouve vite un emploi sur les chantiers. La paye est bonne mais, le mois de novembre venu, il retourne sous les cieux plus cléments de la Californie. Cependant, l'Alaska lui manque, car avant de quitter Anchorage il avait rencontré une jolie jeune fille lors d'une soirée de danse latino, la belle Dalia Florez, une Colombienne qui n'a que quinze ans. Au printemps, il prend donc la décision de retourner travailler dans le Nord... et de revoir cette jeune beauté qui deviendra finalement son épouse, peu avant de fêter ses dix-huit ans.

Dalia, elle vivait, en Alaska depuis déjà cinq ans au moment de cette rencontre fortuite. Originaire de Medellin, en Colombie, elle avait quitté son pays à l'âge de quatre ans pour aller demeurer avec sa tante Rosmira, à New York. Les deux femmes y vivent seules jusqu'au jour où le frère de Rosmira les invite à venir le rejoindre dans un petit patelin paisible et enchanteur du nom d'Anchorage, en Alaska. La petite Dalia n'a alors que dix ans et elle ne se doute pas un seul instant qu'elle passera le reste de ses jours dans cette contrée nordique.

En 1976, trois ans après leur première rencontre, Carlos et Dalia unissent donc leurs destinées. Ces deux jeunes amoureux qui ont à peine connu leurs parents ont l'intention de fonder une famille. Ils souhaitent donner à leurs enfants ce qu'ils n'ont jamais connu eux-mêmes : un amour parental indéfectible et chaleureux. Deux ans après leur union, leurs voeux sont exaucés avec la naissance de la petite Monica. La famille s'agrandit en 1979 avec l'arrivée d'un deuxième enfant, un garcon qui est baptisé Scott. Puis plus tard, en 1989, Natalie se pointe le bout du nez pour compléter le portrait de cette belle famille unie.

LES DÉBUTS DE SCOTT AU HOCKEY

Scott Gomez a quatre ans quand il découvre le hockey pour la première fois. Ce soir-là, son père Carlos l'emmène à l'aréna Sullivan voir un match des Seawolves, l'équipe de l'Université d'Anchorage qui évolue en première division de la NCAA (National Collegiate Athletic Association). Les 6000 sièges ont tous trouvé preneur et l'ambiance est survoltée : le petit bonhomme tombe sous le charme et il désire lui aussi jouer au hockey.

Scott n'est qu'un bambin et ses débuts au hockey ne ressemblent en rien à ce qu'il a vu lorsqu'il a assisté à sa première partie. Pour aider les parents de joueurs débutants et favoriser la pratique du sport chez les jeunes, le Boys and Girls Club d'Anchorage prête l'équipement, à l'exception des patins et du casque protecteur. Son initiation au hockey ne se déroule cependant pas exactement comme le petit Gomez l'avait anticipé. Ne sachant patiner, il ignore où se diriger sur la patinoire. Constamment en situation de hors-jeu, il se fait crier après par ses entraîneurs et même par certains parents... Au bout de quelques semaines, il décide d'abandonner.

— Maman, je déteste le hockey. Je ne veux plus jouer.

— C'est OK, Scott. Si tu n'aimes pas ça, t'as juste à ne plus y aller.

— Merci, maman. Je déteste vraiment le hockey.

— Mais il faut en parler avant avec papa pour voir ce qu'il en pense.

Plus tard, quand Carlos rentre à la maison, Dalia lui apprend la nouvelle. Le père de famille n'est pas du tout fâché et il comprend son fils... Il a toutefois une opinion bien différente et n'a pas l'intention que Scott abandonne ainsi en début de saison.

— Ta mère vient de me dire que tu veux lâcher le hockey ?

— C'est vrai, papa. Je déteste le hockey et je ne veux plus jouer.

— Mais c'est pas comme ça que ça marche dans la vie, Scott. Un Gomez, ça ne lâche pas sans avoir essayé.

— Mais j'ai essayé et je n'aime pas ça.

— Scott, dis-toi qu'un Gomez n'abandonne pas comme ça. Tu vas finir ta saison sans dire un mot, et si l'an prochain tu ne veux toujours pas jouer, ce sera OK. Mais tu vas au moins finir ce que tu as commencé.

Carlos prend alors la décision d'écarter son épouse de tout ce qui touche à la pratique du hockey.

« Je considère que les mères deviennent trop partisanes et perdent toute leur impartialité quand leurs enfants sont impliqués dans un sport, confesse Carlos. Je trouve d'ailleurs que cette situation n'a pas tellement changé aujourd'hui, et je dis cela avec tout le respect que j'ai pour les mères. Je suis un travailleur de la construction, un monteur de structures de fer, et c'est un métier *rough and tough*. J'ai compris dès le départ que Dalia et moi allions nous compliquer inutilement la vie dans le "département hockey", alors elle et moi avons conclu un pacte : elle déposerait Scott à l'aréna et je m'occuperais du reste ! Pendant plusieurs années, les gens qui ne nous connaissaient pas croyaient que j'étais un père monoparental puisque ma femme ne venait pas souvent voir jouer Scott. »

« Je n'arrêtais pas de poser des questions ! "Pourquoi le coach fait ceci ?" "Pourquoi Scott va là?" Alors Carlos m'a dit que ça serait probablement mieux si je me contentais de venir assister aux matchs sans poser toutes ces questions ! » ajoute Dalia.

Au bout de quelques leçons, Scott rattrape l'écart qui le sépare des autres joueurs. Il patine convenablement et il peut s'impliquer dans le jeu. Avant que la saison ne prenne fin, il commence même à aimer le hockey.

« C'est difficile à expliquer mais c'est soudainement devenu comme une drogue du jour au lendemain. Je suis "tombé en amour" avec le hockey dès que j'ai été capable de patiner et de suivre les autres. Je voulais toujours aller jouer au hockey. Quand ce n'était pas à l'aréna, c'était à la patinoire du parc, tout près de chez moi, dans la rue... ou dans la maison ! »

En Alaska, du moins à Anchorage, il y a des patinoires extérieures un peu partout. Chaque école, chaque parc possède la sienne. Près de la résidence des Gomez, on retrouve la patinoire de Trikishla Park. Chaque matin, une Zamboni refait la glace, qui retrouve en quelques minutes l'apparence d'un miroir. De l'avis de plusieurs, c'est la meilleure patinoire de tout l'État ! C'est là que Scott passera la majeure partie des hivers de son enfance. Dans ce coin de la planète, la saison froide débute dès la fin octobre, ce qui permet de commencer à patiner beaucoup plus tôt qu'ailleurs en Amérique. En novembre, le thermomètre affiche déjà une moyenne de moins 6 degrés Celsius et le temps ne redevient plus clément qu'avec la venue d'avril. Cela donne au minimum cinq bons mois à pouvoir profiter des joies du hockey extérieur.

« La patinoire était à côté de chez moi. L'après-midi, en revenant de l'école, les week-ends et les jours de congé, on ne se posait aucune question : on allait à Trikishla Park. Il n'y avait rien d'autre à faire dans mon esprit. À partir de six ans, mes hivers se sont résumés à jouer au hockey. Il n'y avait rien de plus important que ça dans ma vie », raconte Scott.

Après deux saisons avec le Boys Club, le jeune Gomez tente sa chance avec une équipe de la ligue élite au niveau *mites* A, l'équivalent du novice au Québec. À ce moment, à l'automne

1985, il n'a que six ans et il devrait normalement graduer dans cette catégorie seulement l'année suivante. Mais il est devenu le meilleur joueur de son âge et on décide qu'il serait probablement plus à sa place s'il jouait avec des garçons plus vieux.

« On appelait ça la ligue Comp – pour compétition, je crois. Il y avait deux équipes de *mites* A à Anchorage et j'ai été refusé dans la première, les All Stars. Le coach, sûrement sans méchanceté, avait dit à mon père que je devrais peut-être essayer un autre sport ! J'ai tout de même été accepté dans l'autre équipe, les North Stars. C'était énorme pour moi de me retrouver avec un club de la Travel League. À partir de cette catégorie, l'équipement n'était plus fourni par le club, alors j'avais mes propres affaires et ça me plaisait beaucoup », se souvient Scott.

Évidemment, dans une contrée peu habitée où les villes sont éloignées les unes des autres, rien ne se passe tout à fait comme dans une zone plus peuplée. La ligue élite regroupe six formations : les North Stars et les All Stars, à Anchorage ; les Mustangs, à Eagle River ; deux équipes dans la région de la Vallée ; et un club plus éloigné au nord de l'État, à Fairbanks, la deuxième plus grande ville de l'Alaska, située à sept heures de route d'Anchorage.

* * *

Deux ans plus tard, après autant de saisons chez les *mites*, la famille Gomez déménage pour s'installer dans ce que les gens de l'Alaska surnomment « la Vallée », une banlieue située à quarante-cinq minutes de route au nord d'Anchorage et qui regroupe les municipalités de Palmer, Wasilla, Big Lake, Houston, Willow et Talkeetna. Palmer, ça vous dit quelque chose ? Probablement pas, car c'est un tout petit bled de 7000 habitants. Cette ville jouit quand même d'une certaine renommée chez nos voisins du sud puisque c'est de là qu'est originaire la populaire républicaine Sarah Palin, gouverneur de l'Alaska de 2006 à 2009, colistière de John McCain et ex-candidate à la vice-présidence des États-Unis en 2008.

Si les Gomez ont choisi de s'installer là-bas, ce n'est pas pour faire de la politique, mais plutôt parce que Carlos a eu l'idée d'aller y ouvrir un restaurant… mexicain! Peu après leur arrivée, le nouveau restaurateur inscrit son fils à des cours de boxe.

« J'étais devenu assez grassouillet! avoue Scott en riant. Avec le resto, je pouvais me gaver de chili et d'enchiladas à volonté! Tout était là, à ma disposition, je n'avais qu'à me servir et j'étais incapable de résister! »

Au hockey, les choses vont bien dans la Vallée pour Scott qui passe à ce moment au niveau *squirt*, l'équivalent de la catégorie atome chez nous. Même si le bassin de joueurs ne se compare pas à celui d'Anchorage, où vivent plus de 200 000 personnes, l'équipe de Scott tient tête à toutes les autres formations de l'État. Il jouera là-bas pendant deux saisons et il y gagnera énormément en confiance.

« Ma mère adorait me voir jouer mais elle ne venait pas souvent, et elle ne connaissait rien du tout au hockey. Elle appréciait surtout le fait que je m'amusais autant! Mon père, lui, voulait que j'aie du plaisir mais aussi que je ne me traîne pas les pieds. Pour le reste, il se foutait des statistiques et de mes performances. Pendant qu'on vivait dans la Vallée, il m'a fait la leçon pour la première fois de ma vie après une partie. Pendant une de mes présences, j'avais dribblé sans faire aucune passe et je trouvais ça très drôle de me promener partout sans que personne ne soit capable de m'ôter la rondelle! Mon attitude l'avait exaspéré et il m'avait réprimandé dans l'auto, sur le chemin du retour », poursuit Scott en souriant.

« Je n'ai pas souvent fait la morale à mon fils question hockey, ajoute Carlos, mais il y a une chose sur laquelle j'ai toujours insisté, et même encore aujourd'hui. D'ailleurs, Scott est souvent mal perçu à cause de ça. Je l'ai élevé en lui répétant toujours que quand c'est fini, c'est fini. Tu peux pleurer tant que tu veux, être furieux et en colère, mais quand tu sors du vestiaire, c'est terminé. Plus question d'en reparler et de revenir sur un match que tu as perdu. Une victoire, tu peux en jaser pendant des jours si tu veux, car c'est positif. Mais ça ne donne rien d'avoir une attitude négative et de ressasser un échec. Scott a grandi avec cette mentalité et j'en suis fier… sauf qu'aujourd'hui, certaines personnes se demandent parfois s'il s'en fout quand son club perd.

Il ne s'en fout pas, il ne s'en fout jamais. Je l'ai élevé comme ça. Il n'y a rien à gagner à traîner le souvenir d'une défaite pendant des heures ou des jours. Tu tournes la page, tu l'oublies et tu regardes en avant, car ça ne donne rien de vivre dans le passé. On dit que Scott Stevens, un défenseur extraordinaire, membre du Temple de la renommée du hockey, pouvait rester fâché pendant des jours après une défaite. À quoi bon ? Tu ne peux rien y changer de toute façon. »

En 1989, les Gomez retournent s'établir à Anchorage. L'aventure dans la restauration n'a pas été un succès et Carlos retourne gagner sa vie sur les chantiers de construction. Scott recommence à jouer avec les garçons de son âge et il passe par conséquent un troisième hiver dans les rangs *squirts*. C'est à partir de ce moment qu'il commencera à faire parler de lui à travers l'État. En Alaska, il n'y a pas d'équipes de calibres AA, BB ou CC. Dans cette région peu peuplée, il n'y a au hockey mineur que des ligues de niveau A ou B. La progression normale d'un bon jeune hockeyeur est de jouer au niveau B lors de sa première année dans une catégorie, puis de passer ensuite au A la saison suivante. Lorsqu'il fait le saut au pee-wee, Scott se retrouve immédiatement dans le A avec les North Stars. À la fin du calendrier, il est clairement devenu le meilleur élément de sa formation.

« Je me souviens d'une journée où je jouais au hockey à la patinoire avec mes deux bons copains. En fait, on jouait sur le même trio. À un certain moment, ils m'ont demandé si je me rendais compte à quel point j'étais vraiment meilleur qu'eux... Leur question m'avait pris par surprise. J'étais renversé par ce commentaire, car je croyais qu'on était tous de la même force ou à peu près.

« Aussitôt qu'on avait du temps libre, on jouait dehors. Le froid de l'Alaska ne nous empêchait jamais d'être à la patinoire du parc. Quand j'étais à la maison, j'avais toujours un petit bâton en plastique dans les mains, même quand je faisais mes devoirs. Je n'avais même pas besoin de balle, le jeu se passait dans ma tête ! C'était comme ça du matin au soir. J'étais totalement obsédé par le hockey ! »

« L'hiver, Scott ne vivait que pour le hockey », confirme Carlos avant d'y aller d'une anecdote pour le moins étonnante. « Les week-ends, il partait de la maison à 7 h pour aller patiner au parc. Quand il était pee-wee, je me suis questionné à savoir s'il aimait vraiment autant le hockey ou s'il aimait ça parce que je lui donnais la permission de prendre ma voiture pour aller à la patinoire le samedi et le dimanche matin. Ce n'était pas très loin, mais il n'avait que douze ans et je me serais retrouvé en prison si ça avait mal tourné! Quelques années plus tard, j'ai découvert qu'il n'avait pas respecté notre entente et qu'au lieu de conduire directement de la maison au parc, il cueillait tous ses amis chemin faisant! Ce n'est certainement pas quelque chose qui serait toléré de nos jours!»

L'été, Scott ne tient pas davantage en place, car il se distingue aussi au baseball à plusieurs positions: receveur, arrêt-court et lanceur. Deux terrains de baseball se trouvent à côté de chez lui, à Trikishla Park, et c'est son père Carlos qui l'entraîne. Le basketball et le tennis sont aussi deux activités très populaires auprès de Scott et de ses amis.

« L'été, mes voisins et moi nous vivions au parc! L'été n'est pas bien long en Alaska, alors on en profitait! Le soleil se couche à peine, près du cercle polaire, et nous pouvions jouer au baseball jusqu'à minuit.»

« Les gens ne me croient pas, précise Carlos, mais mon fils ne touchait pas à son bâton de hockey à partir de la fin de la saison, en avril, jusqu'au début de la suivante, en septembre. Je crois que les enfants devraient pratiquer d'autres activités que leur sport préféré. De nos jours, plusieurs jeunes jouent douze mois par année. Ne cherchez pas longtemps à savoir pourquoi tant d'enfants perdent leur motivation ou leur appétit pour le hockey. Scott était aussi un excellent joueur de baseball. Et nous allions souvent à la pêche au saumon.»

L'automne suivant, il change à nouveau de clan et passe avec les All Stars. Scott McLeod, l'entraîneur-chef de cette formation, avait convaincu les meilleurs éléments de la région de se joindre à sa troupe. Son but: former une équipe qui sera en mesure de livrer bataille aux bons clubs pee-wee de partout ailleurs aux États-Unis. Pour avoir épié le jeune Gomez chez les *squirts*, il sait qu'il devra le convaincre de rallier son club, car il en sera certainement l'une des pièces maîtresses.

« Ce jeune-là avait un talent fou mais il y avait encore bien mieux que cela. Ce que j'aimais le plus, chez Scott, c'est qu'il se défonçait chaque fois qu'il sautait sur la patinoire. Peu importe que nous jouions contre une bonne formation ou un club médiocre, il n'y avait jamais de demi-mesure avec lui et c'était pareil durant les entraînements », se rappelle son ancien entraîneur.

« Scott McLeod avait réussi à regrouper tous les meilleurs joueurs d'Anchorage et d'Eagle River avec les All Stars, se souvient Scott. On massacrait toutes les équipes de l'Alaska mais ça nous donnait l'opportunité de nous améliorer assez pour pouvoir disputer de gros tournois aux États-Unis ou au Canada. C'est la première année où j'ai vu comment les choses se passaient ailleurs. Notre première grosse compétition s'est déroulée à Oshawa, cinquante kilomètres à l'est de Toronto. C'était le célèbre tournoi Kinsmen et nous savions bien entendu que Wayne Gretzky y avait déjà participé et qu'il détenait toujours le record avec quelque chose comme 33 points en 4 parties. Toutes les grosses équipes pee-wee de l'Ontario étaient là. On arrivait de l'Alaska et nous n'avions jamais rien vu de tel. C'était drôlement impressionnant pour nous, car il y avait des agents et des dépisteurs qui assistaient aux matchs. Les jeunes de Toronto étaient habitués de voir ça mais pas nous, parce que quand tu vis en Alaska, ton grand rêve c'est de pouvoir jouer au collège, un point c'est tout. Personne ne parlait de la LNH ! Lors de notre première partie, les Marlies de Toronto nous avaient humiliés par un compte de 11 ou 13 à 1. Comme s'ils avaient eu besoin d'en rajouter, ils avaient passé la partie à nous traiter de tous les noms. On aurait été capables de leur livrer une très bonne compétition et peut-être même de les battre, mais nous étions bien trop distraits par tout ce qui se passait en dehors de la patinoire. Je dois avouer que nous avions vécu une très belle leçon d'humilité. »

« Ce tournoi-là nous permettait d'évaluer où en étaient nos meilleurs éléments de l'Alaska comparés aux *big boys* de l'Ontario, mais ce fut probablement une erreur de les emmener à Oshawa, explique McLeod. J'étais vraiment certain que mes joueurs seraient capables de composer avec toute la pression qui vient avec un gros événement de ce genre, mais je me suis royalement trompé. Menés par un certain Keith Tkachuk, les Marlies de Toronto étaient l'une des meilleures équipes au Canada et ils nous avaient tout simplement mis en pièces ce soir-là. Heureusement, nous avions en Scott le meilleur joueur de l'Alaska, qui était aussi le leader de notre équipe. Il parlait beaucoup dans le vestiaire et il savait quoi dire pour détendre l'atmosphère et se faire aimer, alors cette raclée ne fut quand même pas un drame total ! »

Après cette correction en règle encaissée lors du premier match du tournoi Kinsmen, la troupe de l'entraîneur McLeod se ressaisit et offre de bien meilleures performances. Cette expérience en Ontario permet finalement aux jeunes Alaskiens de chasser ce complexe d'infériorité qui les minait au début de la compétition.

Plus tard dans la saison, les All Stars d'Anchorage participent à des tournois à Seattle, Los Angeles et Calgary.

« On savait que nous avions entre les mains une équipe spéciale et c'est pour cette raison qu'on a travaillé aussi fort cette saison-là. Cette année-là a coûté bien au-delà de 10 000 dollars aux parents. On a organisé des activités de financement toute l'année et des commanditaires ont aidé quelques familles qui n'avaient pas les moyens de défrayer une telle somme », raconte l'ancien coach des All Stars qui, à chaque saison, parrainait à ses frais un joueur issu d'une famille moins fortunée.

Tous ces efforts ne sont pas vains. Quelques semaines après le voyage à Oshawa, l'équipe d'Anchorage réussit à accéder à la finale des championnats nationaux pee-wee qui se déroulent à New York. Scott et ses coéquipiers des All Stars ne font pas le poids face à la puissante machine des Little Ceasars de Detroit, mais le fait d'atteindre la finale n'en reste pas moins tout un exploit pour la formation originaire de l'Arctique.

« À compter de cette saison-là, rappelle Carlos, Scott a commencé à faire quatre ou cinq voyages par année pour le hockey. En tant que parent, tu veux donner à tes enfants toutes les chances de réussir, quitte à hypothéquer ta maison. Scott était mon seul fils et je n'avais jamais eu ce genre de chance ou de support dans la vie. Ma femme et moi avons tous les deux grandi sans parents, alors nous étions prêts à tous les sacrifices pour nos enfants. Dalia et moi avons eu quelques discussions orageuses, c'est vrai, car le hockey coûtait très cher et nous n'étions pas riches, mais on se serrait la ceinture pour les enfants, et pas seulement pour Scott : pour Natalie et Monica aussi. Aussitôt qu'il y avait du travail, j'étais là, prêt à faire un maximum d'heures supplémentaires pour subvenir aux besoins de ma famille. »

ANCHORAGE, UNE PUISSANCE AUX ÉTATS-UNIS

Heureux des résultats obtenus la saison précédente, Scott McLeod forme encore une équipe d'élite l'année suivante alors qu'il prend les rênes des All Stars d'Anchorage au niveau bantam A. Cette fois, le défi sera encore plus grand. L'Alaska n'a pas le statut de puissance du hockey comme le Maine, le Minnesota, le Michigan, le Colorado ou le Vermont, mais la présence de l'une de ses équipes en finale du championnat américain pee-wee lui apporte certainement beaucoup de crédibilité. Le défi de McLeod et de ses joueurs sera maintenant de prouver qu'il ne s'agissait pas d'un coup de chance.

« J'ai été choyé de croiser un type comme Scott McLeod, estime Scott. Ce n'est pas facile de diriger une équipe qui regroupe les meilleurs joueurs d'une région. Nous n'avions aucune compétition en Alaska, on battait vraiment facilement toutes les autres formations de l'État. Plusieurs parents se plaignaient, jugeant que la situation était injuste pour les autres clubs. Certains parents des joueurs des All Stars se demandaient si nous ne perdions pas notre temps puisque nous n'avions pas de réelle opposition. Mais en nous entraînant chaque jour avec les meilleurs, nous nous sommes tous énormément améliorés. Notre coach allait assister aux entraînements des clubs qui venaient affronter l'Université d'Anchorage, il notait leurs exercices et les intégrait ensuite à nos entraînements. »

Carlos ne s'ingère pas trop dans les activités de son fils, mais il faut aussi avouer qu'il accorde une grande confiance à Scott McLeod. L'entraîneur n'a pas un défi facile puisqu'il dirige un club de petites vedettes, mais grâce à sa façon de travailler et à son honnêteté, il gagne le respect des joueurs et de leurs parents. S'il arrive que le coach fait face à une situation délicate ou qu'un de ses joueurs pose un problème, il prend le temps de tâter le pouls des parents. Quand il veut bavarder avec papa Gomez, il reçoit toujours la même réponse :

— Pourquoi me consultes-tu ? C'est toi le coach. Prends les décisions que tu dois prendre !

Se sentant inconditionnellement appuyé, McLeod ne se gêne pas pour serrer la vis à Scott et aussi à Ty Jones, son autre joueur vedette. Même s'il laisse carte blanche à l'entraîneur, Carlos n'hésite toutefois pas à passer des messages à son fils quand le besoin s'en fait sentir.

« Je jouais maintenant avec des gars de mon âge, j'étais le meilleur joueur de mon groupe et les choses allaient drôlement bien pour moi. Sauf que je me complaisais dans une certaine zone de confort, puisque tout allait bien sans que j'aie à trop forcer. À ma grande surprise, mon père me dit qu'il trouve que les autres joueurs de l'équipe sont en train de me rattraper et que la différence de calibre entre eux et moi n'est pas si grande. J'étais furieux de l'entendre affirmer une telle chose et je suis même allé me plaindre à ma mère. J'étais tellement fâché contre lui que je me suis défoncé comme un malade pour lui prouver qu'il disait n'importe quoi... Aujourd'hui, je me rends bien compte qu'il avait appuyé sur le bon bouton ! »

À compter de cette nouvelle saison, Scott et ses coéquipiers ont aussi l'opportunité de jouer pour la formation du *high school* où ils étudient. La saison de la ligue régulière s'amorce en septembre et se poursuit en octobre pour ensuite faire relâche pendant quelques mois afin de laisser toute la place au calendrier du circuit scolaire. Scott s'aligne avec les Thunderbirds du East High, une vaste institution qui regroupe plus de 2000 élèves. Le calibre de jeu est plutôt relevé puisque la plupart des joueurs de cette ligue sont beaucoup plus vieux, certains ayant même dix-huit ans.

« C'était extraordinaire ! s'exclame Scott. Quand tu es jeune, il n'y a évidemment que tes parents qui viennent voir les matchs et les gradins sont presque toujours vides. Au *high school*, on jouait devant 1000 personnes, il y avait même des meneuses de claque et l'ambiance était survoltée ! En plus, je jouais contre des coéquipiers de mon *travel team* qui, eux, étudiaient dans d'autres écoles. À cette époque, il y avait sept *high schools* à Anchorage et jouer pour les Thunderbirds de East High a été le fait marquant de mon adolescence. Et puis, des filles venaient nous voir jouer... C'était le début d'une nouvelle époque ! »

Avec son école, Scott obtient 28 points en autant de matchs, une fiche très respectable pour un joueur de première année.

« C'est une statistique dont je vais me souvenir toute ma vie, car deux de mes coéquipiers des All Stars avaient fini l'année avec plus de points que moi, mais en jouant pour d'autres *high schools* ! », raconte Scott.

De retour avec son équipe bantam A, il vivra une déception beaucoup plus grande quand, au printemps 1994, les All Stars s'inclinent de nouveau en finale des championnats nationaux face aux représentants de l'Illinois. Cette déception est d'autant plus vive que le club champion des États-Unis est couronné à Anchorage, ville hôtesse du tournoi.

Ces deux présences consécutives en finale des championnats américains procurent une très bonne visibilité à Scott. Il est maintenant sur le point de passer au midget et des recruteurs l'observent depuis déjà un certain temps. Pendant l'été, un homme se présente de façon impromptue chez les Gomez. Il s'agit de Dave Lohrei, entraîneur-chef des Musketeers de Sioux City, en Iowa, une équipe de la USHL. Ce circuit représente sans aucun doute la meilleure ligue de transition pour les jeunes qui désirent poursuivre leur carrière avec une université ou un collège. Le but de la visite de Lohrei est de convaincre Scott et ses parents que s'il désire passer par la USHL, il devra porter les couleurs de son équipe. L'homme s'assoit avec le jeune espoir et ses parents et la discussion commence.

— Si je me suis déplacé à Anchorage pour vous rencontrer, c'est pour vous dire qu'on va tout faire pour mettre la main sur les droits de Scott afin qu'il joue pour nous quand il aura seize ans.

— Je ne veux pas vous faire perdre votre temps, coach. Si Scott joue éventuellement dans la USHL, ça sera avec les Lancers d'Omaha, lance Carlos d'entrée de jeu. Ça fait longtemps qu'on parle de ça avec fiston et sa décision est déjà prise. Ça va être Omaha ou rien du tout. Vous aurez beau dire et beau faire, le rêve de Scott, c'est de jouer pour les Lancers.

— Monsieur Gomez, nous allons quand même nous approprier ses droits. Toutefois, je vous donne ici ma parole, devant votre femme et votre fils, que si Scott veut toujours aller jouer avec Omaha dans deux ans, je le libérerai. Mais avant, pourquoi Scott ne prendrait-il pas la peine de voir lui-même comment les choses fonctionnent à Sioux City ?

Les deux hommes se serrent la main pour sceller le pacte. Enfoncé dans son fauteuil, témoin silencieux, Scott est abasourdi. Comment son père peut-il accepter un tel compromis ? Il sait parfaitement que pour lui il n'y a que les Lancers qui comptent. L'été, quand ils reviennent à Anchorage, Brian Swanson et Tom Kowal racontent à quel point c'est extraordinaire de jouer pour Omaha, l'équipe la plus titrée de la USHL. En passant par là, ils ont tous les deux réussi à décrocher des bourses d'études à l'université. Pour les jeunes hockeyeurs d'Anchorage, Swanson et Kowal représentent les modèles à imiter.

* * *

Quelques semaines plus tard, en raison d'une modification aux catégories de groupes d'âge, Scott et les autres joueurs nés en 1979 sautent tous une année et passent directement au midget. Pour accéder à cette catégorie, la grande majorité des coéquipiers de Scott font défection afin de se joindre aux North Stars, l'autre organisation d'Anchorage. Scott se retrouve alors devant un sérieux dilemme, car le coach McLeod passe lui aussi au rang midget A, tout en demeurant cependant coach des All Stars, puisqu'il a l'intention de poursuivre ce qu'il a entrepris avec les jeunes qu'il dirige depuis maintenant deux saisons.

« Ce n'était pas une décision facile à prendre et je me demandais vraiment quoi faire. Mais Scott McLeod savait que je devais rester avec les meilleurs pour continuer de m'améliorer, surtout que j'étais un des plus jeunes joueurs de l'équipe », explique le numéro 11 du Canadien.

Scott ne regrette pas sa décision. Il continue de progresser et les résultats sont surtout impressionnants avec East High. À sa deuxième saison au *high school*, il récolte 30 buts et 48 passes en 28 rencontres pour aider son école à créer une surprise et remporter le championnat scolaire de l'État d'Alaska. Aux États-Unis, peu importe le sport, mettre la main sur un titre pareil représente un exploit qui vous accompagne toute votre vie. Rouage très important de sa formation, Scott prend conscience cette saison-là qu'il pourrait peut-être faire carrière au hockey. Quelques-uns de ses coéquipiers, des vétérans des Thunderbirds, sont courtisés par des universités et des collèges de renom et, même s'il est plus jeune, Scott est déjà aussi bon que la plupart d'entre eux. Il se voit déjà marcher dans les traces de son héros Brian Swanson en jouant bientôt avec les Lancers d'Omaha puis avec Colorado College.

« J'ai commencé à me dire que Scott avait peut-être un talent particulier lors de cette saison au *high school*, se remémore Carlos avec fierté. Il était le plus jeune joueur de l'équipe et il avait terminé au premier rang des marqueurs. Il commençait à attirer l'attention des dirigeants de Team USA, alors, même si tu ne veux pas te l'avouer, tu commences à prendre conscience qu'il est l'un des meilleurs de son âge au pays. Malgré ça, nous ne l'avons jamais placé sur un piédestal. Nous ne pensions pas du tout à la LNH. Je me disais que s'il continuait à être aussi bon, il obtiendrait probablement une bourse d'études pour aller au collège, un exploit que personne n'avait encore jamais accompli dans ma famille. Et on pouvait être optimistes, parce que nous avions commencé à rencontrer les gens d'un grand nombre d'écoles. "C'est pas mal dans la poche", que je me disais ! »

Avec son club midget A, Scott et ses coéquipiers des North Stars viennent encore bien près de remporter les grands honneurs mais ils baissent pavillon pour un troisième printemps de suite en finale des championnats nationaux.

De plus en plus de dépisteurs commencent maintenant à approcher le jeune Gomez. L'adolescent de quinze ans voudrait bien quitter son patelin pour pouvoir profiter d'une meilleure visibilité et améliorer ses chances de concrétiser ses rêves. Mais Carlos refuse catégoriquement que fiston quitte la maison. Dans son esprit, Scott est encore trop jeune pour voler de ses propres ailes.

« Si tu es si bon que tu le dis, ne t'inquiète pas, Scott, les dépisteurs vont te trouver peu importe où tu joues sur la planète. Il y en a déjà un paquet qui se déplacent jusqu'en Alaska, alors ça ne te donnerait rien de plus d'aller jouer ailleurs », lui répète invariablement son père.

« On avait encore le même noyau de joueurs et après trois défaites de suite en finale des championnats américains, on se disait qu'il nous restait une dernière année pour essayer d'aller chercher le titre, relate Scott. La possibilité de quitter Anchorage n'a jamais été vraiment envisagée. De toute façon, j'avais beau en discuter à la maison, je savais très bien que mon père ne m'aurait jamais laissé partir à quinze ans... »

Le pire, c'est que les recruteurs n'avaient encore rien vu des capacités de Scott Gomez !

UN ÉTÉ INFERNAL

Lors de la saison 1995-1996, sa troisième avec East High, Scott termine au premier rang des marqueurs de la ligue *high school* de l'Alaska grâce à une récolte prodigieuse de 56 buts et 49 passes en seulement 27 matchs !

Pendant l'été, Scott et la plupart de ses coéquipiers de la saison précédente changent une fois encore d'allégeance. De retour sous la férule de Scott McLeod avec les All Stars midget A, le jeune Gomez connaît encore une saison exceptionnelle et il fait parler de lui bien au-delà des frontières de l'Alaska. Pendant la période des fêtes, l'équipe d'Anchorage participe au réputé tournoi Mac's à Calgary. Scott est élu sur la première équipe d'étoiles, en compagnie notamment du Québécois Éric Chouinard, des Gouverneurs de Sainte-Foy de la ligue midget AAA. Lors de sa présence en Alberta, l'adolescent d'Anchorage est courtisé par les Hitmen de Calgary, une nouvelle équipe de la Western Hockey League qui en est à sa première saison dans la Ligue junior canadienne. Dans le circuit de l'Ouest, les espoirs sont repêchés dès les rangs bantam et, justement, Scott est toujours disponible.

Alors que son équipe bénéficie d'un jour de congé, l'entraîneur-chef des Hitmen prend Scott en charge pour la journée et il le balade à travers Calgary en lui vantant les mérites de la ville et de l'organisation. Scott se sent en confiance puisque l'homme était venu les rencontrer, sa famille et lui, l'été précédent en Alaska. Cet entraîneur, c'est Graham James, un prédateur sexuel aujourd'hui célèbre qui a, entre autres, abusé à répétition deux de ses joueurs : Theoren Fleury et Sheldon Kennedy. À ce moment-là, l'affaire n'a pas encore été étalée sur la place publique.

Le soir même, la jeune vedette des All Stars participe au match des étoiles du tournoi Mac's et il raconte sa belle journée aux autres joueurs sélectionnés pour l'événement.

« J'étais tout fier de raconter mon histoire aux gars ! Wow ! Le coach des Hitmen m'avait promené une partie de la journée. En m'écoutant, tous les gars de Calgary étaient bouche bée, car ils connaissaient Graham James. Ils m'ont raconté qu'il avait déjà fait à des gars dans le passé. Pris de panique, j'ai tout de suite téléphoné à mon père. Ce gars-là était venu dans notre maison, à Anchorage, et voilà qu'il aurait maintenant pu m'agresser dans son camion, à Calgary. Même s'il avait eu un comportement normal et qu'il ne m'avait même pas effleuré, j'étais horrifié de penser que j'avais été en compagnie de cet individu pendant quelques heures. Mais mon père a tout de suite désamorcé la bombe en me disant que c'était sûrement des racontars », se souvient Scott en grimaçant.

Quelques semaines plus tard, Scott et son équipe accèdent au championnat américain pour une quatrième année de suite. Cette fois, les Alaskiens ne ratent pas leur coup. Ils prennent leur revanche sur l'Illinois en les battant dans leur fief, à Chicago. Quelle belle façon de mettre un terme à une carrière dans le hockey mineur ! Mais l'été qui se profile à l'horizon sera presque invivable pour Scott et sa famille.

* * *

Afin de mieux se préparer en vue de la sélection de Team USA qui prendra part au championnat du monde des moins de seize ans, Scott accepte de se présenter au camp d'entraînement des Musketeers. Il en profitera par la même occasion pour voir de ses yeux à quoi ressemblent le programme de hockey et la vie à Sioux City. L'expérience est franchement décevante.

« En arrivant, j'ai été tout de suite découragé par la dimension de la patinoire, la plus petite que j'avais jamais vue de ma vie ! J'avais vraiment une bonne longueur d'avance sur les autres gars. Il était totalement hors de question que j'aille jouer avec les Musketeers. Mais Dave Lohrei n'a pas respecté sa parole. Sioux City possédait les droits sur moi et Lohrei ne voulait plus me libérer pour que j'aille jouer à Omaha comme il avait été convenu avec mon père », raconte Scott.

Évidemment, le mot se répand comme une traînée de poudre. Des douzaines et des douzaines de recruteurs de toutes les ligues tentent de convaincre Scott de rallier leur équipe. La maison familiale est littéralement prise d'assaut. La situation devient tellement infernale que les Gomez doivent imaginer un système pour ne plus se faire embêter. À l'époque, il n'y a pas encore d'afficheur sur les téléphones ; pour pouvoir parler aux Gomez, les amis de la famille doivent laisser sonner deux coups puis raccrocher et rappeler immédiatement.

« Peu importe l'heure, des coachs et des dépisteurs de partout téléphonaient pour me parler, à moi ou à mes parents. C'était insupportable pour toute la famille. Tous mes amis savaient où ils allaient jouer la saison prochaine. On patinait ensemble l'été et ils avaient tous reçu de l'équipement fourni par les clubs, et des t-shirts et des casquettes de leur équipe. Ils avaient hâte de partir et moi je me retrouvais dans cette situation grotesque. La USHL a pris le dossier en main, des avocats de la ligue s'en sont mêlés, le coach en question a été congédié. Moi, tout ce que je voulais, c'était aller jouer pour les Lancers d'Omaha », n'a pas oublié Scott.

Finalement, la ligue statue que la jeune sensation d'Anchorage se retrouve devant deux choix ; la possibilité de se joindre aux

Lancers est malheureusement écartée. Gomez ne sera autorisé qu'à porter l'uniforme des Musketeers de Sioux City ou des Stars de Lincoln, une équipe d'expansion qui en sera à sa première saison dans l'association ouest de la USHL. Dans son esprit, Scott n'a jamais envisagé un scénario semblable. Tout au long de cette saga, il est toujours demeuré fermement convaincu qu'il finirait par jouer pour les Lancers. Le rêve qu'il caresse depuis les rangs pee-wee vient de partir en fumée, et il ne pourra finalement pas suivre les traces de son idole Brian Swanson.

Le verdict de la USHL tombe tard dans l'été. Sollicité de toutes parts depuis des semaines, Scott est déçu et attristé, mais il est aussi épuisé par les nombreuses sollicitations dont il a fait l'objet au cours des derniers mois.

« Le téléphone ne dérougissait pas davantage chez nous, relate son ancien coach McLeod. Je recevais des coups de fil de gens de partout aux États-Unis et au Canada qui s'enquéraient des intentions de Scott. C'était la folie furieuse pour essayer de se l'approprier. Mais je n'étais pas du tout inquiet, car je savais que Carlos prendrait la plus sage décision pour son fils. C'est un homme terre-à-terre et je savais qu'il ne se laisserait pas emporter par cette frénésie. Il a toujours pris les bonnes décisions aux bons moments. Scott a été choyé d'avoir de si bons parents pour veiller sur lui et pour lui rappeler d'où il vient. C'est sans doute pour ça qu'il est demeuré si gentil et si humble. »

Le temps passe et les dépisteurs, entraîneurs, agents, et gérants d'équipes ne se lassent pas d'essayer de communiquer avec les Gomez. Tous les moyens sont bons : quand le téléphone et la poste ne suffisent pas, on se présente en personne à Anchorage !

Les camps d'entraînement vont s'amorcer dans une quinzaine de jours et Scott ne sait toujours pas où il jouera. La pression est grande, il en a marre, rien n'est réglé et le nouvel entraîneur de Sioux City lui téléphone presque chaque jour. L'adolescent de seize ans ne sait plus quoi penser. Finalement, après avoir passé des jours et des jours à ressasser le problème dans tous les sens, il choisit les Musketeers, d'autant plus que son bon ami et coéquipier Jeff Carlson a décidé de faire le saut dans cette équipe. Il ne reste plus qu'à annoncer sa décision à ses parents.

— Papa, il faut que je te parle. Je suis écœuré que la situation piétine. J'ai pris ma décision.

— As-tu bien pensé à ton affaire ?

— Oui, je vais aller à Sioux City. C'est juste pour deux ans et après je pourrai aller à l'Université du Colorado.

— Assieds-toi, Scott, lui dit doucement Carlos.

Le père et le fils s'assoient et le paternel expose son point de vue :

— C'est toi qui dois prendre la décision finale. Tu veux aller à Sioux City, c'est parfait. Mais n'oublie jamais une chose : les Musketeers ont brisé ton rêve d'aller jouer à Omaha. Leur coach est venu ici, dans notre maison, et il a donné sa parole devant nous... Il a menti aux Gomez. Et là, toi, tu serais prêt à aller jouer pour eux. Est-ce que ça te semble logique ?

— C'est que je n'ai pas beaucoup de choix...

— Et le club en Colombie-Britannique, South Surrey ?

— Je ne sais pas. Je n'ai pas vraiment écouté le gars de South Surrey quand il est venu nous parler. J'étais certain que ça fonctionnerait avec Omaha...

— Je crois que jouer là serait l'idéal pour toi, Scott. C'est une ligue bien organisée, les gens là-bas me semblent gentils et tu pourrais continuer d'étudier aux États-Unis puisque c'est juste de l'autre côté de la frontière. Penses-y bien... Je ne veux pas t'entendre te plaindre à Noël, quand tu reviendras à Anchorage pour les vacances. La décision ultime sera la tienne et si tu n'es pas heureux, tu seras le seul à blâmer. Il y a aussi une autre chose, Scott. Si tu vas dans la USHL, ça voudra dire que tout le monde peut te manipuler comme un pantin et ça sera comme ça toute ta vie, mon fils. Si tu n'y vas pas, les gens sauront que tu as des principes et qu'on ne se moque pas de Scott Gomez.

— Tu as raison, papa... Je vais aller à South Surrey.

SCOTT QUITTE L'ALASKA

Scott n'a absolument aucune idée de l'aventure qui l'attend quand il décide de mettre le cap sur South Surrey. Pourtant, au début de l'été, Rick Lanz l'avait rencontré en compagnie de son père.

Une seule chose avait frappé Scott pendant leur conversation: Paul Kariya, qui venait de terminer sa troisième saison dans la LNH, avait joué dans ce circuit quatre ans plus tôt et cette expérience lui avait servi de tremplin pour poursuivre sa carrière avec l'Université du Vermont.

« Je sautais dans le vide en allant à South Surrey. Et pourtant, j'ai vécu là-bas une des plus belles saisons de ma vie, raconte Scott avec un sourire empreint de nostalgie. Nous n'avons perdu que sept parties dans l'année ! »

« Les gens de South Surrey m'avaient laissé une bonne impression, renchérit Carlos. On les avait rencontrés en avril et ils n'avaient pas essayé de nous charmer, car il était clair à ce moment-là que Scott prendrait le chemin de la USHL. Mais je me souvenais qu'ils nous avaient dit qu'on pouvait les appeler en tout temps si on changeait d'idée. Quand je leur ai demandé si Scott pouvait encore jouer pour eux, ils étaient complètement estomaqués ! »

Après dix saisons dans la LNH avec les Canucks de Vancouver et les Maple Leafs de Toronto, Lanz, un ancien défenseur, a prolongé sa carrière en jouant une année en Suisse et quelques autres dans la Ligue internationale. À l'automne 1996, un nouveau défi s'offre à lui alors qu'il se retrouve derrière le banc des Eagles de South Surrey, une des treize formations de la BCHL, la ligue junior junior A de la Colombie-Britannique. La venue de Scott avec son équipe l'aidera grandement à entreprendre du bon pied sa nouvelle carrière d'entraîneur.

Avant les adieux, Scott et Carlos profitent d'une dernière journée ensemble pour aller taquiner la truite. Le père et le fils savent tous les deux que c'est le début d'une nouvelle vie. Dorénavant, leurs chemins vont se séparer. Ils demeureront toujours aussi unis et fiers l'un de l'autre, mais ils ne pourront plus passer autant de bons moments ensemble. À cet âge ingrat de l'adolescence, Scott trépigne à l'idée de voler de ses propres ailes et, en même temps, il comprend que tout ce qui l'attend n'aurait jamais été possible sans le support et l'amour inconditionnel de ses parents. Roulant vers la rivière, père et fils sont perdus dans leurs pensées quand Scott rompt le silence.

— Je dois te dire quelque chose, papa. Merci de m'avoir obligé à ne pas lâcher le hockey dès ma première année.

— De quoi parles-tu, Scott ?

— Tu ne te souviens pas ? Ton discours sur les Gomez ! Un Gomez finit ce qu'il commence, m'avais-tu dit, en ajoutant qu'il était hors de question que j'arrête de jouer en plein milieu de la saison.

— Ah, oui... ça ! Hum... Veux-tu savoir la vraie raison pour laquelle je t'ai obligé à ne pas lâcher le hockey ?

— Qu'est-ce que t'en penses ?

— Écoute, on venait juste de t'acheter des beaux patins flambant neufs qui avaient coûté au-delà de cent dollars ! J'avais pas dépensé cent dollars pour que tu joues juste un mois et demi !

* * *

Une semaine plus tard, Scott quitte Anchorage pour se rapporter à sa nouvelle équipe. À son arrivée, les Eagles lui fournissent une voiture et ils lui dénichent une pension à White Rock. Passer la frontière le matin et le soir pour aller étudier n'est qu'une formalité. Tout se déroule donc à merveille sauf que l'adolescent a souvent le mal du pays. Pour chasser l'ennui, Scott téléphone chaque jour à ses parents et il contacte tous ses amis à Anchorage à tour de rôle. Une surprise de taille l'attend cependant lorsqu'il reçoit sa facture d'interurbain au terme de son premier mois en Colombie-Britannique... Le montant s'élève à mille cinq cents dollars ! C'est tout un choc. En plus d'avoir le cafard, Scott n'apprécie pas certains aspects de la vie en pension. Au départ, il était plus qu'enthousiaste à l'idée d'habiter chez les propriétaires d'un restaurant Subway, mais après un mois de sous-marins, il rêve d'aller vivre ailleurs !

Au bout d'un moment, tout finit par se placer dans la vie de Scott. Il se fait rapidement de nouveaux amis et il se plaît énormément dans sa nouvelle pension. Un soir de novembre, alors qu'il regarde la télé, une nouvelle le fait bondir. Il reconnaît l'homme dont la photo défile sur le petit écran et qui fait la manchette des journaux de tout le pays. C'est le coach des Hitmen de

Calgary, Graham James, avec qui il a passé une journée, moins d'un an auparavant. James est accusé d'agression sexuelle sur des mineurs. Deux hockeyeurs qui ont déjà joué sous ses ordres viennent de le dénoncer publiquement. En janvier suivant, ce triste individu plaidera finalement coupable à 350 chefs d'accusation. Scott est sidéré et il téléphone à son père sur-le-champ.

— Papa, tu te souviens que j'avais passé une journée avec Graham James, le coach des Hitmen, l'an dernier à Calgary ?

— Oui... Je m'en souviens.

— Eh bien, il vient d'être arrêté ! Ce gars-là est un agresseur sexuel. Je te l'avais dit...

— Scott, calme-toi. Je savais tout ça. C'est pour ça que tu joues à South Surrey cette année et pas à Calgary ! Jouer pour Graham James n'a jamais été une option !

Aujourd'hui, Scott raconte cette anecdote en riant, mais d'autres jeunes hockeyeurs sont tombés entre les griffes de cet odieux personnage.

« L'été précédant le tournoi Mac's, il était venu me rencontrer à Anchorage et il avait discuté avec mes parents. Je crois qu'il avait bien compris à ce moment-là que les Gomez formaient un clan tissé serré. Quand j'ai vu cette nouvelle à la télé, je me suis dit que s'il avait perçu que ça ne tournait pas rond avec ma famille, il aurait probablement essayé de me faire des attouchements durant cette journée avec lui. Aujourd'hui encore, je suis persuadé que le seul but de sa visite en Alaska était de sonder le terrain et de vérifier si je pouvais être une victime potentielle », explique Scott.

* * *

Chez les Eagles, même s'il joue avec des gars plus vieux et plus costauds, Scott termine la saison avec 48 buts et 76 passes en 56 parties, des statistiques qui lui vaudront le titre de recrue de l'année dans la BCHL. Son club termine le calendrier régulier avec un dossier impressionnant de 47-7-6 et 100 points au classement. Le joueur recrue maintiendra la même cadence en séries éliminatoires avec 41 point en 21 joutes pour aider les Eagles à se qualifier pour le championnat canadien junior A qui se déroule à Summerside, à l'Île-du-Prince-Édouard. South Surrey s'incline 4 à 3 en finale face aux représentants de la ville hôtesse et Scott est nommé attaquant par excellence du tournoi.

LA WHL PLUTÔT QUE L'UNIVERSITÉ

Comme ça avait été le cas l'été précédent, les plans que Scott avait échafaudés sont bouleversés, à la différence que, cette fois-ci, c'est lui qui décide de sa destinée. Même si une entente écrite le lie à Colorado College, il décide de poursuivre sa carrière au sein de la Ligue junior de l'Ouest, la WHL. Pendant l'hiver, il a assisté à quelques matchs de ce circuit et il a pu constater que le calibre de jeu y est beaucoup plus relevé que celui que les programmes universitaires offraient à l'époque. À l'issue de la saison 1997-1998, il sera admissible au repêchage de la LNH, et la WHL semble le meilleur choix, autant au niveau de son développement que pour la visibilité que ce circuit procure à un joueur.

Même si tous savaient que Scott voulait jouer dans la NCAA, les Chiefs de Spokane avaient pris un risque en le repêchant tardivement deux ans plus tôt. (Dans la WHL, les joueurs sont sélectionnés dès l'âge de quatorze ans.) Mike Babcock, qui dirigeait alors cette formation, l'avait personnellement rencontré chez lui pour essayer de le convaincre de se joindre à sa formation. Babcock avait adoré ce qu'il avait vu de Scott avec les Eagles. L'offre est alléchante, car en plus d'être l'une des très bonnes formations de la ligue canadienne, Spokane accueillera la coupe Memorial au printemps 1998. Toutefois, Babcock ne sait pas que Scott est sur le point de changer son fusil d'épaule. À chaque rencontre, le jeune attaquant de South Surrey se montre inflexible en répétant qu'il retournera jouer dans son pays au niveau universitaire. Pour faire place à un autre joueur, Spokane libère ses droits à la fin de la saison.

Le jeune homme s'empresse de parapher une entente avec les Americans de Tri-City. C'est l'une des quatre équipes de la WHL alors basées au pays de l'oncle Sam, avec les Thunderbirds de Seattle, les Winter Hawks de Portland et les Chiefs de Spokane.

« Il y avait de la pression sur nos épaules, explique Carlos, car les collèges américains avaient toujours constitué notre seule et unique option, sauf que Scott devait disputer une autre saison avec les Eagles avant de graduer. Mais il aurait plafonné s'il avait joué une deuxième année dans cette ligue. On s'était donc assuré de conclure un pacte avec Tri-City: si Scott ne jouait pas professionnel, le club assumerait la totalité de ses dépenses et il irait au collège ou à l'université de son choix à la fin de son stage junior. »

Au cours de cet été 1997, Scott retourne chez lui à Anchorage. En plus de s'entraîner, il travaillera pour John Jolly, le propriétaire d'une entreprise de déménagement. L'homme d'affaires veut aider le jeune hockeyeur à poursuivre son rêve en le commanditant à sa manière, bien particulière.

« Je me suis rendu à son travail pour me plaindre et demander pourquoi on l'avait engagé si c'était pour qu'il passe ses journées à jouer au basket ! John, son patron, m'a regardé et m'a dit : "Ne te mêle pas de ça, Carlos. Je ne veux pas qu'il se blesse. Tout est sous contrôle et fiche-lui la paix !" Ça me rendait fou de savoir qu'il était payé à ne rien faire, car je crois aux vertus du travail et je déteste la paresse. J'étais furieux ! Aujourd'hui, John Jolly est un de mes bons copains », rigole Carlos en revenant sur cette histoire.

« Je me suis présenté au boulot chaque jour, mais je n'ai jamais touché à une seule boîte... Ça m'était totalement interdit ! J'ai été le pire employé de l'histoire de la compagnie ! s'esclaffe Scott. En Alaska, c'est comme ça que les choses fonctionnent. Les gens s'entraident énormément. J'ai passé deux mois complets à jouer au basket dans la cour arrière de l'entrepôt. Je ne faisais que ça toute la journée. Je regardais travailler les autres gars et ils me disaient tous de me concentrer sur mes études pour ne pas finir comme eux. Et dire que je venais de signer une lettre d'entente pour aller dans la WHL au détriment de Colorado College ! »

Un autre facteur incite Scott à douter du bien-fondé de sa décision quand il constate qu'en 1996-1997, Tri-City a connu une année catastrophique avec une récolte de seulement 51 points, bonne pour le dernier rang de la division de l'ouest de la WHL. Un vent de changement souffle cependant sur l'organisation.

L'entraîneur-chef Bob Loucks est parti et c'est nul autre que Rick Lanz qui le remplace derrière le banc.

Au début du camp d'entraînement, les réflecteurs sont tournés vers Scott et on dit de lui qu'il fait partie des plus beaux espoirs en vue du repêchage de la LNH, qui aura lieu en juin 1998 à Buffalo. On parle à profusion de Vincent Lecavalier et de David Legwand, puis d'un cercle sélect de trois ou quatre joueurs dont fait partie le hockeyeur originaire d'Anchorage.

Toutefois, lors du cinquième match de la saison, Scott subit une luxation de l'épaule gauche qui le force à l'inactivité pendant quelques semaines. Le petit joueur de centre rate 27 parties et, malgré une récolte respectable de 49 points en 45 parties, Scott disparaît un peu de l'écran radar. Collectivement, ce n'est guère mieux puisque les Americans connaissent une saison de misère avec seulement 17 victoires en 72 rencontres, ce qui leur vaut l'avant-dernière place du classement général, tout juste devant les Tigers de Medicine Hat.

« Quel désastre ! raconte Scott. On perdait toutes nos parties et je n'avais jamais vécu ça auparavant. C'était la première fois de ma vie que je faisais partie d'une équipe perdante. Mon père me répétait toujours que c'était justement une occasion importante pour moi de voir l'autre côté de la médaille. C'est un homme positif et il trouve toujours un bon côté à chaque situation. Au bout du compte, c'est une expérience qui m'a fait grandir. Papa avait raison ! »

Au début du calendrier, selon les rumeurs de coulisses, Scott était répertorié parmi les cinq ou six plus beaux espoirs en vue du repêchage. Quand la saison se termine, son nom revient beaucoup moins souvent dans les conversations. La mode est alors aux gros bonhommes et bien des dépisteurs se disent qu'avec sa taille modeste (5 pieds et 11 pouces) et sa blessure à l'épaule, le jeune attaquant des Americans a fait la preuve qu'il ne fera pas le poids face aux mastodontes de la LNH. Scott demeure néanmoins très bien vu par les dépisteurs et il est interviewé par la plupart des formations. Les Stars de Dallas et les Devils du New Jersey se montrent nettement plus intéressés que les autres équipes mais il n'existe plus aucune certitude que le nom de Scott

Gomez sera prononcé en première ronde du repêchage de juin, à Buffalo.

« Oh, que cette journée a été longue ! raconte Scott. J'étais assis dans les gradins avec ma famille, j'entendais des tas de noms et je ne comprenais pas ce qui se passait ! À un moment donné, le médecin des Stars me regarde et me fait un clin d'œil. J'étais certain que tout était réglé et que Dallas me sélectionnerait au tour suivant. Mais ils ont échangé leur choix aux Devils qui, eux, se retrouvaient alors avec deux choix en première ronde. Je voulais à tout prix être choisi en première ronde, car je regardais chaque année le repêchage à la télé avec mes amis et ESPN ne présentait que celle-là ! Mon agent me répétait qu'il n'y avait rien là, que ce n'était pas important. C'était rendu que je me foutais de ce qu'il me disait ou même de l'identité de l'équipe qui allait me repêcher, je ne voulais qu'une seule chose : être choisi en première ronde pour que tous mes copains me voient sur le podium en train d'enfiler mon chandail et de me faire prendre en photo ! »

Finalement, les Devils du New Jersey, détenteurs du dernier choix de la première ronde, réclament Scott Gomez des Americans de Tri-City. C'est le 27e choix au total… et le tout dernier de la première ronde !

« Je suis monté sur le podium et j'ai enfilé mon chandail des Devils en souriant, raconte Scott. Mes réponses aux questions des journalistes étaient déjà prêtes depuis des années ! Je rêvais à ce moment depuis l'âge de dix ou douze ans. Dès que j'ai pu, je me suis empressé de téléphoner à tous mes amis et, invariablement, ils me demandaient si j'avais été repêché. Je ne comprenais pas leur question. Puis j'ai su que parce que la première ronde s'étirait trop en longueur, ESPN avait interrompu la diffusion du repêchage après le 26e choix pour présenter une émission sur la chasse ! Je ne pouvais pas croire que ça m'arrivait… Honnêtement, j'ai vécu coup sur coup le plus grand moment de ma vie… et ma pire déception !

« Une fois cette histoire terminée, j'ai rapidement repris mes esprits et j'ai vite compris que je n'avais jamais été aussi près de mon but. Ça m'a surtout frappé quand ma mère, qui ne connaît rien au hockey, m'a lancé : “Wow ! Là, c'est vrai !” »

De retour à l'hôtel, Scott s'empresse de communiquer avec son bon copain Ty Jones, repêché en première ronde douze mois plus tôt par les Blackhawks. Jones lui dit que le temps est maintenant venu de relaxer et d'avoir du plaisir durant la soirée organisée par sa nouvelle organisation.

« Nous avons ôté nos beaux habits, sauté dans la douche et mis des tenues décontractées pour aller faire le *party* ! Mon père et moi sommes partis en bermudas, t-shirt et sandales, et une fois sur place, nous avons été abasourdis de constater que tout le monde était vêtu de ses plus beaux atours ! L'hôtel était trop loin pour qu'on retourne se changer et Lou Lamoriello nous regardait en ayant l'air de se dire : "Ah ben, v'là les Gomez... Méchante belle gang ! Quand je pense que c'est un choix de première ronde..." »

Scott Gomez ne fera pas souvent honte au grand patron des Devils par la suite. Dès la saison suivante, Scott aide son équipe à grimper au deuxième rang du classement général de la WHL. La troupe, maintenant dirigée par Don Hay, ne termine qu'à un seul point des Hitmen. Scott enfile 48 buts en plus d'amasser 78 mentions d'aides pour un total de 126 points en seulement 58 parties, ce qui lui vaut d'être élu sur la première équipe d'étoiles de la WHL.

Et puis, les événements se bousculent. Scott amorce la saison suivante immédiatement avec les Devils du New Jersey. Il accumule 70 points en 82 matchs et la LNH lui décerne le trophée Calder remis à la recrue de l'année. Cette première saison dans le circuit Bettman se termine très tard puisqu'il aide son équipe à mettre la main sur la deuxième coupe Stanley de son histoire. Scott aura son mot à dire dans ce triomphe avec une production de 10 points en 23 parties éliminatoires.

Quelques semaines plus tard, Gomez tiendra le précieux trophée à bout de bras devant parents et amis à Anchorage, en Alaska... Le fils de Carlos et de Dalia représentera dorénavant, pour tous les gens de cet État, un exemple et un symbole de réussite.

LES CONSEILS DE SCOTT

Aux jeunes: « Assurez-vous de toujours vous amuser. Dans le fond, c'est la raison principale qui vous amenés à pratiquer ce sport. Le temps passe tellement vite que vous devez profiter pleinement de chaque instant de votre jeunesse. »

Aux parents: « Laissez votre enfant s'amuser, c'est ce que mes parents m'ont toujours permis de faire. Laissez votre enfant être lui-même et jouer de la façon qui le rend le plus heureux. Ce n'est pas à vous de décider s'il doit se concentrer davantage sur sa défensive ou sur son attaque. Je pense aussi que c'est une grande erreur que de ne jouer qu'au hockey douze mois par année. Il faut savoir varier les plaisirs ! »

LES CONSEILS DE CARLOS

« Selon moi, c'est important de comprendre qu'il y a des étapes à franchir dans une carrière et il ne faut pas gravir deux échelons à la fois. Aujourd'hui, le hockey mineur est devenu un business et les gens vous disent ce que vous voulez entendre. "Votre fils est le meilleur... Il devrait faire ci... Il devrait faire ça... Il faut qu'il s'entraîne." Mon fils ne s'est jamais entraîné de toute sa jeunesse ! Il ne pouvait même pas faire dix *push-up* au *high school*. Si l'enfant est doué, peu importe ce qu'il va faire en bas âge, c'est à compter d'environ quinze ou seize ans qu'il va ressortir du lot.

« Je ne le cache pas, je suis de la vieille école ! Je suis impliqué dans le hockey mineur à Anchorage et je crois que, de nos jours, les enfants dictent trop souvent les règles. Quand ils deviennent adolescents, les jeunes décident où ils veulent aller jouer et avec qui. Je ne pense pas que les choses devraient fonctionner de cette façon. Les parents ne doivent pas oublier que ce sont eux qui sont responsables et que ce sont eux qui doivent prendre les décisions. Scott pouvait donner son opinion... mais il savait que c'était moi le patron ! »

SCOTT GOMEZ
Né le 23 décembre 1979 à Anchorage, Alaska
Centre
5 pi 11 po
200 livres
Repêché par New Jersey en 1998
1re ronde, 27e choix au total

Saison régulière						Séries			
ÉQUIPE	SAISON	PARTIES	BUTS	PASSES	POINTS	PARTIES	BUTS	PASSES	POINTS
East High	94-95	28	30	48	78				
East High	95-96	27	56	49	105				
Anchorage	95-96	40	70	67	137				
South Surrey	96-97	56	48	76	124	21	18	23	41
Tri-City	97-98	45	12	37	49				
Tri-City	98-99	58	30	78	108	10	6	13	19
New Jersey	99-00	82	19	51	70	23	4	6	10
New Jersey	00-01	76	14	49	63	25	5	9	14
New Jersey	01-02	76	10	38	48				
New Jersey	02-03	80	13	42	55	24	3	9	12
New Jersey	03-04	80	14	56	70	5	0	6	6
Alaska Aces	04-05	61	13	73	86	4	1	3	4
New Jersey	05-06	82	33	51	84	9	5	4	9
JO Turin	2006	6	1	4	5				
New Jersey	06-07	72	13	47	60	11	4	10	14
Ny Rangers	07-08	81	16	54	70	10	4	7	11
Ny Rangers	08-09	77	16	42	58	7	2	3	5
Montréal	09-00	78	12	47	59	19	2	12	14
Total LNH		784	160	477	637	133	29	66	95

TROPHÉES LNH
Trophée Calder : 2000
Coupe Stanley : 2000, 2003

Des lieux importants dans le parcours de Scott Gomez

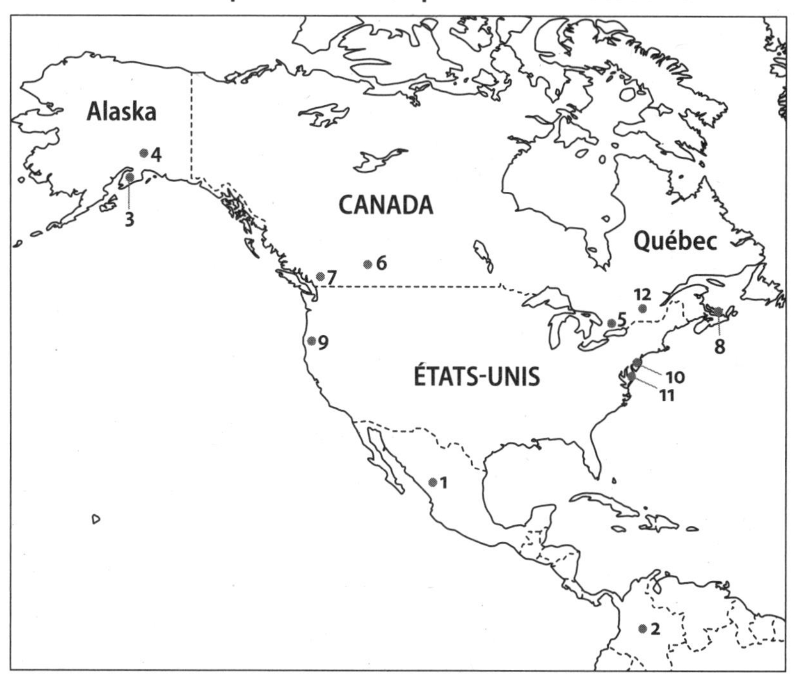

1. **Mexique** : lieu de naissance des parents de Carlos Gomez.
2. **Colombie** : lieu de naissance de la mère de Scott.
3. **Anchorage, Alaska, États-Unis** : lieu de sa naissance en 1979 et de ses premiers coups de patin. Niveau *mites* avec le Boys Club et les North Stars ; niveau *squirt* ; niveau pee-wee avec les North Stars ; niveau bantam A avec les All Stars et les Thunderbirds de East High ; niveau midget A avec les All Stars.
4. **Palmer, Alaska, États-Unis** : niveau *squirt*.
5. **Oshawa, Ontario, Canada** : participe au Tournoi Kinsmen (niveau pee-wee).
6. **Calgary, Alberta, Canada** : participe au Tournoi Mac's avec les All Stars d'Anchorage. Première équipe d'étoiles du tournoi.
7. **South Surrey, Colombie britannique, Canada** : niveau junior A avec les Eagles dans la BCHL (1996-1997).
8. **Summerside, Île-du-Prince-Édouard** : participe au Championnat canadien junior A avec les Eagles de South Surrey (1997).
9. **Tri-City, Oregon, États-Unis** : niveau junior A avec les Americans dans la WHL (1997-1998 et 1998-1999).
10. **New Jersey, État du New Jersey** : avec les Devils dans la Ligue nationale de hockey (de 1999-2000 à 2006-2007). Gagnant de la coupe Stanley en 2000 et 2003.
11. **New York, État de New York, États-Unis** : avec les Rangers, en 2007-2008 et 2008-2009.
12. **Montréal, Québec, Canada** : avec le Canadien de Montréal depuis 2009.

REMERCIEMENTS

Étant journaliste sportif à la télévision, je dois honnêtement admettre que j'étais rongé par l'inquiétude avant la publication de mon premier livre, en octobre 2008. Je me posais une multitude de questions et le doute m'habitait. Malgré mes deux décennies d'expérience, je sautais à pieds joints dans un monde inconnu et je me demandais deux choses : comment mes collègues percevraient-ils mon livre et, surtout, qu'en penserait le public ?

L'accueil a été formidable, autant chez mes pairs qu'auprès des lecteurs, et c'est ce qui m'a insufflé le désir de pousser le travail un peu plus loin en accouchant du tome 2. Depuis un peu plus de deux ans, une multitude de parents et de professeurs de français m'ont abordé pour me souligner qu'enfin les garçons avaient trouvé un livre à se mettre sous la dent. Une foule de jeunes m'ont aussi interpellé pour me dire qu'ils avaient utilisé une de mes histoires pour un travail à l'école. Ces marques de reconnaissance m'ont touché droit au cœur et je remercie sincèrement toutes les personnes qui m'ont encouragé dans cette nouvelle facette de mon métier de journaliste sportif. Sans elles, je ne me serais jamais lancé dans l'aventure d'un deuxième ouvrage.

Merci aussi à ma mère Jacqueline qui, comme les mamans bienveillantes que l'on retrouve dans mes deux livres, a toujours été capable de trouver les bons mots et de faire les bons gestes pour que se réalise le rêve farfelu de son fils de treize ans qui voulait couvrir les activités du Canadien de Montréal. Jacqueline a entretenu ce rêve, appuyé par mon père André qui a quitté ce monde beaucoup trop tôt, en 1986. Merci, maman, de nous avoir enseigné à ne jamais baisser les bras et, surtout, de toujours croire en nous. Je t'aime.

CRÉDITS PHOTOGRAPHIQUES

Brian Gionta :
archives de la famille Gionta.

Alex Kovalev :
archives de la famille Kovalev.

Kim Saint-Pierre :
archives de la famille Saint-Pierre.

Michael Cammalleri :
archives de la famille Cammalleri.

Georges Laraque :
archives de la famille Laraque.

David Perron :
archives de la famille Perron.

Scott Gomez :
archives de la famille Gomez.

Un merci tout particulier aux joueurs ainsi qu'à leurs familles pour leur participation à l'iconographie de ce livre.

L'auteur a fait les meilleurs efforts pour retrouver les titulaires des droits des photographies reproduites dans cet ouvrage. Si certains n'avaient pas été contactés, qu'ils veuillent bien se faire connaître auprès des Éditions Hurtubise.

TABLE DES MATIÈRES

Imprimé en mars 2011
sur les presses de Transcontinental-Gagné
Louiseville, Québec